Ripley's Believe It or Not!

2012

Le Big Livre de l'Incroyable

Ce livre a été publié aux États-Unis sous le titre
Ripley's Believe it or Not !®
Enter if you dare !
par Ripley Entertainment Inc.

Ripley's, Believe it or Not ! et Ripley's Believe it or Not !
sont des marques déposées appartenant à Ripley Entertainment Inc.

Design	Dynamo Design
Composition	Atlant'Communication
Traduction	Anne Bleuzen
	Emmanuel Dazin
	Philippe Istria
	Vincent Le Leurch
	Laure Porché
	Virginie Bordeaux

ISBN 978-2-8098-0559-8

Imprimé en Chine
Dépôt légal : octobre 2011.

www.big-livre-de-lincroyable.com
www.editionsarchipel.com

Ripley's
Believe It or Not!®

2012

OUVRE SI TU L'OSES !

Le Big Livre de l'Incroyable

l'Archipel

UN MONDE FABULEUX

Ripley est une gigantesque machine, extrêmement bien huilée. L'équipe Ripley est composée de chercheurs, de conservateurs, d'archivistes, de maquettistes mais aussi d'éditeurs et de journalistes, qui rédigent les articles du *Big Livre de l'Incroyable !* Des personnes passionnées qui n'ont de cesse de traquer le côté extraordinaire ou insolite de la vie.

Aujourd'hui, pas moins de 31 musées abritent la fabuleuse collection Ripley. D'inoubliables pièces sont exposées, issues du vaste entrepôt situé au siège de Ripley, à Orlando, en Floride. C'est là aussi que toutes les sculptures en cire sont créées afin de donner vie à des personnes extraordinaires d'hier et d'aujourd'hui (voir p. 8).

Toujours à l'affût de la moindre bizarrerie pour attirer les visiteurs, Ripley renouvelle régulièrement la collection de ses musées. Ci-dessus une des pièces du musée de Brisbane.

Au musée de Brisbane, en Australie, on trouve le géant Robert Wadlow, le minuscule Alypius, de 43 cm, enfermé pour trahison dans une cage d'oiseau par un pharaon égyptien, une femme padaung au cou enserré dans des colliers en cuivre, l'artiste aux trois jambes Francisco Lentini et Avelino Perez Matos capable de faire sortir ses yeux de ses orbites.

ROBERT RIPLEY

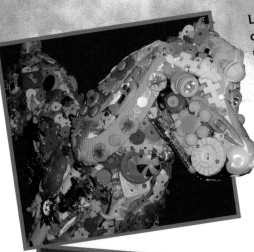

Les musées Ripley offrent toujours une variété d'objets incroyables. Ici, une sculpture grandeur nature d'un chien faite à partir de jouets usagés, réalisée par l'artiste Robert Bradford.

L'équipe Ripley déploie la même énergie que son fondateur Robert Ripley qui, en 1918, a commencé à sillonner le globe dans une quête éperdue d'objets et d'individus hors du commun. En 1918, alors qu'il travaillait comme dessinateur au *New York Globe*, Robert Ripley s'est découvert une passion pour l'étrange.

Passionné de voyages, il a parcouru plus de 747 000 km, accumulant des objets et cherchant des histoires pour sa rubrique *Incroyable mais vrai !* Son courrier hebdomadaire pouvait dépasser les 170 000 lettres et Robert Ripley se délectait de chacune d'elles, encourageant ses fans à lui envoyer des documents ou des photos extraordinaires.

Les 31 musées Ripley disséminés un peu partout dans le monde (voir liste p. 256) sont en eux-mêmes incroyables ! En témoigne la façade tape-à-l'œil du musée Ripley d'Atlantic City.

Ripley organise régulièrement des spectacles au sein de ses musées, comme la journée des avaleurs de sabres, qui rassemble une douzaine d'experts de cet art incroyable.

CONTACTEZ-NOUS SI VOUS ÊTES DIGNE DE FIGURER DANS NOS PAGES

PARTICIPEZ...

ÉCRIVEZ-NOUS

(en joignant des photos si possible)
BION Research,
Ripley Entertainment Inc.,
7576 Kingspointe Parkway, 188,
Orlando, Florida 32819,
États-Unis

Suivez l'actu sur Internet

Envoyez un e-mail à
bionresearch@ripleys.com

Allez sur le site américain
www.ripleybooks.com

Et bien évidemment sur le site français www.big-livre-de-lincroyable.com

L'ENVERS DU DÉCOR

Les expositions d'effigies de cire constituent un élément essentiel du succès de nos musées. Elles sont mises au point dans notre QG d'Orlando, en Floride. C'est également là, au service Créations, que sont fabriquées nos centaines d'effigies finement détaillées.

Les murs sont couverts d'étagères regorgeant de boîtes de boutons, de rouleaux de tissus, de bocaux d'yeux ou de dents... Des mannequins attendent patiemment d'être complétés. À l'issue du processus, un objet inanimé se transforme en sculpture ayant toutes les apparences de la vie.

Plusieurs membres de notre service Création posent ici en compagnie d'un Walter Hudson en cire. De gauche à droite : Olga Irrizary, Andy Howard, Barry Anderson et Bruce Miller (accroupi). Walter fait 3,8 m de tour de taille et son pagne nécessite 6 m de tissu.

1 - *Le moulage*

2 - *La carrosserie*

3 - *La coiffure*

4 - *Le costume*

5 - *La finition*

Les ateliers de notre service Créations, à Orlando, Floride. Ci-contre, le buste de Grace McDaniels, la « Femme la plus laide au monde », en cours de réalisation et dans son état final.

« Souvent, il faut travailler sur des dimensions inhabituelles, explique Barry Anderson, qui a commencé sa carrière dans le cinéma et la télévision, où il réalisait des effets spéciaux. Pour certains personnages extrêmes, nous sculptons d'abord un modèle en mousse, que nous recouvrons d'argile. »

Le moulage ①

À partir du modèle d'argile, on réalise un moule en caoutchouc, rempli ensuite de cire. « Nous utilisons de la résine pour les corps et de la cire pour les têtes, parce qu'elle est translucide, explique Andy Howard. Nous mélangeons 5 cires différentes pour obtenir souplesse et durabilité. C'est une recette secrète. Nous ajoutons parfois un peu de plastique et de fibre de verre si le modèle présente des zones fragiles. »

② La carrosserie

Bruce Miller a travaillé pendant des années aux studios Universal et chez Disney, à Epcot, réalisant entre autres les effigies de King Kong et de E.T. : « Chez Ripley, on utilise de la fibre de verre et du plastique pour les corps. Les membres sont réalisés séparément et emboîtés ensuite. Les épaules et la taille tiennent grâce à des formes en bois. »

La coiffure ③

Puis sont insérés les yeux de verre, les dents et les cheveux. « Nous fixons les cheveux un par un, avec une aiguille au chas coupé pour former une sorte de crochet, explique Debra Brozovich. Nous travaillons avec de vrais cheveux – c'est très coûteux –, enfoncés dans la cire légèrement ramollie. Il faut parfois 80 heures de travail pour une tête. Nous conservons en général une longueur de 15 à 20 cm de cheveux, pour pouvoir les raccourcir, les coiffer. »

④ Le costume

Olga Irrizary réalise depuis quinze ans les costumes des modèles exposés chez Ripley. « J'ai beaucoup travaillé sur la garde-robe de l'homme le plus grand au monde, Robert Wadlow. Son costume trois-pièces nécessite 7 à 8 m de tissu, et pour sa seule chemise, il en faut 3 de plus. Il chausse du 82 et ses chaussures sont fabriquées sur mesure : une paire coûte 3 000 $. Le fabricant équipe les pros du basket ! Pour Pauline Muster, dont la taille ne dépassait pas 59 cm, Olga court les boutiques de vêtements pour bébés.

⑤ La finition

Commence enfin un minutieux travail de mise en couleurs. « Nous tenons à ce que tout soit parfait, conclut Barry. Et nos modèles doivent le rester. Il faut constamment effectuer des réparations. D'autres musées nous envoient parfois des statues endommagées. Quand nous ouvrons la caisse, tout est en miettes. Mais le modèle repart de chez nous comme neuf. »

PELOTE GÉANTE

Lorsque Edward Meyer a pris possession de cette pelote de 780 000 élastiques en caoutchouc mesurant 2,10 m et pesant 4 264 kg, son transport de Lauderhill (Floride) jusqu'à Orlando a demandé une grue et un camion… Pour connaître toute l'histoire, rendez-vous page 162.

Pour connaître toute l'histoire, rendez-vous page 162.

Edward Meyer est l'archiviste de Ripley en Floride. Voici quelques-unes de ses meilleures anecdoctes sur ses trouvailles.

● J'ai reçu au fil des ans plus d'une centaine de têtes réduites, dont une que je n'attendais pas, par la poste. J'en ai acheté deux à un type venu spontanément nous les proposer, dans un sachet à provisions !

● Après avoir remué ciel et terre pendant des années, j'ai trouvé un Notre Père gravé sur une tête d'épingle. Un vrai coup de bol. J'inventoriais une collection de miniatures, à Seattle, et je me souviens qu'il faisait très froid.

● Ayant payé 100 euros pièce une collection de 20 cure-dents finement sculptés, j'ai reçu un appel de l'un de nos correspondants en douane, m'informant qu'il avait reçu un paquet pour moi qui ne contenait que de simples cure-dents. J'ai eu soudain une vision de lui en train de mâchonner l'un de mes précieux trésors…

● Un jour, nous avons découvert une tête d'élan albinos empaillée dans un bar miteux de Cochrane, au Canada. On la voulait tellement qu'on a proposé d'acheter tout le bar, mais ça ne s'est pas fait. Et puis, quelques années après, le propriétaire m'a rappelé pour me la céder. Elle est visible dans notre musée de Branson, Missouri.

Les médecins d'un hôpital de Wuhan, en Chine, se sont vus amener une fillette de quatre ans dont la main droite avait 6 doigts. Fait particulièrement inhabituel, ces doigts étaient presque identiques et il manquait à l'enfant un pouce. Comme cette disposition l'empêchait de bien saisir les objets, les médecins lui ont enlevé un doigt et ont reconstruit les muscles de sa main.

TROP ZARBI

TROP ZARBI

ACCRO À LA LAVE

PATRICK KOSTER FERAIT N'IMPORTE QUOI POUR OBTENIR UNE
BONNE PHOTO, MÊME PASSER LA NUIT AU BORD D'UN VOLCAN
ACTIF ! CET INGÉNIEUR HOLLANDAIS S'EST MIS À PHOTOGRAPHIER
LES PHÉNOMÈNES NATURELS VOICI PLUS DE 10 ANS. IL EST
DEVENU OBSÉDÉ PAR LA PUISSANCE BRUTE DES VOLCANS,
SE DISANT « ACCRO À LA LAVE », ET IL A MÊME CHOISI LE BORD
D'UN CRATÈRE FOUGUEUX POUR FAIRE SA DEMANDE EN MARIAGE.
DANS SA QUÊTE DES MEILLEURS CLICHÉS, KOSTER PREND LE RISQUE
D'INHALER DES GAZ TOXIQUES, D'ÊTRE ÉTOUFFÉ PAR LA CENDRE
CHAUDE OU TUÉ PAR DES BOMBES VOLCANIQUES – CES MORCEAUX
DE ROCHE EN FUSION VIOLEMMENT ÉJECTÉS DES CRATÈRES –, SANS
PARLER DES FLUX DE LAVE BRÛLANTE QUI JAILLISSENT DEVANT
L'OBJECTIF. MALGRÉ LE DANGER, KOSTER PORTE DES VÊTEMENTS
ORDINAIRES ET UN SIMPLE MASQUE À GAZ. IL A PHOTOGRAPHIÉ
LES VOLCANS DES ÎLES CANARIES, CEUX D'ÉTHIOPIE,
D'ITALIE, DE GRÈCE ET D'HAWAÏ, ENTRE AUTRES ; IL LUI
RESTE UNE LONGUE LISTE DE VOLCANS VOMISSANT À VISITER.

La surface de ce lac de lave brûlante, dans
le cratère du volcan Erta Ale, bout et bouge
constamment, crachant des gaz sulfureux
potentiellement mortels. Le terrain environnant
étant accidenté et friable, Patrick doit bien
vérifier où il marche s'il ne veut pas tomber
dans le chaudron.

À Hawaï, la lave du Kilauea se déverse dans l'océan Pacifique. Elle peut exploser au contact de l'eau et être
projetée de façon imprévisible. Autre danger : l'apparition de panaches de gaz toxiques, qui contiennent
de l'acide chlorhydrique, des cendres volcaniques et des aiguilles de lave durcie.

Des salines colorées à Dallol, en Éthiopie. La croûte terrestre est ici très mince, ce qui entraîne l'apparition de formes volcaniques quand l'eau salée très chaude remonte à la surface. Dans cette zone, la température de l'air peut atteindre plus de 60 °C ; le risque de déshydratation est réel.

Patrick se tient debout au bord d'une fontaine de lave sur le volcan le plus actif au monde, le Kilauea, à Hawaï. La lave en fusion y atteint plus de 1100 °C.

IPLEY — *L'interview*

Pourquoi avoir choisi les volcans ?
Cela me demande chaque fois beaucoup d'efforts mais j'aime assister à l'éruption d'une des forces les plus destructrices de la nature, en capturer la beauté, puis repartir sain et sauf avec de nombreux clichés. Il n'y a qu'une poignée de gens à travers le monde qui font des photos de ce genre. Chez moi, aux Pays-Bas, je suis le seul. Vivre une éruption volcanique pour la première fois est incroyable. Ça tient à l'odeur de soufre, au bruit aussi fort que celui d'un moteur à réaction, aux explosions de bombes de lave, aux cendres, aux pierres qui pleuvent… La peur fait monter l'adrénaline, ça crée une dépendance. On a juste envie d'y retourner.

Fait-il vraiment très chaud ?
La température de la lave peut monter

très haut. Au bord de l'Erta Ale, j'ai vécu une montée de lave si soudaine que la chaleur a augmenté brusquement et que j'ai dû fuir le cratère, de crainte que mes vêtements ne prennent feu.

Le pire aspect de votre activité ?
Les conditions extrêmes. Mes appareils photo, trépieds et objectifs, ont tous été victimes des cendres volcaniques et des gaz. Il y a aussi le risque de se blesser en grimpant jusqu'au sommet ou en franchissant un champ de lave, et le mal de l'altitude. Également, le danger d'inhaler des gaz toxiques ou des cendres volcaniques, celui d'être touché par les bombes de lave…

Et le meilleur aspect ?
Après l'effort que nécessite l'ascension, on fait l'expérience visuelle, auditive, sensuelle, olfactive de quelque chose d'unique.

Avez-vous peur, parfois ?
Oui, et c'est une bonne chose. Ça tient en alerte, on réagit immédiatement si quelque chose d'inhabituel se produit. La peur vous rend aussi plus prudent. La meilleure image n'est pas nécessairement celle que l'on prend au plus près de l'action.

Vous êtes-vous déjà fait surprendre ?
Plusieurs fois, j'ai bien failli ne pas m'en tirer. En Tanzanie, un pont s'est effondré dans la lave en ébullition quelques instants après mon départ. À Hawaï, je me suis avancé sur un rebord rocheux qui, le lendemain, avait disparu. Il était tombé dans l'océan. La mer est très chaude à cet endroit, je n'aurais pas survécu… Une autre fois, sur le Stromboli, les conditions étaient si mauvaises au sommet, où le vent soufflait des cendres et des gaz toxiques, qu'il m'a fallu un masque à gaz et un casque. Il n'a même pas été question que je prenne des photos !

Cocon de soie

En 2009, à Rotterdam, un automobiliste a retrouvé sa voiture ensevelie sous un cocon de soie géant. Sa Honda avait été prise pour de la nourriture par des chenilles tisseuses qui fabriquent des toiles de soie pour se protéger des oiseaux et des guêpes. Cela leur permet de se gaver sur les feuilles avant de se transformer en papillons.

ℝ AMOUREUX DES OISEAUX

Un voyageur arrivant en 2009 au Los Angeles International Airport a été pris avec 14 oiseaux vivants attachés à ses jambes, sous son pantalon. Les douanes ont eu des soupçons en repérant des plumes d'oiseaux et des déjections sur ses chaussettes, et des pennes dépassant de son pantalon.

ℝ BIEN CACHÉ

La petite Natalie Jasmer, 2 ans, de Greenville, Pennsylvanie, a disparu en 2009 pendant une partie de cache-cache. Sa famille a appelé les pompiers pour l'aider à la retrouver. Après une heure de recherches, l'enfant a été découverte par le chien de la maison, endormie dans un tiroir sous la machine à laver.

ℝ INSÉPARABLES

Peter et Paul Kingston, du West Sussex, en Angleterre, de vrais jumeaux, sont inséparables depuis plus de 75 ans. Ils ont travaillé dans la même entreprise d'électronique, puis en tant qu'animateurs dans le même camp de vacances. Ces 40 dernières années, ils ont partagé la même maison avec leurs épouses respectives.

ℝ C'EST DANS LA BOÎTE

Un détenu s'est évadé en 2008 de la prison de Willich, en Allemagne, caché dans un carton au milieu du courrier à expédier.

ℝ CONFONDUS

Un juge chargé d'une affaire de drogue à Kuala Lumpur, en Malaisie, a dû libérer les coaccusés – de vrais jumeaux –, ne pouvant déterminer lequel des deux avait fait le coup.

ℝ ELLE TOMBE MAL

En mars 2009, tandis qu'elle plantait des arbustes, Sheila Woods, du Devon, en Angleterre, découvrit au milieu de son jardin une tombe complète, avec la pierre tombale datée de 1833, le cercueil et le cadavre.

Ciseaux vivants

Les agents de sécurité des aéroports américains confisquent chaque jour des centaines de ciseaux et autres armes potentielles. L'artiste Christopher Locke les collecte et les convertit en sculptures, dont ces araignées fabriquées à partir de ciseaux tordus, et ces insectes à base de couteaux multilames.

ℝ TROU DE BALLE

En juillet 2009, Jennifer Bliss a été blessée accidentellement alors qu'elle était assise sur la cuvette des WC, dans la salle de bains d'un hôtel de Tampa, en Floride. La personne occupant la chambre d'à côté, en entrant dans sa propre salle de bains, a laissé tomber son arme à feu et le coup est parti. Bliss a été touchée à la jambe.

ℝ PERMUTÉES

Kay Rene Reed Qualls et DeeAnn Angell Shafer ont appris à l'âge de 56 ans qu'elles avaient été échangées à la naissance. Chacune a ainsi été élevée par les parents de l'autre. Elles sont nées au Pioneer Memorial Hospital de Heppner, Oregon, en 1953, mais l'erreur n'a été découverte qu'en 2009, grâce à des tests ADN.

℞ ATTAQUES DE LARVES

En décembre 2008, la police d'Osaka, au Japon, a arrêté un homme pour avoir libéré des milliers de larves de coléoptères dans un train express, juste pour faire peur aux passagères !

℞ ALLÔ ? C'EST MORUE ?

Lorsqu'Andrew Cheatle a vu son téléphone portable emporté par la mer sur une plage de Worthing, West Sussex, en Angleterre, il l'a cru irrécupérable. Une semaine plus tard, l'appareil est sorti du ventre d'un énorme cabillaud de 11 kg, pêché par Glen Kerley. En le vidant avant de le placer sur son étal de poissons, celui-ci y a trouvé le téléphone. Il fonctionnait encore.

℞ JOURS INTERCALAIRES

Dans la famille Keogh, sur trois générations, des enfants sont nés le 29 février, en dépit d'une probabilité de seulement 3 118 535 181 contre 1. Peter Keogh est né en Irlande le 29 février 1940, son fils Eric et sa petite-fille Bethany au Royaume-Uni les 29 février 1964 et 1996.

℞ ENFANT SAUVAGE

Une petite fille russe a passé les cinq premières années de sa vie au milieu de chats et de chiens. La fillette, originaire de la ville sibérienne de Tchita, a adopté le comportement des animaux, se mettant même à aboyer comme un chiot.

℞ SI PROCHES PARENTS

George Culwick et Lucy Heenan, frère et sœur qui s'étaient perdus de vue depuis 60 ans, ont découvert en 2008 qu'ils avaient vécu tout ce temps à 6,5 km l'un de l'autre, à Birmingham, Angleterre.

℞ UN AMOUR NEUF

Pour marquer le 9e jour du 9e mois de l'année 2009, une chaîne de supermarchés discount de Los Angeles a proposé neuf cérémonies de mariage au prix avantageux de 99 cents. Les couples gagnants se sont vus offrir 99,99 $ en espèces et une lune de miel dans un endroit romantique.

℞ LA PÊCHE AU FRIC

Deux adolescents australiens partis pêcher en septembre 2009 à Tuntable Creek, près de Nimbin, Nouvelle-Galles du Sud, ont fait une prise étonnante : une pochette plastique contenant 87 000 $ d'argent liquide.

UNIS JUSQU'AU BOUT

Chang et Eng Bunker (1811-1874) furent les vrais « Frères siamois ». C'est d'après eux que l'on a baptisé cette particularité. Originaires du Siam, l'actuelle Thaïlande, ils étaient unis par un morceau de cartilage. Ils épousèrent deux sœurs et eurent un total de 21 enfants. En 1874, Chang fut victime d'une attaque dans son sommeil. Quand Eng se réveilla, découvrant son frère mort, il refusa d'en être séparé, mourant à son tour : il se vida de son sang en 3 heures dans le corps de son jumeau.

JULY

Past pheasant given up the ghost on the Warwick Highway.

MACADAM PIZZA

KEVIN BERESFORD A PARCOURU TOUTE LA GRANDE-BRETAGNE POUR PRENDRE DES PHOTOS ILLUSTRANT UN CALENDRIER DEVENU UN BEST-SELLER. LEUR ORIGINALITÉ : ELLES MONTRENT DES ANIMAUX MORTS ÉCRASÉS SUR LA ROUTE : BOUILLIE D'ÉCUREUIL, RENARDS APLATIS, PIES RÉDUITES EN PURÉE .

ROAD KILL?

CALENDRIER 2010

Aucun animal n'a été délibérément tué ou maltraité pour sa réalisation

Ⓡ CHÈQUE SOUVENIR

Un chèque de 10,50 $ signé par Neil Armstrong une heure avant qu'il ne décolle pour la lune s'est vendu aux enchères 27 350 $, à Amherst, New Hampshire, en 2009, 40 ans jour pour jour après qu'il a été rempli. L'astronaute tenait à rembourser un cadre de la NASA à qui il devait de l'argent, au cas où il ne serait pas revenu.

Ⓡ DES DENTS DEDANS

Le client d'un magasin Walmart de Falmouth, Massachusetts, a déclaré avoir trouvé dix dents dans le compartiment zippé d'un portefeuille qu'il était sur le point d'acheter. Selon la police, les dents appartenaient à un adulte, mais en l'absence de traces de sang ou de tissu de gencive, il fut impossible d'effectuer des tests ADN pour retrouver leur propriétaire.

Ⓡ RETARD DE LIVRAISON

Dave Conn, de Hudson, Ohio, a reçu une carte postale 47 ans après son envoi. Elle avait été postée par une femme de Helena, Montana, en 1962, mais elle n'a jamais atteint son destinataire, décédé en 1988.

Ⓡ BOUTEILLE À LA MER

Une bouteille contenant un message, jetée dans l'océan en 1969 au large des côtes du New Jersey, a été découverte 39 ans plus tard à 645 km de là, à Corolla, Caroline du Nord.

Ⓡ SALAMI MES AMIS !

En 2009, certains automobilistes de la capitale bulgare, Sofia, se sont vu offrir un salami pour bonne conduite. Dans le cadre d'une initiative de la sécurité routière, une fabrique de charcuterie a accepté d'offrir ce cadeau à tout chauffeur respectant les passages piétons.

Ⓡ C'EST DU BONUS

En août 2009, dans un supermarché de Londres, les clients ont fait la queue devant un distributeur de billets défectueux : il donnait le double de la somme demandée. Le magasin a rapidement débranché la machine, mais les clients ont eu le temps de retirer l'équivalent de 10 000 €.

COUCOU À L'EAU

Le pilote d'un petit avion tombé au milieu de la mer d'Irlande l'a échappé belle : il a été repéré par un équipage qui tentait le tour des îles britanniques à la rame. Les quatre hommes en étaient à dix jours de voyage quand ils ont découvert l'engin, à demi submergé dans l'eau glaciale. Le pilote, John O'Shaughnessy, parti du pays de Galles vers l'Irlande, était debout sur l'une des ailes.

TROP BIEN INFORMÉ

Vlado Taneski, un journaliste macédonien, a couvert une série de meurtres en donnant tant de détails que la police, en juin 2008, a fini par comprendre : le tueur, c'était lui.

SPECTRE VENGEUR

Un fantôme a un jour aidé à faire condamner un meurtrier. La mort de Zona Shue, dans le comté de Greenbrier, Virginie-Occidentale, en 1897, avait été déclarée naturelle, jusqu'à ce que son spectre apparaisse à sa mère et décrive comment elle avait été tuée par son époux, Edward. Sa mère persuada le procureur local de rouvrir le dossier et une autopsie sur le cadavre exhumé établit la culpabilité du mari.

CLIENTS INDÉSIRABLES

En 2009, les clients d'un magasin d'alimentation de Puyallup, État de Washington, ont été contraints de fuir face à l'apparition de bovins échappés d'une foire proche. Un an plus tôt, un taureau de la même foire avait forcé la porte d'une banque.

BAR BRÛLANT

En 2008, à Bournemouth, en Angleterre, une équipe d'incendie a été envoyée éteindre un feu dans un bar appelé L'Inferno, situé à côté d'un autre bar appelé The Old Fire Station (L'Ancienne caserne de pompiers).

ATTAQUE DE BOUCHONS

Un camion transportant des bouteilles de vin a eu un accident et a pris feu à Wamsutter, Wyoming. Les équipes d'urgence ont été attaquées par une grêle de bouchons lorsque les bouteilles ont explosé dans la fournaise.

ERREUR DE BANQUE

En juillet 2009, Josh Muszynski, de Manchester, New Hampshire, a utilisé sa carte de crédit à une station d'essence pour payer un paquet de cigarettes. Il a eu ensuite la mauvaise surprise de constater qu'il avait été débité de

Passion souterraine

Après avoir passé 17 années à assembler sa propre Lamborghini dans la cave de sa maison du Wisconsin, Ken Imhoff a réalisé qu'il n'avait aucun moyen de l'en sortir. Il a construit une rampe et a loué une pelle mécanique pour creuser le talus de son jardin, allant jusqu'à détruire une partie des fondations de la maison. Et sa voiture a finalement pu émerger.

23 quatrillions de dollars. La Bank of America a corrigé l'erreur le lendemain.

DE PÈRE EN FILS

Après six générations couvrant 217 années, le dernier Dr Maurice de la ville de Marlborough, dans le Wiltshire, en Angleterre, a raccroché son stéthoscope en 2009. La retraite du Dr David Maurice a mis fin à une série ininterrompue de médecins de la même famille depuis 1792.

MACABRE CANULAR

Après le signalement de ce qui semblait être un corps enveloppé d'un sac de couchage dans une forêt près d'Izu City, au Japon, les agents de police l'ont rapporté au commissariat pour un examen post mortem. Le médecin légiste n'y a trouvé qu'une poupée gonflable portant une perruque brune, une blouse et une jupe.

DES PELLES AU MARIAGE

Conformément à une tradition de Xi'an (Chine) voulant que, depuis la maison jusqu'au lieu de la cérémonie nuptiale, les pieds de la mariée ne touchent pas le sol, un couple s'est marié sur une tracto-pelle.

Tronche louche

Ce poisson non identifié de 1,40 m de long a été pêché près de la ville de Taizhou, dans l'est de la Chine. Personne n'a voulu y goûter, craignant que sa sale tête ait quelque chose à voir avec la pollution de l'eau.

PILLEURS DE CORPS

BIENVENUE CHEZ LES PARASITES, ON VA SE RÉGALER !
REDOUTABLEMENT MALINS, ILS VIVENT DANS ET
GRÂCE À D'AUTRES ÊTRES VIVANTS, QU'ILS
MANIPULENT À LEUR INSU, SOUVENT JUSQU'À
PROVOQUER LEUR MORT.

Champis mortels

Envahi par les spores, l'insecte meurt, des champignons en sortent…

Ces champignons infectent, tuent, puis momifient les chenilles et les insectes. Certains hôtes finissent en véritables zombies : leurs envahisseurs les poussent à ramper pour aller mourir à l'endroit le plus propice à la contamination de leurs congénères.

Croque tête

Cette mouche pond une larve qui dévore le cerveau des fourmis.

La mouche se pose sur la tête de la fourmi, où elle pond un œuf dont sort la larve mangeuse de cervelle qui la décapitera. Ensuite, la larve s'attarde 2 semaines dans la tête, puis en sort sous la forme d'une mouche de la famille des Phoridae.

Ce parasite infecte les escargots. Il fait enfler leurs cornes et les colore ; cela a pour effet d'attirer les oiseaux, qui les mangent. Un ver plat se développe ensuite à l'intérieur du tube digestif de l'oiseau, passe dans ses déjections, qui sont absorbées… par les escargots ! Et le cycle continue.

À la colle

Mâle ou femelle, unis pour toujours

Les mâles baudroies d'Amérique sont beaucoup plus petits que les femelles. Ils grignotent le corps de leur partenaire jusqu'à ce que leurs peaux, puis leurs vaisseaux, fusionnent. Le mâle devient alors une extension du corps de la femelle, ne servant qu'à féconder ses œufs.

À croquer

Les cornes de l'escargot infecté ressemblent à d'appétissantes chenilles.

Envoûtée

Les nématomorphes sont d'abord de minuscules créatures vivant dans l'intestin des insectes, jusqu'à croître pour les dépasser de beaucoup en longueur : ils peuvent mesurer 1 mètre ! Le parasite pousse son hôte à s'approcher de l'eau, où il meurt noyé. Il sort alors du cadavre un ver adulte, parfaitement à l'aise dans l'élément liquide.

Il pousse les insectes à se jeter à l'eau et s'échappe de leur corps.

Il abuse !

Ce parasite colonise la poche à œufs du crabe

Le cirripède se colle au crabe femelle, colonise sa poche à œufs et la pousse à prendre soin des œufs parasites. Si le crabe est mâle, le cirripède le stérilise et lui fait gonfler l'abdomen jusqu'à en faire une sorte de crabe femelle.

Chasseur chassé

Elle paralyse la tarentule pour lui coller une larve qui la dévore.

La guêpe Pepsis est une pompile, une guêpe chasseuse d'araignées qu'elle paralyse grâce à son dard surpuissant. Sa piqûre est l'une des plus douloureuses qui soient. Elle replace ensuite l'araignée dans son nid et pond sur elle un œuf dont sortira une larve qui la dévorera vivante.

Copain goûteur

Il se substitue à la langue du poisson pour se nourrir de sang et de mucus.

Cette créature se fixe à la langue d'un poisson puis en suce le sang jusqu'à ce que la langue s'atrophie et meure. Une fois installé, le parasite devient la nouvelle langue du poisson, se nourrissant dans sa bouche de sang, de mucus et de débris alimentaires.

℞ MAUVAIS COMPTE

Un mathématicien allemand mort depuis 450 ans a reçu en 2009 un courrier lui enjoignant de payer sa redevance télé, avec pénalités de retard. La facture avait été envoyée à la dernière adresse connue d'Adam Ries, génie de l'algèbre mort en... 1559 !

℞ VOLEUR SECOURU

Un voleur italien a remercié la police de l'avoir sauvé d'un groupe de touristes coréens en furie. Ayant dérobé le sac d'une Coréenne en vacances à Rome, il a été poursuivi par des membres de sa famille, pratiquant le taekwondo, qui l'ont jeté au sol puis passé à tabac, jusqu'à ce que surgisse un policier.

℞ UN JEU CREVANT

À Mahia Beach (Nouvelle-Zélande du Nord), après avoir bien joué avec un gentil dauphin du nom de Moko, une femme s'est trouvée en difficulté lorsqu'il l'a empêchée de regagner la plage. Ses cris ont alerté les secouristes qui l'ont rejointe à la rame, la récupérant accrochée à une bouée, épuisée. Il semble qu'en hiver, lorsqu'il y a moins de monde, les dauphins s'ennuient, et que celui-ci voulait juste continuer à jouer.

℞ LINGOTS VERTS

En 2009, la police d'Adélaïde, en Australie, a enquêté sur une série de vols de concombres, pour une valeur de plus de 8 500 $. Ils avaient été dérobés au cours de 11 cambriolages distincts dans des jardins maraîchers, sur une période de 3 mois.

℞ TROP DE VEINE !

En 2002, Mike McDermott, du Hampshire, en Angleterre, a gagné deux fois à la loterie avec le même numéro, en dépit d'une probabilité de 5,4 milliards contre 1.

℞ MAL CACHÉS

Un homme d'affaires japonais à la retraite a perdu l'équivalent de 3 millions d'euros en espèces : un cambrioleur les a découverts enterrés dans son jardin.

℞ REMORDS

L'auteur d'une attaque de banque à Walnut Creek, Californie, en 2009, s'est apparemment senti si coupable que, 3 jours plus tard, il est entré dans une église, a confessé son forfait et tendu plus de 1 200 $ au prêtre avant de s'enfuir.

℞ QUEL BOULET !

William Maser, un fou d'histoire dont le hobby est de recréer des armes du XIXᵉ siècle, a tiré un boulet de canon de 1 kg sur la maison de son voisin, à Georges Township, Pennsylvanie, en septembre 2009. Il a fait feu depuis son domicile sans viser personne, mais le boulet de 5 cm de diamètre a ricoché avant d'atteindre un bâtiment situé à 365 m de là, brisant une fenêtre pour se loger dans un placard.

OH BAH MINCE !

XIN HUANG, UN COIFFEUR CHINOIS, A MIS 7 JOURS ET 7 NUITS POUR CRÉER CETTE SCULPTURE DE BARACK OBAMA À PARTIR DE 4 KG DE CHEVEUX RAMASSÉS DANS SA BOUTIQUE ET UNIQUEMENT FÉMININS, CAR PLUS SOUPLES. UNE FOIS LAVÉS ET TEINTS, ILS ONT ÉTÉ COLLÉS SUR DU PAPIER, PUIS MODELÉS SELON LES BESOINS DE L'ARTISTE, QUI A ÉGALEMENT CRÉÉ DE LA MÊME FAÇON UNE RÉPLIQUE DÉTAILLÉE DU PORTAIL DE LA PLACE TIAN'ANMEN.

Bêêête à cornes

À Helgoysund, en Norvège, un bélier est resté coincé à 4,5 m du sol pendant 1 heure, la tête prise dans un câble téléphonique qu'il avait tenté d'utiliser pour rejoindre l'enclos des brebis. Fou d'amour, l'animal a glissé, accroché au câble par les cornes, depuis une pâture en surplomb, jusqu'à ce qu'un poteau l'arrête. Des touristes allemands l'ont secouru à l'aide d'une corde.

℞ MAMIE PASSE LE BAS

Ayant dû abandonner l'école lors de la crise de 1929 pour aider sa famille, Eleanor Benz a finalement décroché l'équivalent du baccalauréat en 2009, 73 ans plus tard. Elle a quitté son lycée de Lake View, à Chicago, à 17 ans et s'est vu remettre son diplôme à l'âge de 90 ans.

℞ RAMBOS EN CARTON

Pour que les familles puissent garder le contact, l'armée américaine envoie aux soldats des photos grandeur nature de leurs parents, montées sur carton ; les familles reçoivent de la même manière celle de leur fils.

℞ FRIGO EXPLOSIF

Kathy Cullingworth, du West Yorkshire, en Angleterre, a été réveillée en sursaut par l'explosion de son réfrigérateur. Les portes ont sauté et la nourriture a été projetée partout dans la cuisine. On ne sait toujours pas pourquoi.

℞ VOYAGE AU LONG COURS

Une bouteille lancée à la mer en 2004 depuis un paquebot dans les Bahamas s'est échouée sur une plage des Cornouailles, à 6 440 km de là.

Air de famille

Dhanna Ram, du Rajahstan, en Inde, laisse pousser sa moustache depuis 1988 : elle est aujourd'hui longue de 1,40 m. Cette décision lui a été inspirée par la disparition de son père, Karna Ram Bheel, qui possédait lui-même une moustache longue de 2 m.

MOMIES MAORIES

LES TRIBUS MAORIES DE NOUVELLE-ZÉLANDE AVAIENT POUR COUTUME DE MOMIFIER LES TÊTES TATOUÉES DES GUERRIERS ADVERSES AVEC LA PEAU, LES CHEVEUX, LES DENTS, ETC. POUR EUX, ELLES REPRÉSENTAIENT DES TROPHÉES GAGNÉS À LA BATAILLE. ILS APPLIQUAIENT LE MÊME TRAITEMENT AUX CHEFS DE LEUR PROPRE CLAN EN GUISE DE RESPECT, ET AUSSI POUR EMPÊCHER LES TRIBUS ENNEMIES DE FAIRE DE MÊME. DES CORPS ENTIERS AURAIENT ÉTÉ ENTIÈREMENT PRÉSERVÉS AINSI, MÊME SI AUCUN N'A ÉTÉ RETROUVÉ. LES TATOUAGES MAORIS, CONNUS SOUS LE NOM DE TOI MOKO, S'OBTENAIENT À L'ISSUE D'UN LONG ET DOULOUREUX PROCÉDÉ QUI FAISAIT APPEL À DES CISEAUX EN OS TRANCHANTS POUR INCISER LA PEAU. AU XVIIIᴱ SIÈCLE, LES VOYAGEURS EUROPÉENS COMMENCÈRENT À ACHETER CES CRÂNES QU'ILS PRENAIENT POUR DE L'ARTISANAT LOCAL, ET, TRÈS VITE, DES GUERRIERS TATOUÉS FURENT ASSASSINÉS UNIQUEMENT POUR RÉPONDRE À LA DEMANDE DU MARCHÉ. CETTE PRATIQUE ATROCE FUT MISE HORS-LA-LOI AU XIXᴱ SIÈCLE.

LE + DE ⦿IPLEY

CHEZ LES MAORIS, LA MOMIFICATION DES CRÂNES SE DÉROULAIT EN PLUSIEURS ÉTAPES. D'ABORD, ILS VIDAIENT LE CERVEAU ET RETIRAIENT LES YEUX DE LEURS ORBITES. ENSUITE, ILS LES REMPLAÇAIENT PAR LA FIBRE DE PLANTES. ENFIN, POUR SÉCHER, LE CRÂNE ÉTAIT SOUMIS PENDANT 24 HEURES À DIVERSES MÉTHODES DE CUISSON: EAU CHAUDE, FUMÉE, VAPEUR...

℞ CANNIBALES MODERNES

Le journaliste Paul Raffaele certifie avoir découvert en 2006 une tribu de coupeurs de têtes sur une île de Nouvelle-Guinée, qui continuait à décapiter ses ennemis et à manger les restes. La tribu lui a montré des crânes pour le lui prouver.

℞ VIEILLE CARNE

Dans la Grèce antique, l'historien Hérodote a fait état d'une tribu de nomades iraniens qui tuaient et mangeaient les leurs quand ils devenaient trop âgés et faibles. Ils les cuisinaient avec leur troupeau. D'après ses écrits, c'est ainsi que les vieux préféraient s'en aller.

℞ RESTES CONGELÉS

En 1995, deux alpinistes en expédition au mont Ampato, dans les Andes, ont découvert le corps momifié et congelé d'une jeune fille. Bien que le décès semblât remonter au XVe siècle, le corps était en parfait état de conservation.

Les Jivaros ne réduisaient pas que les têtes. Avant sa capture, un officier espagnol, également chercheur d'or, mesurait 1,75 m. Ensuite, il ne faisait que 78 cm !

Robert Ripley avec, dans les mains, une tête réduite par les tribus jivaros en Amérique du Sud.

℞ CASSE-TÊTE

On a des preuves de décapitations en Europe au XXe siècle. Au Monténégro, des populations traitèrent ainsi les gens qu'elles tuaient afin que ces derniers n'aient pas de funérailles décentes.

℞ BLEU DE CHAUFFE

À Bornéo, les coupeurs de têtes peignaient une tache bleue aux jointures de leurs doigts pour chaque victime tuée. À sa mort, à la fin du XXe siècle, le chef Temonggong Koh avait les mains entièrement bleues.

℞ PAS DE PEAU !

La tribu Sausa au Pérou dépeçait ses ennemis, coloriait leur peau avec de la cendre, recousait le tout et les exposait en guise de trophées et de symboles de prestige.

Réducteurs de têtes

Les têtes réduites d'Amérique du Sud sont probablement l'une des découvertes les plus incroyables faites par Robert Ripley au cours de ses voyages. Les Jivaros d'Équateur et du Pérou réduisaient les crânes de leurs victimes à la taille d'un poing après avoir retiré la peau du visage. Ces miniatures, appelées Tsantas, avaient la bouche cousue, pour que les éventuels esprits de revanche de leurs propriétaires ne puissent s'en échapper. Quand les touristes occidentaux ont commencé à débarquer aux XIXe et XXe siècles, la demande pour ces souvenirs macabres fut telle que des gens étaient tués dans ce seul but. Dans son journal de bord, Robert Ripley raconte qu'un scientifique allemand parti à la recherche de tribus jivaros revint sous la forme d'une tête réduite avec une barbe rousse. Une équipe de documentaristes TV a récemment retrouvé une vidéo polonaise datant des années 1960 prouvant que les Jivaros pratiquaient cette activité à cette époque et montrant des images du processus de réduction des têtes.

℞ J'WA PLUS RIEN !

La redoutable tribu Wa des jungles de Burma, au Myanmar, a coupé des têtes jusque dans les années 1970, croyant que cette pratique la protégerait des maladies et lui porterait chance.

LE + DE ℞ IPLEY

LES JIVAROS INCISAIENT L'ARRIÈRE DU SCALP DÉCAPITÉ AFIN DE BIEN SÉPARER LA PEAU, LA CHAIR ET LES CHEVEUX DU CRÂNE POUR QU'IL RESTE INTACT. ENSUITE, ILS COUSAIENT LES PAUPIÈRES ET FERMAIENT LA BOUCHE AVEC DES PINCES EN BOIS. PUIS, PENDANT DEUX HEURES, LA TÊTE MIJOTAIT DANS UN MÉLANGE D'EAU ET D'HERBES RÉPUTÉES POUR LES VERTUS ASSÉCHANTES DE LEURS TANINS. LES CHAIRS RESTANTES ÉTAIENT ENSUITE GRATTÉES, PUIS LA TÊTE ÉTAIT RÉDUITE UN PEU PLUS DANS DES PIERRES CHAUDES ET DU SABLE. L'ÉTAPE FINALE CONSISTAIT À COUDRE LA BOUCHE AVEC DU FIL ET FAIRE SÉCHER LA MINIATURE PLUSIEURS JOURS AU-DESSUS D'UN FEU.

Croco idylle

Deux crocodiles siamois ont vu le jour au zoo de Samut Prakarn près de Bangkok, en Thaïlande. Baptisés Chang et Eng, tout comme les siamois les plus connus au monde (voir page 15), les reptiles avaient bien chacun une gueule et quatre pattes, mais partageaient la partie basse de leur corps, ainsi que leur queue.

℞ CASH CACHE

En se dirigeant vers sa voiture à Syracuse, dans l'État de New York, David Jenks remarqua des sacs poubelles sur le côté de la route. C'est en les ouvrant qu'il découvrit 250 000 $ en petites coupures.

℞ MAUVAIS RÊVE

En 2009, tandis que ses parents dormaient, Pipi Quinlan, 3 ans, d'Auckland, en Nouvelle-Zélande, acheta sur un site Internet une pelleteuse d'une valeur de 12 000 $.

℞ LANGUE DE VIPÈRE

À Naples, en Italie, une brigade anti-mafia a saisi chez un mafioso présumé un crocodile qui servait à intimider des hommes d'affaires. Le gangster invitait ses victimes chez lui et libérait son reptile de 40 kg et 1,70 m si ces derniers refusaient de payer pour leur protection.

℞ BOMBE FLOTTANTE

Rodney Salomon, pêcheur de St Petersburg, en Floride, a fait la prise de sa vie le jour où il a remonté un missile guidé américain air-air de 2,4 m, encore armé. Inconscient du danger et en dépit des orages électriques, il a poursuivi son périple de dix jours dans le golfe du Mexique, le missile bien ficelé sur le toit de son bateau, avant de rentrer à bon port.

℞ GROS LOT

Deux mois après le décès de son mari Donald, Charlotte Peters de Danbury, dans le Connecticut, trouva un billet de loterie gagnant de 10 millions de dollars dans les affaires du défunt, qui avait acheté le ticket quelques heures avant de succomber à une crise cardiaque, en novembre 2008.

℞ POSTE RESTANTE

En juillet 2009, Wendy Bosworth de Wolverhampton, en Angleterre, reçut une carte postale de Grèce expédiée 22 ans plus tôt. Sa nièce Joanne l'avait envoyée depuis l'île de Nisyros pendant ses vacances, en 1987.

Complètement Fu !

Hu Qiong, champion de kung-fu chinois, ne ressent aucune douleur quand il s'enfonce une perceuse électrique en marche dans la tempe et dans le ventre. Celui qu'on surnomme « L'incassable » arrête aussi à mains nues une scie électrique à plein régime.

℞ UNE DE TROP

Deux collègues de travail d'une usine de Zhengzhou, en Chine, ont été choquées d'apprendre qu'elles étaient en fait mariées au même homme. Cui Bin se démenait entre ses deux foyers, inventant sans cesse des excuses. Les deux femmes, qui partageaient leur passion pour le karaoké, étaient loin de se douter qu'elles partageaient aussi le même mari !

℞ LA FUREUR DU JEDI

Le fondateur de l'Église internationale du Jedi, inspiré par *La Guerre des étoiles*, a menacé un supermarché de poursuites après en avoir été exclu parce qu'il s'y promenait habillé comme dans le film. Daniel Jones de Holyhead, en Galles du Nord, s'est estimé bafoué dans ses croyances.

℞ MÉDUSANT!

En septembre 2009, un homme de 41 ans a été arrêté sur la plage de Madeira, en Floride, accusé de lancer des méduses sur des adolescents.

℞ BRIC À BRAQUE

Après avoir été braqués deux fois en deux mois, les employés d'une épicerie de Waterloo, dans l'Ohio, ont jeté un sac rempli d'argent liquide à un client ivre qu'ils prenaient pour un voleur. Ce dernier a ignoré le sac et s'est contenté de s'enfuir en titubant.

℞ BIEN CONSERVÉ

En 1851, des ouvriers travaillant dans une église proche de la célèbre Tour de Londres ont découvert une tête coupée. C'était celle du duc de Suffolk, décapité en 1554. La sciure de bois, issue de l'échafaudage qui avait servi à son exécution, avait permis de conserver son crâne dans un état presque parfait.

℞ SINGE SAVANT

Un magazine satirique a soutenu la candidature à la mairie de Rio de Janeiro, au Brésil, d'un chimpanzé du zoo local, Tiao, connu pour lancer ses excréments sur les visiteurs. Dans les sondages, le singe arrivait troisième sur les douze candidats potentiels, avec 400 000 intentions de vote.

℞ CRISE DE FOI

Suang Puangsri, fervent bouddhiste, hébergeait 4 600 scorpions apprivoisés au rez-de-chaussée de sa maison en Thaïlande. Il méditait une heure par jour parmi eux, en plaçant à l'occasion dans sa bouche. Il a été piqué tellement de fois qu'il est devenu insensible à leur venin.

℞ GAZON MAUDIT

Connu sous le sobriquet du « Flic des pelouses », Stan Hardwick de la région du North Yorkshire, en Angleterre, a dépensé des milliers de dollars pour sa collection de 365 tondeuses à gazon, certaines datant du milieu du XIXᵉ siècle. Ses visiteurs peuvent admirer les plus beaux modèles dans son intérieur, les autres étant stockées dans son abri de jardin.

L'ÉTOFFE DES HÉROS

En 2009, à l'occasion d'une cérémonie sikh à Amritsar, en Inde, Baba Balwant Singh arborait un turban de 60 kg, plus lourd que son propre poids. Une fois déployée, l'étoffe mesurait 700 m, soit l'équivalent de 7 terrains de football américain.

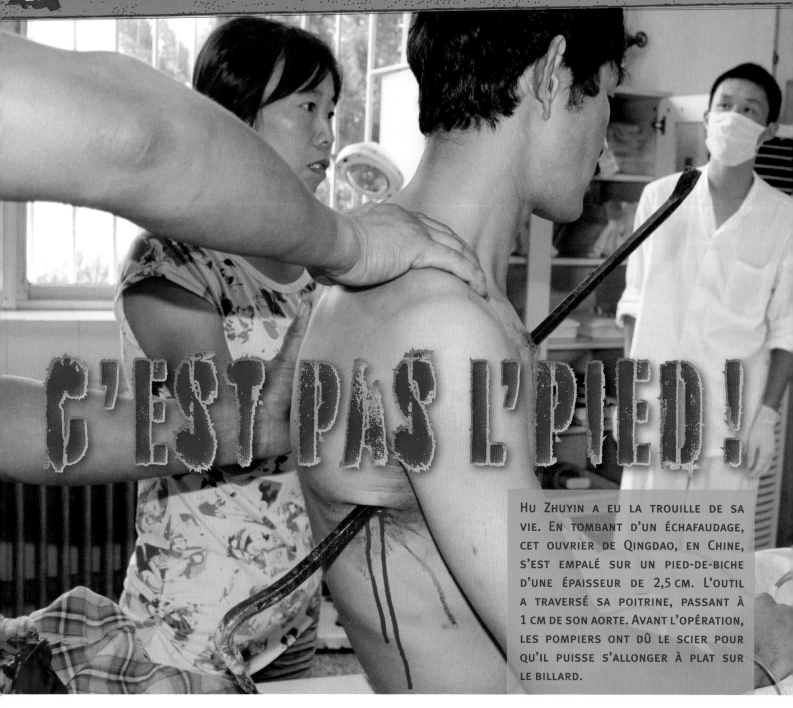

C'EST PAS L'PIED!

Hu Zhuyin a eu la trouille de sa vie. En tombant d'un échafaudage, cet ouvrier de Qingdao, en Chine, s'est empalé sur un pied-de-biche d'une épaisseur de 2,5 cm. L'outil a traversé sa poitrine, passant à 1 cm de son aorte. Avant l'opération, les pompiers ont dû le scier pour qu'il puisse s'allonger à plat sur le billard.

℞ VIS DE FORME

Une vis s'est logée dans le crâne de Chris Clear de Penrose, dans le Colorado, alors qu'il aidait un de ses amis à déplacer son motoculteur. Après une opération chirurgicale de 9 heures, ce jeune pompier volontaire de 19 ans a pu reprendre une activité normale sans aucune séquelle ni cicatrice. La vis n'avait traversé aucune artère vitale. Il l'a toutefois conservée en souvenir.

℞ COMPLÈTEMENT FÊLÉ

Après avoir souffert le martyr pendant des années, Steve Webb, de l'Essex, en Angleterre, s'est finalement rendu compte que sa jambe était cassée, vingt-neuf ans après un accident de moto survenu quand il avait 20 ans.

℞ VERS L'EAU DE LÀ!

À la recherche d'eau potable, Bob Bennett, 84 ans, a passé 4 jours coincé dans le puits, profond de 2,40 m, de sa propriété isolée de Benson Lake, au Canada. Il s'en est tiré avec quelques blessures superficielles.

℞ PEAU DE BALLE

Sa tête la faisait horriblement souffrir. En l'opérant, les médecins de Mrike Rrucaj, en Albanie, ont finalement découvert une balle de pistolet logée dans sa joue depuis 12 ans. Elle en ignorait la provenance.

℞ ÂGE DE DÉRAISON

En novembre 2008, Rajo Devi de l'État du Haryana, en Inde, a donné naissance à un enfant en pleine santé. Elle avait... 70 ans !

℞ POIDS LOURD

Malgré les fouilles corporelles, George Vera, un condamné obèse de 255 kg, a réussi à dissimuler un pistolet dans ses bourrelets, dans deux prisons différentes du Texas.

℞ Y A UN OS!

Suite à un accident de voiture, Gordon Moore, du Northumberland, en Angleterre, avait dû se faire retirer une partie du crâne et apposer une plaque de métal. Opéré pour une infection en 2009, l'homme a surpris ses médecins quand ils ont découvert qu'une nouvelle ossature avait naturellement poussé sous la plaque. Cela n'était arrivé qu'une seule fois par le passé.

℞ UN POINT, C'EST TOUX

Victime de quintes de toux inexpliquées pendant deux ans, John Manley, de Wilmington, en Caroline du Nord, en a finalement trouvé la raison. Les médecins lui ont retiré des poumons un bout de plastique de 2,5 cm appartenant à un ustensile de cuisine. Il pense l'avoir ingurgité en buvant un soda dans un fast-food.

℞ GARDE-MANGER

Les médecins ont extrait du nez d'une patiente de 70 ans, à Sion, en Inde, 40 larves qui la faisaient saigner continuellement depuis 5 jours. Une mouche avait pondu à l'intérieur. Quand les larves ont éclos, elles se sont nourries directement sur la peau de la cloison nasale.

℞ COMPLEXE D'INFÉRIORITÉ

Contre 850 000 roubles, un médecin russe a rallongé de 7,5 cm chacune des jambes de Hajnal Ban, une femme politique de l'État du Queensland, en Australie, mesurant 1,62 m avant opération. Elle se sentait trop petite pour être prise au sérieux par ses collègues de travail.

℞ ALARME À L'ŒIL

Calvino Inman, un adolescent de Rockwood, dans le Tennessee, pleure des larmes de sang. Ses crises peuvent durer une heure et se répéter 3 fois par jour.

Coupe gorge

Alors qu'il utilisait une paire de ciseaux de 9 cm de long et 4 cm de large en guise de cure-dent, un habitant de Putian, en Chine, s'est mis à rire et l'a subitement avalée. Une intervention chirurgicale a été nécessaire pour les retirer de sa gorge.

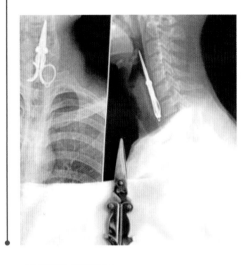

℞ ALU-CINANT!

Wissam Beydoun, de Dearborn, dans le Michigan, était tranquillement en train de papoter devant chez lui en 2009 quand un morceau d'aluminium de 20 cm sur 15 a heurté son épaule. Heureusement pour lui, le fragment d'environ 7 g ne lui a causé qu'une bosse. Il s'était décroché d'un avion en vol.

Tombe XXL

En 2008, il a fallu 20 personnes pour descendre le cercueil extralarge, de José Luis Garza dans sa tombe aux dimensions exceptionnelles à Juarez, au Mexique. L'homme pesait 450 kg.

℞ MOTS D'OISEAUX

Devenu muet après un accident de voiture en 1995, un pompier américain a retrouvé l'usage de la parole grâce à des perroquets. Brian Wilson, de Damascus, dans le Maryland, semblait condamné par les médecins, mais les deux volatiles qu'il élevait depuis sa plus tendre enfance n'ont cessé de lui parler jusqu'à ce qu'il commence à leur répondre. Aujourd'hui, il héberge environ 80 perroquets abandonnés, témoignage de sa gratitude envers l'espèce.

℞ PUISSANCE DEUX

Julia Grovenburg, de Fort Smith, dans l'Arkansas, a surpris tout son monde le jour où les médecins ont découvert qu'elle était enceinte de deux enfants conçus à quelques jours d'intervalle. L'échographie a révélé qu'elle attendait un petit garçon de 8 semaines, mais aussi une petite fille de 11 semaines. Les deux enfants se développaient correctement dans son ventre. Cette anomalie exceptionnelle se nomme la superfétation.

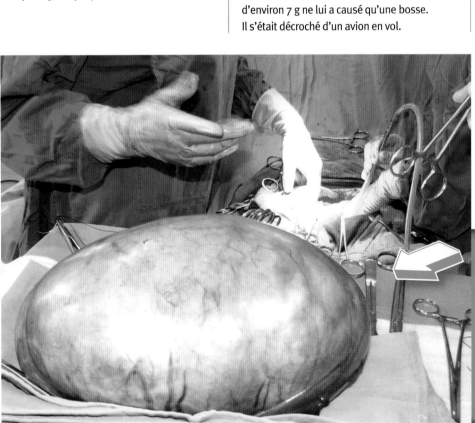

Les glandes !

Croyant être enceinte, une Chinoise s'est finalement fait retirer un kyste à l'ovaire d'un poids de 3,5 kg par les chirurgiens d'un hôpital de Haikou. C'est le plus gros kyste jamais retiré depuis 20 ans.

Bêêêêlle comme le jour

Louise Fairburn, bergère dans le Lincolnshire, en Angleterre, s'est mariée en portant une robe entièrement faite à partir de la laine d'un de ses moutons. Son mari Ian portait un gilet dans la même matière et provenant de la même bête. La robe, assemblée en 120 heures, a coûté 3 500 €. Louise, qui portait un bâton décoré pour l'occasion, a tenu à poser devant son troupeau pour les photos officielles.

ℜ KELLY, QUELLE IDÉE !

Kelly Hildebrandt, une étudiante de Miami, en Floride, s'est fiancée en 2009 à... Kelly Hildebrandt ! Un soir qu'elle s'ennuyait, la jeune femme s'est connectée sur Facebook et a découvert qu'elle avait un homonyme, un garçon de Lubbock, au Texas. Après une prise de contact, ils sont devenus amis puis sont tombés amoureux l'un de l'autre.

ℜ T OÙ ?

Caroline Tagg, étudiante en 3ᵉ cycle à l'université de Birmingham, a passé et obtenu son doctorat en textos. Sa thèse, riche de 80 000 mots, a été écrite en 3 ans et demi. Elle décryptait le langage des SMS à partir de 11 000 messages (soit environ 190 000 mots) envoyés par ses amis sur son portable.

ℜ C'EST LE BOUQUET !

Rachel Pitt et Garry Keates du Hertfordshire, en Angleterre, se sont mariés en plein marathon de Londres. Après avoir couru 38,6 km, ils ont bifurqué vers l'église de St Bride, sur Fleet Street, où ils ont échangé leurs vœux. Ils ont parcouru les 3,5 km restants, main dans la main, avant que l'époux ne franchisse la ligne d'arrivée portant dans ses bras sa femme, qui a lancé son bouquet dans la foule.

ℜ DOUBLE VISION

Jeff Taylor, éleveur dans le Herefordshire, en Angleterre, a eu le choc de sa vie en découvrant qu'une de ses poules avait pondu un œuf qui en contenait un autre, les deux parfaitement formés. Cette anomalie résulte d'une arythmie musculaire chez l'animal qui pousse trop tôt un œuf en développement dans l'oviducte.

Bonnes notes

En 2008, des violoncellistes de l'extrême ont gravi les quatre plus hautes montagnes d'Angleterre et d'Irlande, donnant un concert à chaque sommet, et parcourant les 1 600 km les séparant, le tout en 48 heures. Ils avaient déjà joué sous les voûtes de 42 cathédrales anglaises en 12 jours, et donné des représentations au coin de chacune des rues de la version londonienne du Monopoly.

® GIVRÉ

Employé sur un chantier naval, Neil Berrett, de San Francisco, a écrit sa lettre de démission sur un gâteau, à l'aide de glace.

® DANS LE VENT

Fans de science-fiction, Noah Fulmor et Erin Finnegan se sont littéralement envoyés en l'air le jour de leurs noces. Ce couple de Brooklyn a dépensé plus de 15 000 $ pour se marier au Kennedy Space Center dans un Boeing 727 spécialement aménagé pour l'entraînement des astronautes. C'est en pleine apesanteur qu'ils ont échangé leurs anneaux faits de fragments d'un métal précieux extrait d'une météorite qui s'est écrasée sur la Terre il y a 30 000 ans.

® POISSON VOLANT

Échappé en plein vol des serres d'un aigle, un poisson malachigan d'eau douce du lac Érié a explosé le pare-brise de la voiture de Leighann Niles alors qu'elle conduisait près de Marblehead, dans l'Ohio. L'impact était similaire à celui d'une brique.

® ÇA LE BOTTE

Markus Schmidt, fils de paysan, a demandé Corinna Pesl en mariage en assemblant 150 bottes de foin pour former la phrase « veux-tu m'épouser ? » Chaque botte pesait 300 kg pour une hauteur de 3,5 m. La jeune femme a découvert le message long de 70 m en ouvrant la fenêtre de sa chambre, dans la région bavaroise, en Allemagne.

® LAISSE TOMBER

À Darwin, dans le territoire du nord australien, un contractuel a verbalisé un chien qui était attaché à une clôture à l'entrée du marché de Rapid Creek. Sa maîtresse, une dame âgée, a découvert le PV sur la laisse de l'animal après ses courses.

® ET ILS VÉCURENT HEUREUX

Des dizaines de milliers de Chinois se sont mariés le 9 septembre 2009 parce que cette date était censée être un bon présage pour un mariage prospère. En chinois, le neuvième jour du neuvième mois se dit « jiu, jiu », homonyme de « jiujiu », qui signifie « pour très longtemps ».

SURPRISE SUR PRISE

EN VOULANT GOBER UN INSECTE, UNE GRENOUILLE DE CUBA A AVALÉ LA LAMPE D'UNE GUIRLANDE SUR LAQUELLE LA BESTIOLE ÉTAIT POSÉE. LE PHOTOGRAPHE ANIMALIER JAMES SNYDER, DANS LE JARDIN DUQUEL CELA EST ARRIVÉ, A RÉUSSI À IMMORTALISER L'INSTANT.

Le Kjeragbolten est un rocher de granit coincé entre deux parois rapprochées du mont Kjerag, près de Stavanger, en Norvège. Si votre équilibre et votre sang-froid vous y autorisent, offrez-vous une sensation extrême en grimpant dessus. Vous pourrez admirer le fjord de Lysefjord, avec 1000 m de vide sous vos pieds !

LA TERRE EST OUF

UNE CABANE POUR DES NAVETS

Don Parr, un habitant de Birmingham âgé de 81 ans, a dépensé 9 000 £ pour transformer la cabane de son jardin en cinéma des années 1940. En hommage à la salle où il était projectionniste en 1943, il a installé 14 fauteuils de cinéma dans sa remise de 4,8 x 2,4 m, équipée d'enceintes surround. Les habitués parcourent des kilomètres pour voir de vieux films sur un écran de 2 x 1 m.

FAIRE LE VIDE

En 2009, la Sears Tower de Chicago, le plus haut gratte-ciel aux États-Unis, a installé 4 plates-formes en verre de 3,8 cm d'épaisseur pour que les visiteurs aient l'impression de léviter au-dessus de la ville, à une hauteur de 412 mètres. La corniche, qui peut supporter un poids de 5 t, est installée au 103e étage de cet immeuble de 526 m. Elle offre une vue imprenable sur les artères de la ville.

ÉCOLE POUBELLE

Des conteneurs ont été convertis en salle de classe pour les enfants dont les familles vivent dans les décharges de Manille, aux Philippines.

NE PAS DÉRANGER

Les cosmonautes russes de la Station spatiale internationale ont révélé en 2009 que leur gouvernement leur avait interdit de fréquenter les toilettes américaines installées dans l'ISS et de n'utiliser que les leurs.

Chambre avec vue

Deux artistes brésiliens, Tiago et Gabriel Primo, ont accroché une maison sur la façade d'un immeuble de Rio de Janeiro au cours de l'été 2009. Leur installation, qui comprenait un lit, un canapé et un buffet suspendus à 9 m de haut, a attiré des milliers de visiteurs. Ils y passaient jusqu'à quatorze heures par jour.

PRIME D'HABITATION

Gerry et Cindy Mann de Battle Creek, dans le Michigan, ont trouvé une manière inédite de vendre leur maison : c'est un modèle au 1/12e de celle-ci, fidèle jusque dans ses moindres détails, qu'ils ont proposée aux acheteurs pour 169 000 $. Bien entendu, la maison elle-même était incluse dans l'acte de vente.

TOMBÉS SUR LA DETTE

Quand le laboratoire spatial Skylab s'est écrasé sur Terre en 1979, la ville d'Esperance, en Australie occidentale, a envoyé une amende de 400 $ aux États-Unis pour dépôt d'ordures illégal. Celle-ci n'a été réglée que 30 ans plus tard, en avril 2009, après que l'animateur Scott Barley de la station Highway Radio à Barstow, en Californie, eut fait appel à la générosité de ses auditeurs, au nom de la NASA.

CECI EST MON CORPS

Le promoteur Al Horvath, adepte du bodybuilding, a transformé une église de Barberton, dans l'Ohio, en salle de gym. Il a adapté le sanctuaire, remplacé les bancs par des équipements sportifs et ajouté des fresques mettant en scène des personnages musclés de la Bible comme Samson ou David et Goliath.

QUI VEUT GAGNER UNE MAISON

Brian Wilshaw a dû vendre 46 000 tickets de loterie à 21 £ pour tenter de se débarrasser de sa propriété à Morchard Bishop, dans le Devon. En raison de la crise de l'immobilier qui sévissait alors en Angleterre, il perdait près de 12 000 £ par mois pour entretenir un domaine de 4,6 ha composé d'une maison avec cinq chambres, de quatre pavillons, d'un bois et d'un lac poissonneux.

Investir dans la pierre

Cette incroyable maison en pierre calcaire se trouve à Fafe, dans le nord du Portugal. Construite par un artiste inconnu, elle a longtemps suscité l'incrédulité de par son architecture extraordinaire. Mais il ne s'agit pas d'un canular et elle est devenue une attraction locale au fil des ans.

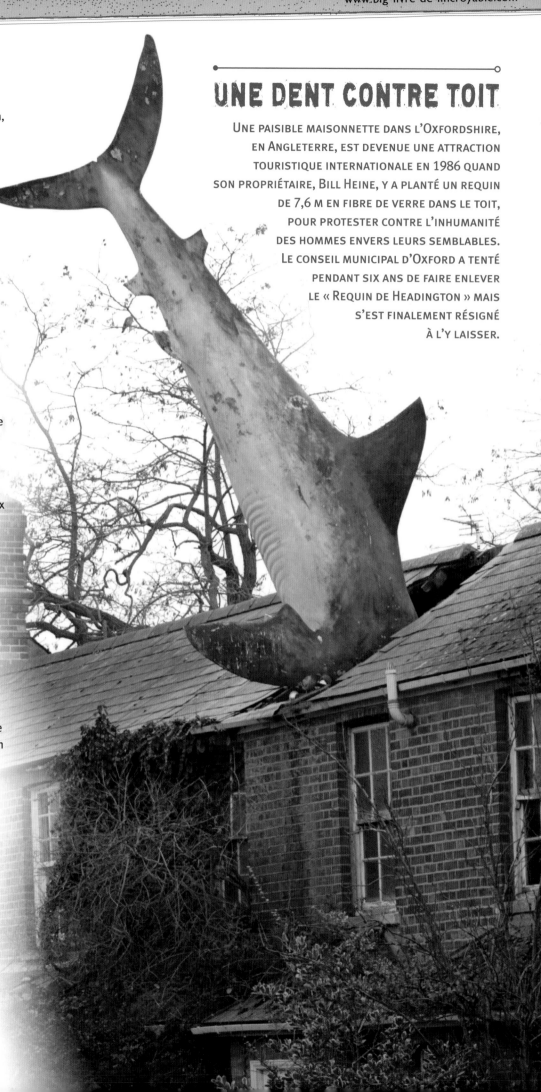

LA VIE EN ROSE

Pour réduire le stress de l'accouchement, la maternité Huasheng de Yuanlin, à Taiwan, qui compte 30 lits, est entièrement peinte en rose. Les infirmières portent des blouses assorties et des tabliers Hello Kitty. La tête du petit personnage apparaît même sur les certificats de naissance.

L'HAUT DU BAIN

À Anvers, en Belgique, les architectes Silvia Mertens et Pieter Peerlings ont construit un immeuble de 4 étages doté d'une façade transparente. Particularité : il mesure moins de 2,4 m de large et sa baignoire est posée sur le toit.

BLAGUE ROYALE

Le royaume de Wallachia, fondé en 1997 en République tchèque, est né d'une blague du photographe Tomás Harabis pour attirer les touristes. Le roi Boleslav le Bienveillant (interprété par le comédien Bolek Polivka) et le ministre des Affaires étrangères (Harabis lui-même) en étaient les principaux dignitaires. Le royaume avait sa propre monnaie, son passeport, son drapeau, son université, sa limousine et sa marine nationale.

FALAISE MAJESTÉ

Construit au XIIe siècle, le château de Predjama, en Slovénie, est situé dans une grotte au centre d'une falaise calcaire de 123 m de haut.

PETIT ÉCRAN

Un cinéma de Coventry, en Angleterre, mesure à peine 2,4 m sur 3. Brian Sexton a converti un stand abandonné, situé dans le marché de la ville, en Market Cinema. Cette salle miniature ne comporte que 4 fauteuils.

À L'ÉTROIT

La maison la plus étroite de New York a été vendue 2,7 millions de dollars en 2009. Pourvue de 2 étages, d'une largeur de 2,9 m, elle a été construite en 1873 entre deux immeubles de Greenwich Village.

SABLE VERT

La couleur verte de la plage de Papakolea, près de South Point, à Hawaï, s'explique par la présence de cristaux d'olivine dans la lave environnante, révélés par l'érosion marine. Les vagues ont emporté les grains de sable, plus légers, et laissé les cristaux, plus sombres, sur la plage.

UNE DENT CONTRE TOIT

UNE PAISIBLE MAISONNETTE DANS L'OXFORDSHIRE, EN ANGLETERRE, EST DEVENUE UNE ATTRACTION TOURISTIQUE INTERNATIONALE EN 1986 QUAND SON PROPRIÉTAIRE, BILL HEINE, Y A PLANTÉ UN REQUIN DE 7,6 M EN FIBRE DE VERRE DANS LE TOIT, POUR PROTESTER CONTRE L'INHUMANITÉ DES HOMMES ENVERS LEURS SEMBLABLES. LE CONSEIL MUNICIPAL D'OXFORD A TENTÉ PENDANT SIX ANS DE FAIRE ENLEVER LE « REQUIN DE HEADINGTON » MAIS S'EST FINALEMENT RÉSIGNÉ À L'Y LAISSER.

AVENTURE ACIDE

Le Canadien George Kourounis, un « chasseur de tempête », est assez fou pour s'être aventuré en canot pneumatique dans les eaux du plus grand lac acide au monde, près du volcan indonésien Kawah Ijen (2640 m). Quand ce dernier entre en éruption, les environs sont aspergés d'acide jusqu'à une distance de 610 m, transformant le lac en un mélange d'acide sulfurique et de chlorure d'hydrogène.

Ce liquide acide, mélange impressionnant de gaz volcaniques et d'eau de pluie, peut atteindre une température de 34 °C.

Bain volcanique

Les eaux thermales des alentours du lac Rotomahana, en Nouvelle-Zélande, étaient qualifiées par certains de 8e merveille du monde. Dans les années 1880, ces hommes y furent photographiés en train de se baigner dans l'un des grands bassins, à proximité du mont Tarawera, un volcan actif. Les parois de ces bassins étaient constituées de silice déposée par les eaux refroidies des geysers. Ces terrasses roses et blanches, destination touristique en vogue, furent détruites en 1886 par l'éruption du volcan, qui fit plus d'une centaine de victimes.

ℝ ÇA NE TOURNE PAS ROND

Une nouvelle planète, deux fois plus grande que Jupiter, vient d'être découverte. Fait rare, elle tourne autour de son soleil dans le sens contraire des aiguilles d'une montre. Située à 1 000 années-lumière dans la constellation du Scorpion, elle a été baptisée WASP-17, car c'est la 17e à avoir été découverte hors du système solaire par le programme Wide Area Search for Planets, mis en place par les universités britanniques.

ℝ UN DÉLUGE DE TÊTARDS

Des centaines de têtards morts se sont abattus sur le Japon en juin 2009. À Nanao, 100 têtards ont été retrouvés sur des pare-brise dans un parking, et 70 autres sur un pont. Les experts n'ont pu expliquer ce phénomène puisqu'aucune tornade ni tempête n'avaient été signalée à ce moment.

ℝ COLLECTIONNEUR DE MÉTÉORITES

Rob Elliott, un habitant de Fife, en Écosse, a ramassé 1 000 météorites du monde entier, dont le plus vieux a 110 millions d'années. Il y a passé plus de 13 ans, avec l'aide d'un club de golf aimanté de sa fabrication. Les pièces les plus rares de sa collection sont estimées à plus de 90 000 €, et l'ensemble à plusieurs millions.

ℝ HAUT CACTUS

Un cactus de 23 m de haut, planté en 2002, se trouve à l'université d'odontologie de Sattur, en Inde. Ses fleurs mesurent jusqu'à 20 cm.

ℝ TEMPÊTE DE POUSSIÈRE

Une énorme tempête de poussière rouge a recouvert Sydney en septembre 2009. Formée au-dessus de la brousse australienne, à 1 167 km de la ville, elle s'est déplacée vers l'est, forçant les habitants à s'enfermer chez eux et entraînant la fermeture de l'aéroport international.

ℝ L'ÎLE DES SIFFLEURS

Sur la petite île de La Gomera, dans les Canaries, les gens communiquent entre eux sur de longues distances, par-delà les montagnes et les vallées, grâce à un langage sifflé. Longtemps abandonné, le Silbo, qui comporte plus de 4 000 « mots », est à nouveau enseigné à l'école.

ℝ AVOIR LE MELON

Lors du festival bisannuel du melon de Chinchilla dans le Queensland, en Australie, les candidats dévalent les pentes en chaussant des demi-melons. Le gagnant est celui qui parvient à rester debout le plus longtemps.

ℝ L'ARGENT DU BEURRE

La mairie de Guangzhou, en Chine, a fait badigeonner de beurre un pont métallique de 305 m, de manière à rendre difficile l'escalade des rambardes. La municipalité voulait ainsi enrayer une vague de suicides qui avait vu périr 8 personnes en un mois.

ℝ 20 H/20

Peu après la Révolution, de 1793 à 1795, la France a instauré le « temps décimal », avec des journées de dix heures, elles-mêmes divisées en 100 min. Les horloges et montres de l'époque comportaient deux graduations, avec des chiffres allant de 1 à 12 et de 1 à 10.

Un trou dans le ciel

Une caméra à bord de la Station spatiale internationale a filmé les prémices d'une éruption volcanique. Le gigantesque nuage de fumée en forme de champignon qui s'élevait au-dessus du Sarychev, sur les îles Kouriles, près du Japon, était probablement composé de poussière grise volcanique et de vapeur. Sous l'effet de la chaleur, les nuages environnants s'évaporaient, produisant un véritable trou dans le ciel.

℞ UN LAC DANS LE LAC

Couvrant 104 km², le lac Manitou se trouve lui-même sur Manitoulin (2 765 km²), l'une des îles du lac Huron, dans l'Ontario, au Canada.

℞ FRONTIÈRES MOBILES

Les frontières montagneuses entre l'Italie et la Suisse sont parfois situées sur des glaciers qui, en fondant, ont obligé les deux nations à déplacer leur tracé, jusqu'à 100 m de leur position originelle.

℞ CANYONISÉE

La cathédrale de Las Lajas, près d'Ipiales, en Colombie, est construite sur un pont traversant la rivière Guaitara, adossée à la falaise.

℞ LE SOLEIL DONNE

Les mausolées de Santa Coloma de Gramenet, en Espagne, sont équipés de centaines de panneaux solaires qui fournissent de l'électricité à la ville.

℞ TORNADE DE FEU

Des vents soudains et des changements de température peuvent transformer un incendie de forêt en colonne de feu mesurant plusieurs centaines de mètres de haut.

℞ PROFIL BAS

Bien que constituées de près de 1 200 îles, les Maldives, dans l'océan Indien, ne comptent que 300 km² de terres émergées, soit à peine deux fois la taille de la ville de Washington. Le point le plus haut de l'archipel culmine à 2,4 m au-dessus de la mer.

℞ SOUS LE SOLEIL

Le soleil compte pour 99,8 % de la masse totale du système solaire. Tout le reste – planètes, astéroïdes, poussières cosmiques et multiples lunes –, ne totalise que 0,2 %.

℞ ON A EU CHAUD

Une société de sports extrêmes à Pucón, au Chili, propose à ses clients de sauter à l'élastique au-dessus d'un volcan actif. Ils plongent dans le cratère et finissent leur course à quelque 140 m de la lave en fusion.

℞ D'EAU À EAU

Avant de se mélanger pour former l'Amazone à Manaus, au Brésil, les eaux noires du Rio Negro et les eaux marron du Rio Solimões se côtoient pendant des kilomètres sans se mélanger.

EXTINCTION DE PLUIE

La chaleur est si intense dans le désert que les gouttes de pluie s'évaporent souvent avant même d'avoir touché le sol.

LA TERRE ALITÉE

Le tremblement de terre le plus puissant depuis 78 ans en Nouvelle-Zélande, survenu dans la mer de Tasmanie en 2009, a rapproché le pays de l'Australie. D'une magnitude de 7,8, le séisme a déplacé l'île du sud de 30 cm vers l'est. Plus que 2 255 km pour réunir les deux pays !

FUSEAU ? HORREUR !

Bien que la Chine s'étende géographiquement sur cinq fuseaux horaires, l'ensemble du pays vit à la même heure.

CE SOIR, JE SERAI LA POUBELLE

Le 20 septembre 2008, près de 400 000 volontaires ont ramassé 3 200 t de détritus sur 27 360 km de côtes et de canaux du monde entier.

ORAGES SANGUINS

Un orage à la surface de Saturne a duré plus de 8 mois en 2009. Les éclairs de cette tempête d'environ 3 000 km de diamètre émettaient des ondes radio 10 000 fois plus puissantes que leurs équivalents terrestres.

IL EN TIENT UN COUCHE

En raison de son importante calotte glaciaire, l'Antarctique s'élève en moyenne à 2,2 km au-dessus de la mer.

IL Y A QUELQU'UN ?

Le territoire du Nunavut, au Canada, est un million de fois plus grand que la principauté de Monaco, mais il compte moins d'habitants !

ARBRES SECRETS

L'endroit où poussent les pins de Wollemi d'Australie, que l'on avait cru disparus, est tenu secret. Quiconque souhaite les observer est conduit sur le site avec un bandeau sur les yeux.

POUSSIÈRE DE FIÈVRE

Sur la planète Mercure, la température peut varier de plus de 500 °C entre le jour et la nuit.

LA MER QU'ON NE VOIT PAS DANSER

Il n'existe que deux pays doublement enclavés au monde : le Liechtenstein et l'Ouzbékistan, eux-mêmes entourés de pays sans accès à la mer.

NOUVEAUX NUAGES

KEN PRIOR, MEMBRE DE LA SOCIÉTÉ BRITANNIQUE DES ADMIRATEURS DE NUAGES, A PHOTOGRAPHIÉ UN NOUVEAU TYPE DE NUAGE EN 2009. CETTE FORMATION, QUI N'EST PAS ENCORE RECONNUE OFFICIELLEMENT, A ÉTÉ SURNOMMÉE ASPERATUS, DU LATIN « BRUTAL », EN RAISON DE SON ASPECT ACCIDENTÉ. SI L'ANALYSE DES DONNÉES MÉTÉOROLOGIQUES LE CONFIRME, IL S'AGIRA DE LA PREMIÈRE DÉCOUVERTE DE

ALPHABET AÉRIEN

LE GRAPHISTE RHETT DASHWOOD, RÉSIDANT À MELBOURNE, EN AUSTRALIE, A CHERCHÉ PENDANT 6 MOIS DES IMAGES SATELLITE D'IMMEUBLES, PONTS, RIVIÈRES, ARBRES ET CHAMPS QUI, VUS DU CIEL, ONT LA FORME D'UNE LETTRE DE L'ALPHABET. TOUS CES LIEUX SE TROUVENT DANS L'ÉTAT DE VICTORIA (CELUI DE MELBOURNE), Y COMPRIS LA MARINA DES LACS PATTERSON (G) ET LE TERRAIN DE CRICKET DE MELBOURNE (O).

Ⓡ OÙ EST CHARLIE ?

Dans le cadre de son diplôme d'arts graphiques, la Canadienne Melanie Coles a peint un Charlie de 16,5 m de haut, inspiré du personnage de livres pour enfants, sur le toit d'un immeuble à Vancouver, au Canada, afin que les utilisateurs de Google Earth puissent jouer à *Où est Charlie ?*

Ⓡ LA TÊTE D'OPRAH

Un fermier de Queen Creek, en Arizona, a planté un cercle de culture représentant la tête de l'animatrice et productrice Oprah Winfrey qui ne peut être vu que du ciel.

Ⓡ JÉSUS A UN GRAIN

Sur Google Earth, le visage de Jésus apparaît dans les sillons d'une dune creusée par le vent, au Pérou.

Ⓡ BIEN DANS SON BASKET

Un ballon de basket peut être vu du ciel ! D'un diamètre de 9 m, cette sculpture de 10 t se trouve devant le Hall of Fame des joueuses de basket, à Knoxville, dans le Tennessee.

Ⓡ GROSSES LÈVRES

Vus du ciel, les bords d'un canyon rocheux d'1 km de large et de 40 m de haut, dans la région du Darfour occidental, au Soudan, semblent dessiner les lèvres d'une femme.

Ⓡ AIME-PAIX-TROIS A PARLÉ

Une formation rocheuse près de Medicine Hat, au Canada, porte le nom de Gardien des Badlands. Elle ressemble au visage d'un Indien, creusé par l'érosion, muni d'un lecteur Mp3. Les écouteurs sont en réalité une route et un puits de pétrole.

Ⓡ SOURIEZ !

Bien que le château de Versailles, qui s'étend sur 800 ha, date du XVIIe siècle, c'est seulement avec l'avènement de la photographie aérienne que des internautes y ont décelé un visage souriant dans les contours du jardin.

Ⓡ PIERRES VOLANTES

À partir de plus de 1 500 t de roches, le sculpteur Andrew Rogers a créé un géoglyphe de 100 mètres d'envergure en forme d'aigle, dans le parc de You Yangs, en Australie, représentant Bunjil, le dieu du ciel des aborigènes.

Célèbre visage Ciudad Evita, une ville de 70 000 habitants située dans la banlieue de Buenos Aires, en Argentine, a été fondée en 1947 par le président Juan Perón. Ses contours dessinent le profil de sa femme, Eva Perón, plus connue sous le nom d'Evita.

© Google Maps

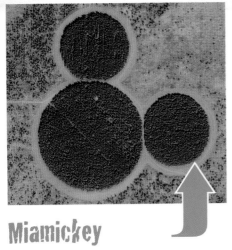

Miamickey

En Floride, une forêt de pins en forme de Mickey Mouse s'étend sur 610 m². Bien qu'elle soit proche de Disney World, sa forme est tout à fait naturelle.

℞ LA FORÊT A DES YEUX

Vue du ciel, la forêt « Le Visage du soleil », à Odense, au Danemark, ressemble en effet à un visage. Elle a été plantée en 2005 dans le cadre des célébrations du bicentenaire de la naissance de l'écrivain Hans Christian Andersen.

℞ SOUS LA PLAGE, L'ÉPAVE

L'épave du *Jassim*, un cargo bolivien échoué en 2003 sur le récif de Wingate, au large du Soudan, est clairement visible sur des photos aériennes disponibles sur Internet.

℞ POISSONS VOLÉS

Des voleurs britanniques se sont servis de photos aériennes trouvées sur Internet pour dérober de précieuses carpes koï dans des étangs privés, cachés des regards mais clairement visibles depuis le ciel.

℞ FILETS DE BRUME

Quand les brumes épaisses du Pacifique arrivent sur la côte péruvienne, des filets en plastique plantés sur une colline de Lima en récoltent l'humidité, un bien précieux dans une région où il ne pleut guère. Les gouttes d'eau coulent dans des gouttières jusque dans des bidons qui alimentent les villages voisins. Depuis 2006, celui de Bellavista a ainsi récupéré des centaines de litres pendant les mois d'hiver.

℞ LE SECRET DE LA COMÈTE

La NASA a découvert des traces de glycine, un acide aminé, dans les volutes de poussière de la comète Wild 2, ce qui pourrait expliquer l'origine de la vie sur Terre. En s'écrasant, un météore aurait ainsi pu déposer cet élément indispensable à la formation des protéines et de la vie sur notre planète.

Très grand reptile L'hôtel Gagadju Crocodile de Jabiru, dans les territoires du nord de l'Australie, a la forme d'un saurien de 250 m de long.

TOUR DE CRÂNES

UNE TOUR CONSTITUÉE DE CRÂNES HUMAINS VIEILLE DE 200 ANS EST TOUJOURS DEBOUT DANS LA VILLE SERBE DE NIS. L'ARMÉE TURQUE L'A BÂTIE APRÈS AVOIR ÉCRASÉ LES REBELLES SERBES, EN 1809. UNE FOIS LES SCALPS BOURRÉS DE COTON ET ENVOYÉS À CONSTANTINOPLE COMME PREUVE DE LA VICTOIRE, 925 CRÂNES FURENT AJOUTÉS À LA STRUCTURE HAUTE DE 3 M. À LA LIBÉRATION DE LA SERBIE, ELLE FUT CONSERVÉE COMME MÉMORIAL, ET IL Y RESTE 52 CRÂNES.

℞ MILLE FENÊTRES

Un nouvel immeuble de bureaux haut de 9 étages, à Jinhua, en Chine, arbore plus de 1 000 fenêtres, l'une des salles en comptant 21 à elle seule ! Toutes les pièces du bâtiment, conçu par l'architecte japonais Sako Keiichiro, ont des formes irrégulières, et chaque étage contient son propre jardin miniature.

℞ HAUTE ÉCOLE

L'école du village de Gulu, dans la province du Sichuan, en Chine, se trouve à flanc de montagne. Il faut cinq heures de marche pour y parvenir, en suivant un chemin étroit et zigzaguant qui se rétrécit parfois à 40 cm de large et longe un gouffre à pic. Elle possède un panier de basket, mais les enfants ne sont pas autorisés à lancer le ballon ; s'il tombait de la falaise, il faudrait une demi-journée pour le récupérer.

℞ ÉGLISE VOLÉE

En octobre 2008, l'église de la Résurrection, qui s'élevait dans le village russe de Komarovo depuis presque 200 ans, a été démontée et emportée brique par brique par des voleurs.

℞ TEMPLE DE BANLIEUE

Des voyageurs venus du monde entier (aussi loin que du Canada et du Népal) font la queue par centaines pour visiter la maison de Dhirajlal et Sushila Karia à Clacton-on-Sea, en Angleterre, et admirer le temple hindou installé dans leur chambre d'amis.

℞ BLOC DE GRANIT

Une église de Bretagne est construite à la base d'une falaise. La chapelle de Saint Gildas se blottit ainsi sous un énorme surplomb de granit, sur les rives du canal du Blavet.

℞ ROUTE DES MARIÉES

Les hommes célibataires de Barwaan Kala, en Inde, pavent une route qui, ils l'espèrent, leur amènera des femmes à marier. Plus de 120 hommes du village, perché dans les hauteurs des collines de Kaimur, restent célibataires à cause de la difficulté qu'ont les visiteurs à atteindre leur hameau.

℞ ART DES TRANCHÉES

Les lustres de l'église de Ružica, située dans la forteresse de Kalemegdan, à Belgrade, Serbie, sont faits de balles, d'épées et de canons. Des soldats les ont fabriqués lors de la Première Guerre mondiale.

℞ PARADE DE STATUES

Durant le festival de Las Fallas, qui se tient au mois de mars à Valence, en Espagne, des centaines de statues de papier mâché, certaines hautes de 9 m, sont promenées dans les rues, puis jetées dans des feux de joie.

℞ LE PRIVILÈGE DE L'ÂGE

Tous les ans, le 15 septembre, le Japon célèbre le jour du Respect de l'âge. Les habitants âgés de 100 ans reçoivent alors une coupe en argent et une lettre du Premier ministre.

℞ BATAILLE D'ÉLÉPHANTS

En 1592, le roi de Siam Naresuan et le prince héritier de Burma combattirent en duel à dos d'éléphant. Des siècles plus tard, la victoire de Naresuan est encore célébrée en Thaïlande lors d'un jour férié.

℞ CONTE DE FAITS

La réalité rejoint la fiction : le 18 novembre 2008, les dignitaires de la ville d'Hamelin, en Allemagne, celle où se déroule l'histoire du Joueur de flûte de Hamelin, annoncèrent que la ville était envahie par les rats.

℞ COMPTEZ LES CHÈVRES

Sur l'archipel de Penghu, à Taïwan, près de 400 chèvres sont mortes du manque de sommeil causé par le tapage nocturne émanant d'un champ d'éoliennes, voisin de leur pré. C'est du moins ce qu'a prétendu le fermier.

℞ DÉCOUVERTE BEURRÉE

Un tonneau de beurre vieux de 3 000 ans a été découvert dans un marécage irlandais. En asséchant la terre, deux fermiers ont déterré le tonneau de chêne fabriqué à partir d'un tronc d'arbre, rempli de beurre ancien. Les experts s'accordent pour dire qu'il remonte sûrement à l'âge de fer.

℞ LIVRAISON À DOS D'ÂNE

Plus de 3 000 ânes ont été réquisitionnés pour aider à acheminer des millions de bulletins de vote vers les régions montagneuses d'Afghanistan lors des élections présidentielles de 2009.

℞ FROMAGE QUI ROULE...

À Berne, en Suisse, les habitants se défient en faisant rouler le plus vite possible de légères meules de fromage à travers un parcours d'obstacles. La course ressuscite une vieille tradition selon laquelle des meules de fromage allant jusqu'à 1 m de diamètre, 27 cm d'épaisseur et 100 kg étaient roulées à la main dans les fromageries.

℞ MAISON CHEVELUE

Paula Sunshine a construit une extension à sa maison du Suffolk, en Angleterre, à partir de cheveux humains mêlés à du plâtre.

Le temple des rats

℞ SIESTE EN CERCUEIL

Le monastère Wat Prammanee de Nakhon Nayok, en Thaïlande, propose des cérémonies de mort et renaissance pour les fidèles affligés, avec une courte pause dans un cercueil pour marquer l'occasion.

℞ CHAMBRE D'ÉCHO

Le plafond de l'église protestante futuriste Harajuku de Tokyo, au Japon, conçue en 2005, a été spécialement dessiné pour faire retentir chaque son pendant 2 s, créant ainsi une expérience auditive unique pour les fidèles. Pour la fête de San Juan, qui a lieu au mois de juin à Ciudadela, sur l'île de Menorca, une foule se rassemble pour se lancer des noisettes. Chaque fois que l'une d'elles touche une personne, on dit qu'elle représente un baiser.

℞ LE PEUPLE DES TUNNELS

Des centaines de personnes ont construit leur maison (avec lit, meubles de cuisine) dans les tunnels des égouts de Las Vegas, dans le Nevada. Malgré les risques de maladie et d'inondation, et les insectes venimeux, le « peuple des tunnels » s'est installé dans des campements élaborés avec lits, bibliothèques, armoires et même, pour certains, une douche improvisée à partir d'un distributeur d'eau.

Les rats ne sont généralement pas les bienvenus dans les maisons, mais la horde de rongeurs qui grouillent autour du temple de Karni Mata à Deshnoke, en Inde, sont toujours traités avec respect. Ils sont bien nourris, et tout aliment ou boisson ayant été goûté par l'un d'eux est considéré comme sacré. Repérer un rat blanc est signe de bonne fortune ; si un visiteur tue accidentellement l'une des petites bêtes, il doit en acheter un fait d'or ou d'argent pour le remplacer. La légende hindoue veut qu'au XIXᵉ siècle, la femme sainte Karni Mata ait réincarné des conteurs en rats. Ces derniers sont aujourd'hui protégés dans son temple, construit au début du XXᵉ siècle.

Tentacules Attack

Tel un monstre venu de l'espace, cet agglomérat massif de tentacules a choqué les vacanciers en s'échouant sur une plage de la péninsule de Gower, au pays de Galles. Long de 2 m et un peu plus épais qu'un poteau télégraphique, il fit craindre une invasion extraterrestre aux touristes présents. Les scientifiques ont plus tard identifié la créature grouillante comme étant un nombre étonnant de bernacles accrochées à une branche, après avoir été délogées du fond de l'océan par une tempête.

ℝ LONG PROJET

Les Romains de l'ancienne province de Syrie (aujourd'hui la Jordanie et la Syrie) passèrent 120 ans à construire un aqueduc long de 160 km, dont la plus grande partie fut taillée dans le roc jusqu'à 80 m de profondeur.

ℝ L'OR DES ÉGOUTS

En 2008, de l'or pour une valeur de dizaines de milliers de dollars a été trouvé dans l'usine de retraitement de Suwa, dans la préfecture de Nagano, au Japon. Plus que dans la plus grande mine du pays ! Plusieurs fabricants d'équipement de précision utilisent en effet dans leurs produits de l'or, qui se retrouve dans les déchets carbonisés rejetés par la déchetterie et part dans les égouts.

ℝ VIE DE CRAPAUD

L'État australien du Queensland a décrété un jour férié annuel durant lequel les habitants tuent les crapauds à vue.

ℝ VILLE ABANDONNÉE

En 2008, une ville vieille de 1000 ans et abandonnée depuis longtemps a été découverte dans la province péruvienne d'Utcubamba. Elle avait été creusée à flanc de montagne par la tribu du Peuple des nuages et totalement préservée des pilleurs.

ℝ BLING GALACTIQUE

433 Eros, un astéroïde en forme de banane de 33 km de long, contient des métaux précieux pour une valeur d'au moins 20 000 milliards d'euros, et notamment plus d'or qu'on n'ait jamais extrait de la Terre. Il est en orbite autour du soleil, entre notre planète et Mars.

ℝ DOUBLE COURANT

Le lac Wollaston, 2 681 km², au Saskatchewan, Canada, s'écoule naturellement dans deux directions : vers le bassin de la rivière Mackenzie, au nord-ouest, et dans la baie de l'Hudson, au nord-est.

ℝ PALAIS DE SEL

Bâti en 1993, le Palais de sel a été construit avec des blocs de sel pur de Grand Saline, Texas, une région des États-Unis en possédant assez pour fournir le monde entier pendant 20 000 ans.

ℝ SANS RATS

En 2003, l'île Campbell, en Nouvelle-Zélande, devint la plus grande île à avoir été débarrassée d'une invasion de rats grâce à une large campagne d'empoisonnement qui élimina les 200 000 rongeurs présents sur l'île.

Côtes salées

Situés le long de la baie de San Francisco, ces marais salins aux rouges et verts éclatants constituent l'habitat de plus de 70 espèces d'oiseaux. Pendant plus d'un siècle, environ 80 % de ces marais peu profonds ont été creusés et agrandis à main d'homme. Ils créent du sel simplement grâce au soleil et au vent, et ces couleurs chatoyantes viennent de l'addition de différentes quantités d'algues, minéraux et micro-organismes. Elles indiquent également le degré de salinité des marais, qui produisent de 13 à 20 cm de sel au terme d'un processus de 5 ans.

ℝ LOI FANTASTIQUE

Une loi locale du comté de Skamania, dans l'État de Washington, décrit les peines encourues si l'on blesse un sasquatch, une créature mythique dont l'existence n'a jamais été confirmée !

ℝ TERRES D'EAU

Le Canada contient environ 2 millions de lacs, couvrant 7,6 % de la superficie du pays.

ℝ PEU DE LOCAUX

Seulement 10 % des 1,7 million d'habitants de l'émirat de Dubaï sont effectivement natifs du pays.

ℝ HEUREUX HARRY

Harry Hallowes, un clochard irlandais ayant squatté plus de 20 ans l'une des banlieues les plus cossues de Londres, a reçu un terrain qui pourrait valoir jusqu'à 6 millions de dollars. Il a obtenu les « droits du squatter » sur une parcelle de 36 m sur 18, à Hampstead Heath, où il vit dans une minuscule cabane depuis 1986.

ℝ TERRAIN GRATUIT

En 2009, le village de Rappottenstein, en Autriche, s'est mis à offrir des terrains gratuits à toute personne désirant emménager là et fonder une famille.

ℝ UN CHAMP EN OR

Armé d'un détecteur de métal à 3 €, Terry Herbert a déterré un trésor médiéval de plus de 1500 pièces dans un champ du Staffordshire, en Angleterre, d'une valeur de plusieurs millions de dollars. Le trésor, vieux de 1300 ans, contient entre autres de magnifiques pommeaux d'épées en or, des joyaux éblouissants venant du Sri Lanka et des crucifix en or massif datant des premiers chrétiens. Les objets en or pèsent à eux seuls plus de 5 kg.

ℝ HÔTELS DE SEL

Les plaines de sel d'Uyuni, en Bolivie, contiennent 10 milliards de tonnes de sel. Plusieurs hôtels construits en blocs de sel s'y dressent. Certains possèdent même des lits de sel.

ℝ COUP DE VENT

En 2009, un typhon chinois fut si puissant qu'il propulsa une baignoire sur des câbles électriques, à 12 m de haut. À plus de 120 km/h, les vents du typhon Morakot balayèrent la baignoire du balcon d'un hôtel de Wenzhou, dans la province de Zhejiang, et la déposèrent sur les câbles le surplombant.

ℝ MONTAGNES CACHÉES

La chaîne de montagnes de Gamburtsev, en Antarctique, est recouverte par 4 km de glace. Découverte il y a seulement 50 ans, la chaîne contient des pics culminant à 3 000 m et s'étend sur 1 200 km, couvrant une superficie égale à celle des Alpes.

ℝ PAS TROP HAUT

Les habitants de Munich, en Allemagne, ont voté pour limiter la hauteur des nouveaux immeubles à 99 m, la taille des tours de la cathédrale, pour ne pas encombrer la ligne d'horizon de la ville.

ℝ MAISON EN MARCHE

Des artistes danois se sont associés avec des ingénieurs du Massachusetts pour concevoir une maison qui marche. Celle-ci, haute de 3 m et alimentée par le soleil et le vent, possède un salon, une cuisine, des toilettes, un lit, et un ordinateur contrôlant les 6 jambes hydrauliques sur lesquelles elle est posée. Ces pattes permettent à la maison de se promener sur tout type de terrain et de se déplacer en cas d'inondation.

ℝ VOTE UNANIME

Le bureau de vote de Banej, à Gujarat, en Inde, n'a qu'un seul électeur inscrit sur ses listes : le gourou Bharatdas Darshandas, gardien d'un temple situé au milieu de la forêt.

ℝ JARDIN SUR LE TOIT

Un arbre pousse depuis plus d'un siècle sur le toit de la tour du palais de justice de Greensburg, dans l'Indiana. La première tige a été répertoriée vers 1870, et deux des arbres ayant pris racines à la suite atteignent à présent 33 m de hauteur.

ℝ INCONNU À CETTE ADRESSE

En janvier 2009, l'architecte Mark Aretz a découvert un petit appartement d'une pièce à Leipzig, en Allemagne, qui n'avait pas été ouvert depuis la chute du mur de Berlin, presque 20 ans auparavant. Il avait été abandonné à la hâte par ses occupants lors de la désintégration de l'Allemagne de l'Est, en 1989.

ℝ PIPI EXPRESS

Pour essayer de combattre le vandalisme, le conseil de Klaipeda, en Lituanie, a annoncé en 2009 que toutes les toilettes publiques enfermeraient automatiquement les usagers s'ils restaient plus de cinq minutes à l'intérieur.

ℝ BANC PUBLIC

À Masuhogaura, au Japon, un banc de bois mesure plus de 460 m et peut accueillir jusqu'à 1350 personnes.

ℝ BARRE DE FER

Le Pilier de fer de Delhi, en Inde, haut de 6,7 m, se dresse depuis 1600 ans, exposé aux éléments, et n'affiche pourtant aucun signe de corrosion.

Pompes patchwork

Jennifer March, une artiste de Syracuse, dans l'État de New York, voulant dénoncer la consommation de pétrole, décida de colorer la station-service abandonnée, mesurant 10 m de haut et 12 m de large, devant laquelle elle passait tous les jours. Elle recouvrit alors la bâtisse et les pompes de plus de 450 m² de tissu de patchwork, réalisé à partir de centaines de carrés colorés venus des quatre coins du monde. Jennifer recruta une équipe de bénévoles pour l'aider à les assembler.

AVANT

NO PETROL PRODUCTS ARE IN THIS SQUARE

APRÈS

Garage trompe-l'œil

THOMAS SASSENBACH, UN DESIGNER DE COLOGNE, EN ALLEMAGNE, EN AVAIT ASSEZ DES PORTES DE GARAGE GRISES ET LAIDES DE SA VILLE ET DÉCIDA DE LES RELOOKER. SES DESSINS SONT FAUSSEMENT RÉALISTES ET CONÇUS POUR SURPRENDRE. VOUS POUVEZ À PRÉSENT PERSUADER VOS VOISINS QUE VOUS AVEZ UNE FORMULE 1, UN BATEAU, UN CHEVAL OU UN AVION DE CHASSE DANS VOTRE GARAGE AU LIEU DE VOTRE VIEILLE VOITURE. (CE SONT EN FAIT D'EXTRAORDINAIRES PEINTURES SUR BÂCHES, FIXÉES AU VELCRO !)

ℛ PLAGE RÉFRIGÉRÉE

La première plage réfrigérée au monde a été construite à Dubaï pour éviter que les touristes ne se brûlent les pieds. Un système de tuyaux remplis de liquide refroidissant, le tout contrôlé par ordinateur, maintient le sable à une température confortable sur la plage qui jouxte l'hôtel Palazzo Versace.

ℛ TEMPLE EN BOUTEILLES

Près de 20 bâtiments autour du temple Wat Pa Maha Chedi Kaew, en Thaïlande, sont presque entièrement faits de bouteilles de bière en verre. Les moines bouddhistes commencèrent à récolter celles-ci en 1984 pour leur projet de « Temple d'un million de bouteilles », et trouvèrent le matériau si pratique que même les mosaïques de Bouddha sur les murs sont en capsules de bière recyclées.

ℛ BARRE DE MOTS-CROISÉS

Un des murs d'un immeuble de Lvov, en Ukraine, est recouvert d'une grille de mots croisés haute de 30 m. Les indices de la grille – qui fait 34 cases de haut sur 19 de large – sont dispersés à travers les lieux touristiques de la ville. La nuit, des lettres fluorescentes sont placées dans les cases et allumées pour révéler la solution.

ℛ HOME SWEET HOME

Alfonso de Marco, d'Eastbourne, en Angleterre, a célébré son 107e anniversaire en avril 2009, dans la maison où il vivait depuis 100 ans. Il avait quitté l'Italie pour l'Angleterre à 7 ans, en 1909, pour s'installer au-dessus du magasin de glaces tenu par son père.

ℛ LEÇONS DE VOL

Les enfants de l'école primaire de Kingsland, à Stoke-on-Trent, Angleterre, passent certaines de leurs heures de cours dans un avion désaffecté. Le S-360 hors service, qui faisait la liaison Irlande-Espagne, a été équipé de bureaux et d'ordinateurs.

ℛ RUE DE FAMILLE

Pas moins de 69 membres de la même famille vivent dans une seule rue de Gateshead, en Angleterre. La famille Hall a monopolisé Cotswold Gardens depuis que Catherine Hall s'y est installée, en 1958. Six de ses huit enfants vivent à présent dans cette rue avec leurs familles, ainsi que trois oncles et une belle-mère. À eux tous, ils occupent 15 maisons et ont plus de 50 animaux de compagnie.

MARATHON AMAZONIEN

L'EX-OFFICIER DE L'ARMÉE BRITANNIQUE ED STAFFORD S'EST LANCÉ DANS LE VOYAGE DE SA VIE EN AVRIL 2008, EN DÉCIDANT DE LONGER À PIED LA RIVIÈRE AMAZONE, EN AMÉRIQUE DU SUD, DE SA SOURCE JUSQU'À L'OCÉAN ATLANTIQUE. IL ESPÈRE ÊTRE LA PREMIÈRE PERSONNE À RÉALISER CET EXPLOIT, ET METTRE EN LUMIÈRE LA DÉFORESTATION DE LA FORÊT TROPICALE PAR LA MÊME OCCASION. LE FLEUVE FAIT 6 400 KM DE LONG, MAIS ED PENSE QU'IL LUI FAUDRA MARCHER PRESQUE 9 650 KM, CAR LA RIVIÈRE EST TELLEMENT LARGE À CERTAINS ENDROIT QU'IL NE PEUT PAS TOUJOURS PRENDRE LE CHEMIN LE PLUS COURT. EN FÉVRIER 2010, IL EN ÉTAIT À LA MOITIÉ DE SON TREK, ACCOMPAGNÉ DE SON GUIDE LOCAL, CHO, ET EN AYANT PARCOURU UNE GRANDE PARTIE DU CHEMIN PLONGÉ JUSQU'À LA POITRINE DANS L'EAU BOUEUSE. RANDONNEUR DANS L'UN DES ENVIRONNEMENTS LES PLUS SAUVAGES DE LA PLANÈTE, ED RENCONTRE DES SERPENTS VENIMEUX, DES ANGUILLES ÉLECTRIQUES, DES PIRANHAS ET DES JAGUARS. IL A ÉTÉ POURSUIVI PAR DES TRIBUS PÉRUVIENNES ARMÉES, ET MÊME SOUPÇONNÉ DE MEURTRE ET ARRÊTÉ À TORT. MUNI SEULEMENT D'UN SAC À DOS, IL VOYAGE LÉGER ET RISQUE LE SCORBUT ET L'INANITION, CE QUI L'OBLIGE SOUVENT À MANGER CE QU'IL TROUVE DANS LA FORÊT ET À ATTRAPER DES PIRANHAS POUR LE PETIT DÉJEUNER.

Préparer la journée

« Tous les matins, je me lève avec le soleil. Je fais craquer ma nuque raidie et tends la main vers mes cachets contre la malaria, que je fais passer avec de l'eau iodée, suspendue dans une bouteille au-dessus de ma tête. Comme nous sommes généralement au milieu de nulle part, je peux sortir nu de mon hamac. Je glisse mes pieds dans mes chaussures et me traîne jusqu'à mon fil à linge. Cho, mon guide, et moi vivons avec seulement deux tenues : une pour la journée qui est généralement sale et mouillée, et une pour le soir, qui est toujours sèche et propre. Les vêtements mouillés ne sèchent pas dans la nuit, car le taux d'humidité est élevé et la brise arrêtée par l'épaisseur des arbres. Le fil est surtout là pour maintenir les habits au-dessus du sol trempé. Je les mets sans trop y réfléchir et me rends à peine compte qu'ils sont mouillés pendant la journée. Puis j'enfile mes chaussettes (trouées) et mes chaussures. Il est alors 7 h 05 et je me dirige vers le feu en me brossant les dents.

Généralement, le bois est mouillé, vu que ni Cho ni moi n'avons la possibilité de collecter du bois le soir et d'essayer de le faire sécher. C'est en partie de la paresse, en partie de l'imprudence. L'un de nous part alors dans la forêt avec sa machette et récupère du bois mort dans les arbres. Celui tombé au sol est trop humide. Je plie une brindille à plus de 90 degrés : si le bois ne se casse pas net, il est trop vert et ne brûlera pas.

De retour au camp, nous créons une petite plate-forme avec des bûches et brûlons un morceau de résine qui fait office d'allume-feu. Puis j'ajoute progressivement des brindilles ou des copeaux découpés dans l'intérieur d'une grosse branche, plus sec que l'extérieur. D'habitude, l'eau commence à bouillir vers 7 h 30. Le petit déjeuner est toujours constitué de riz blanc, mais nous arrivons parfois à attraper un poisson, ce qui nous évite d'ouvrir une boîte de thon. La responsabilité de relever le filet dans la rivière n'est pas très populaire, car il faut nager pour l'atteindre et l'eau est froide à cette heure. Y récupérer un piranha demande du doigté, car même si leur réputation de mangeurs d'hommes est complètement infondée, leurs dents sont extrêmement tranchantes. Nous attrapons également des poissons-chats et des truites, et nous les vidons et les grillons pendant que le riz cuit. Nous en cuisinons assez pour en mettre une partie dans nos Tupperware pour le déjeuner.

À la fin du petit déjeuner, nous sommes prêts à partir et empaquetons nos affaires dans un grand sac en caoutchouc placé dans notre sac à dos. De cette façon, tout est à 100 % étanche, et nous pouvons nager sans nous inquiéter de l'ordinateur ou du téléphone satellite. Entre 8 heures et 8 h 30, nous hissons les sacs de 32 à 35 kg sur nos dos recouverts de piqûres de moustiques et nous remettons en marche.

49

Tête en l'air

Sur l'île de Sulawesi, en Indonésie, quand une personne meurt, une effigie est réalisée à son image. Ces poupées, appelées *Tau Tau*, sont placées dans les tombes ou dans les maisons des vivants, comme une bénédiction. Dans certains endroits, des *Tau Tau* grandeur nature sont hissées sur les flancs des falaises, où elles veillent sur les voyageurs. Les tombes des morts sont creusées dans ces mêmes falaises, suspendues à des hauteurs vertigineuses pour décourager les pilleurs.

℞ PROPRIÉTAIRE TERRIEN

En Angleterre, 69 % des terres sont réparties entre seulement 0,6 % de la population, une majorité de familles de propriétaires qui possèdent leurs terres depuis le XIXᵉ siècle.

℞ MINI ALPHABET

Le Rotokas, une langue parlée par près de 4 000 personnes sur l'île de Bougainville, en Nouvelle-Guinée, compte seulement 12 lettres : A, E, G, I, K, O, P, R, S, T, U, V.

℞ PORTE MARI

Durant le festival d'automne, les femmes de la ville de Winesburg, dans l'Ohio, se mesurent lors d'un concours de portage de maris.

℞ LA PIERRE DE MOZART

La ville autrichienne de Raschala a fait poser une plaque là où Mozart s'est un jour arrêté pour uriner sur une pierre au bord de la route. Chaque année, tant de visiteurs se pressent pour voir la « Mozart Pinkelstein » (« pierre du pipi de Mozart ») que la ville a organisé un festival de musique et de bière pour commémorer la venue du compositeur.

℞ HEURE ROYALE

Jusqu'en 1936, les 180 pendules de la collection de Sandringham House, dans le Norfolk, en Angleterre, étaient à « l'heure de Sandringham », avec une demi-heure d'avance sur l'heure de Greenwich. L'initiative venait du roi Édouard VII, qui aimait la chasse et voulait allonger les journées d'hiver.

℞ PRIÈRES DES GLACIERS

Pendant plus de 300 ans, les habitants du village de Fieschertal, dans les Alpes suisses, prièrent pour arrêter le développement du glacier Aletsch, le plus long d'Europe, qui envahissait régulièrement les maisons. Cependant, en 2009, ils demandèrent la bénédiction du pape pour changer leurs prières afin que le glacier cesse de rétrécir. Le réchauffement climatique a causé la fonte de 12 % des glaciers suisses, qui sont une source d'eau vitale pour les centrales hydroélectriques.

℞ LOCATAIRE UNIQUE

En 2009, un immeuble neuf de 32 étages à Fort Myers, en Floride, ne comptait qu'un seul locataire. Victor Vangelakos, sa femme et ses trois enfants avaient la grande piscine, la salle de jeux et celle de gym pour eux seuls, la plupart des autres locataires potentiels s'étant rétractés à cause de la crise financière.

℞ LONG TUNNEL

Le tunnel du Saint-Gothard, 17 km de long, sous les Alpes suisses, est presque deux fois plus long que le mont Everest est haut.

℞ IMMENSE MURAILLE DE CHINE

Une étude de 2009 a révélé que la Grande Muraille de Chine faisait 3 850 km de plus que supposé précédemment. En utilisant des techniques de cartographie modernes, on a découvert des sections de la muraille auparavant cachées par des collines, des tranchées ou des rivières, amenant sa longueur totale à 8 850 km.

℞ BABY-BOOM

Un petit village du Cambridgeshire, en Angleterre, a un taux de natalité supérieur à celui de l'Inde, de la Chine, de l'Indonésie, du Brésil ou des États-Unis. Cambourne compte seulement 7 600 habitants, mais 24,1 naissances pour 1 000 femmes en 2009 : presque deux fois la moyenne anglaise, grâce à une concentration inhabituelle de jeunes couples.

℞ ROUTE DE CORAIL

Les routes de l'île de Guam, dans l'océan Pacifique, sont faites de corail. Ses plages sont en effet constituées en majorité de corail en miettes. Au lieu d'importer du sable d'autres pays, le corail est mélangé à de l'asphalte pour construire les routes de l'île.

℞ OS ÉTRANGE

En 2009, des randonneurs traversant une forêt près de Landshut, en Allemagne, trouvèrent un os mystérieux. La police fut appelée et identifia un col du fémur artificiel, avant de repérer un squelette dans un sapin haut de 11 mètres. L'enquête conclut qu'un homme de 69 ans s'était suicidé en montant dans l'arbre, près de 30 ans auparavant, et en s'attachant à une branche. Il y était parvenu malgré sa hanche artificielle, l'arbre étant plus petit à l'époque.

℞ TRANSPORT LIMITE

La principauté d'Andorre, entre l'Espagne et la France, ne possède ni aéroport, ni trains, ni port.

L'ÎLE AUX POUPÉES

AU MILIEU DU LAC TESHUILO, SUR LE TERRITOIRE DE XOCHIMILCO, PRÈS
DE MEXICO CITY, SE TROUVE UNE MINUSCULE ÎLE CONNUE SOUS LE NOM
D'ISLA DE LAS MUÑECAS (L'ÎLE DES POUPÉES). IL Y A BIEN LONGTEMPS,
UNE PETITE FILLE SE NOYA LÀ, ET LES GENS CESSÈRENT DE FRÉQUENTER
L'ÎLE, RÉPUTÉE HANTÉE. UN SDF, JULIÁN SANTANA, Y HABITA PENDANT
PLUS DE 50 ANS, ET SE MIT À COLLECTIONNER ET EXPOSER DES
POUPÉES POUR SE SOUVENIR DE LA MORTE ET APAISER SON ESPRIT.
SANTANA ÉCHANGEAIT LES LÉGUMES FRAIS QU'IL CULTIVAIT CONTRE
LES POUPÉES DES LOCAUX. BIEN QUE L'HOMME SOIT MORT EN 2001,
IL RESTE DES MILLIERS DE POUPÉES ÉPARPILLÉES SUR PLACE, LA
PLUPART ACCROCHÉES DANS LES ARBRES.

Une génisse à trois narines est née dans une ferme de Cheiry, en Suisse. Sa narine en trop l'a rendue si populaire auprès des habitants que son propriétaire, le fermier Urs Herrmann, a promis de la garder à la ferme au lieu de l'envoyer au marché pour être vendue.

ZOZO-
LOGIE:

ZOZOLOGIE

Pub à mouches

Lors du salon du livre de Francfort, en 2009, un éditeur allemand lança une nouvelle mode publicitaire en attachant de minuscules bannières à des mouches et en les lâchant dans le salon. Les publicitaires d'Eichborn, dont le logo est une mouche, décidèrent de fixer les banderoles promouvant « L'éditeur de la mouche » sur 200 insectes en utilisant de la ficelle et de la cire qui tomberaient d'elles-mêmes sans blesser les mouches. Cependant, celles-ci eurent du mal à rester en l'air et ont eu tendance à se poser sur les visiteurs du salon.

Une vie de chat

Renversée par une voiture, Chase, une chatte de Lexington, dans le Kentucky, perdit son nez, ses paupières et la peau de son visage, ainsi qu'une de ses pattes. Les chirurgiens furent incapables de reconstruire ses traits et elle resta sans fourrure, la gueule recouverte de peau rose. Adoptée par Melissa Smith, la vétérinaire qui s'était occupée d'elle, elle est devenue un « chat thérapeute » dans la région, aidant les gens défigurés à prendre confiance en eux. Chase est même une célébrité sur le Web : sur son propre blog, elle assure à ses fans qu'elle va bien et ne souffre pas.

℞ FÉLIX LA CHANCE

En avril 2009, Félix, un chat vieux de 12 ans et appartenant à Andrea Schröder, de Cologne, en Allemagne, a été retrouvé vivant après avoir passé 5 semaines coincé dans les décombres d'un immeuble effondré.

℞ FUTÉ RENARD

Sur une période de plusieurs mois, un renard allemand a volé plus de 120 chaussures dans les maisons et les jardins de Föhren. Un garde forestier a retrouvé les chaussures éparpillées à l'intérieur et autour du terrier de la renarde. Les petites marques de dents sur le cuir indiquaient qu'elle s'en était sans doute servi comme jouets pour ses petits.

℞ COLLEY DANSEUR

Samson, un chien colley de Manchester, Angleterre, adore danser le disco. Il peut tourner, sauter et pirouetter en rythme au son de sa musique préférée, et se tient même debout sur ses pattes arrière pour faire sa propre version du *moonwalk* de Michael Jackson.

℞ PYTHON DE CUVETTE

Erik Rantzau a trouvé un python d'au moins deux fois sa taille enroulé dans la cuvette des toilettes de sa maison près de Darwin, en Australie. Le serpent, long de 3 m, avait été régulièrement aperçu dans le jardin avant de décider d'élire domicile dans les toilettes.

℞ CHAMEAUX IMPORTÉS

Les chameaux ne sont pas d'origine australienne, mais ils sont environ un million à l'intérieur des terres.

℞ ŒUF DE OUF

Thelma, une poule appartenant à Margaret Hamstra de Lynden, État de Washington, a pondu un œuf géant – 20 cm de diamètre – avec un œuf normal à l'intérieur. Les deux avaient un blanc et un jaune.

℞ CHIEN PEINTRE

Ziggy, le chien pékinois d'Elizabeth Monacelli, habitant en Californie, peint des œuvres d'art vendues jusqu'à 250 $ pièce aux enchères. Il les crée en prenant entre ses dents un rouleau de Sopalin, auquel est attaché un pinceau, pendant que sa maîtresse lui passe de la musique chinoise pour le mettre dans une humeur artistique. Mais même ainsi, il ne dépasse jamais 3 traits par session, avant de se rouler en boule et de s'endormir.

℞ CHAUSSONS D'ÉLÉPHANT

Pour essayer d'apaiser la douleur créée par des abcès sur ses pattes avant, on a équipé Gay, une éléphante d'Asie vieille de 40 ans et résidant au zoo de Paignton, en Angleterre, d'une paire de chaussons à 750 €. Pour être sûrs de la taille, ses gardiens ont dû tracer la forme de ses deux pattes avant pour créer des patrons qui ont ensuite été envoyés en Australie, à une usine spécialisée. Chaque chausson mesure environ 40 cm de diamètre et s'attache avec des lacets que les éléphants ne peuvent enlever.

Parfaitement heureuse !

FESTIN DE FÉLINS

PLAT PRINCIPAL ENCOURAGER DES LIONS AFFAMÉS À SAUTER SUR VOTRE VOITURE PEUT SEMBLER UN PEU IDIOT, MAIS C'EST L'IDÉE D'UNE NOUVELLE EXPOSITION AU ZOO DE WERRIBEE, EN AUSTRALIE. BIEN QU'IL SEMBLE N'Y AVOIR AUCUNE PROTECTION ENTRE LES FÉLINS ET LES VISITEURS, CES DERNIERS SONT EN FAIT DERRIÈRE UN PANNEAU DE VERRE QUI LEUR PERMET D'OBSERVER LES ANIMAUX DE PRÈS LORS DE LEURS REPAS.

℞ BUS À CHAT

Depuis presque quatre ans, un chat de Plymouth, en Angleterre, prend le même bus tous les jours. Casper monte dans le n° 3, qui passe devant chez lui à 10 h 55, et reste à bord pendant les 18 km de l'itinéraire, avant de rentrer une heure plus tard. C'est un passager tellement régulier que les conducteurs vérifient toujours qu'il descende au bon arrêt.

℞ POISSON POILU

Un poisson rouge a survécu pendant sept heures après avoir sauté hors de son bocal. Sparkle a été retrouvé couvert de poussière et de poils de chien derrière un meuble dans le North Yorkshire, en Angleterre. Après avoir été rincé, il a recommencé à respirer et s'est complètement remis.

℞ LONGUE LANGUE

Le pangolin, un animal africain rare, a une langue qui peut se dérouler sur 40 cm, qu'il utilise pour laper des termites et des fourmis.

℞ BLAIREAU BOURRÉ

La police allemande a été appelée pour débarrasser la route d'un blaireau mort près de la ville de Goslar, mais l'animal n'était pas mort du tout, juste saoul ! Il s'était aventuré sur la route après avoir mangé des cerises trop mûres qui avaient fermenté.

℞ PERRUCHE DE MER

Une perruche échappée de sa volière dans la ville de Brixham, en Angleterre, a été retrouvée flottant à 1 km des côtes. L'oiseau ébouriffé a été récupéré par l'équipage d'un bateau de plongée et rendu à son propriétaire, l'éleveur Mike Peel.

℞ CHÈVRE HORS-LA-LOI

Un groupe de voisins de l'État de Kwara, au Nigeria, a livré une chèvre à la police en janvier 2009, convaincus qu'elle était en réalité un voleur de voitures qui avait changé de forme grâce à la magie noire.

℞ MANNEQUINS CANINS

Des chiens portant des tenues de couturiers, allant des maillots de bain à pois aux robes du soir, ont envahi le podium lors d'un défilé de mode à Taipei, Taïwan, en juillet 2009.

℞ MAUVAIS NAGEURS

Bien que les hippopotames adultes puissent voir et retenir quelques minutes leur respiration sous l'eau, ils ne peuvent ni nager ni flotter. Leur corps est trop dense et n'a aucune flottabilité. Ils se déplacent donc en se repoussant du fond, ou simplement en marchant le long du lit de la rivière.

℞ CHIENS MALINS

Les chiens sont peut-être aussi intelligents que des enfants de deux ans. Des psychologues pour animaux de l'université de Colombie britannique de Vancouver, Canada, ont découvert que ces animaux sont capables de comprendre près de 250 mots et geste humains, peuvent compter jusqu'à cinq et même réaliser des opérations mathématiques simples.

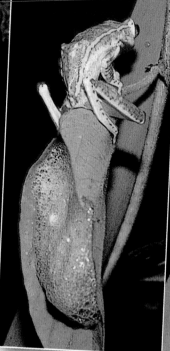
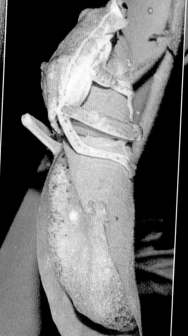
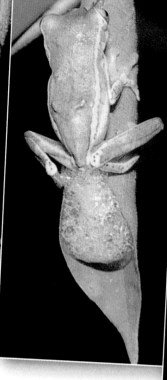
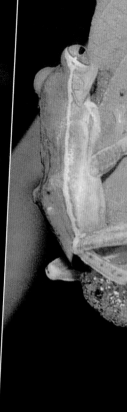

® COMME DES LAPINS

En juin 2009, on découvrit que Nancy Haseman de Rio Rancho, Nouveau-Mexique, abritait 334 lapins dans son jardin. Son mari avait recueilli un de ces animaux abandonné, 12 ans plus tôt, et le couple avait ensuite continué à en accueillir. Nancy avait essayé de séparer les mâles des femelles, mais ils ne cessaient de sauter la barrière.

® UN TOUR DE TAMBOUR

En juillet 2009, un chaton de sept semaines survécut après avoir été enfermé dans une machine à laver pendant un cycle entier, essorage inclus. On pense que Toby s'est abrité dans la machine de son foyer d'Aberdeenshire, en Écosse, pour échapper à la canicule estivale.

® APNÉE DU SOMMEIL

En période d'hibernation, les marmottes ne respirent qu'une fois toutes les cinq minutes.

® CHAT GAUCHE

Les chats domestiques peuvent être droitiers ou gauchers, selon leur sexe. Devant une tâche délicate, les femelles préfèrent utiliser leur patte droite, alors que les mâles privilégient la gauche.

® MÈRE POULE

Une poule chinoise a adopté deux chiots orphelins après la mort de leur mère. Son propriétaire, Cao Fengying, de Jiashan, explique que la poule était la meilleure amie de la chienne et prend soin de ses petits, chassant les autres poules qui veulent manger leur nourriture.

® TÊTE EN TROP

En juillet 2009, dans une ferme de Colombie, une génisse est née avec deux têtes mais un seul cerveau. Le poids de la tête supplémentaire empêchant l'animal – appelé Jennifer – de se tenir debout, le fermier Marino Cabrera construisit un harnais pour la soutenir.

® MARIAGE DE GRENOUILLES

Deux grenouilles ont été mariées lors d'une cérémonie solennelle dans l'État indien de Maharashtra, en juin 2009, afin de déclencher les pluies de la mousson qui tardaient à tomber. La tradition veut que si des grenouilles sont mariées selon les rituels hindous ou védiques, le dieu de la pluie sera flatté et fera pleuvoir dans les jours qui suivent.

Bonne pêche

Jessica Wanstall, 11 ans, du Kent, n'en a pas cru ses yeux lorsqu'elle a ramené, en 2009, un monstre de 2 fois sa taille au bout de sa ligne, alors qu'elle pêchait avec sa famille dans une rivière espagnole. Long de presque 2,7 m pour 87,5 kg, le poisson-chat dépasse largement Jessica, qui ne pèse que 35 kg. Son père a dû l'aider à le traîner sur la rive pour prendre des photos.

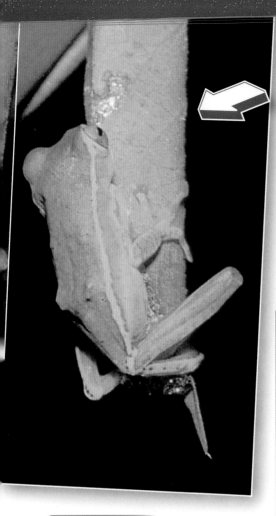

Œufs de grenouilles

Le Dr S. D. Biju, de l'université de Delhi, a découvert l'ingénieuse méthode selon laquelle un type indien de grenouille d'arbre protège ses petits. La femelle enroule soigneusement ses œufs dans une feuille qu'elle scelle avec de la mousse, créant un réceptacle qui évite aux embryons de sécher au soleil et peuvent se développer seuls.

ℝ NID DE DOLLARS

Une souris a fait son nid à l'intérieur d'un distributeur de billets dans une station-service de La Grande, en Oregon. L'abri était constitué de 16 billets de 20 $ déchiquetés.

ℝ JEÛNE AQUATIQUE

Chez certains poissons des abysses, les mâles cessent de se nourrir en grandissant. Leur mâchoire tombe et ils vivent uniquement sur l'énergie emmagasinée dans leur énorme foie.

ℝ CHAT AILÉ

Né parfaitement normal à Chongqing, en Chine, un chat blanc à longs poils a commencé à 1 an à développer des excroissances ressemblant à des ailes. Certains experts pensent qu'il s'agit d'une mutation, un jumeau siamois grandissant à l'intérieur du chat. D'autres pensent que la cause est génétique, résultat d'une ingestion de produits chimiques par sa mère lors de sa grossesse.

ℝ BONS TUYAUX

Un poisson rouge a survécu après être tombé dans la chasse d'eau de toilettes de l'East Kilbride, en Écosse. Il y avait été jeté par ses propriétaires le croyant mort, mais il se réveilla en parcourant les égouts de la ville et fut repéré, frétillant sur une grille de filtrage d'une station de traitement des eaux usées.

ℝ DAIM PERDU

Pendant qu'ils pêchaient dans la baie de Chesapeake, Chad Campbell, de l'État de Washington, et Bo Warren, de Virginie, ont trouvé un daim à queue blanche nageant par 25 m de fond à plus de 2,5 km de la côte la plus proche.

ℝ RÔLES INVERSÉS

Bien que ces animaux soient normalement la proie des serpents venimeux, des crapauds de montagne du Qingcheng Mountain Park, en Chine, ont renversé le rapport de force en mangeant l'un de leurs prédateurs, la vipère de Jerdon.

ℝ PIÈGE À ROUE

Un chat curieux, qui avait passé sa tête dans la roue d'une voiture, a dû être secouru par les pompiers après y être resté coincé. En utilisant des pinces coupantes spéciales, il a fallu une heure à l'équipe de secours de Bury St Edmunds, en Angleterre, pour libérer Casper le siamois.

ℝ C'EST LE PIED

Le lézard à cornes d'Australie boit avec ses pieds. En utilisant les fissures de ses écailles, il absorbe l'eau dans son corps par l'extrémité de ses membres.

ℝ EN VEINE

Bertie le labrador a fait gagner à son propriétaire, Dave Hallett, du Sussex, en Angleterre, 300 € dans une loterie locale pendant 5 semaines d'affilée, avec une cote de 282 millions contre un. Il prédisait le numéro gagnant en posant sa truffe sur un panneau couvert de chiffres.

TÊTES À QUEUE

FRANK ET BARBARA WITTE, DE FRESNO, EN CALIFORNIE, ONT UN ANIMAL DE COMPAGNIE PARTICULIER. LEUR DRAGON BARBU, ZAK-ET-WHEEZIE, A DEUX NOMS CAR IL EST NÉ AVEC DEUX TÊTES. LES EXPERTS LUI DONNAIENT PEU DE TEMPS À VIVRE, MAIS ZAK-ET-WHEEZIE EST TOUJOURS EN PLEINE FORME, ET PROBABLEMENT LE PLUS VIEUX DRAGON BARBU À DEUX TÊTES AU MONDE.

LE + DE ℝ IPLEY

COMPARÉ À D'AUTRES CRÉATURES, IL EST COMMUN POUR UN DRAGON BARBU DE NAÎTRE AVEC 2 TÊTES EN CAPTIVITÉ. CELA PEUT ÊTRE DÛ À LA CONSANGUINITÉ, OU AU FAIT QUE CES ANIMAUX PONDENT ÉNORMÉMENT D'ŒUFS CHAQUE ANNÉE. LES DRAGONS À 2 TÊTES ONT 2 CERVEAUX MAIS PARVIENNENT À COORDONNER LEUR CORPS TRÈS FACILEMENT.

QUINCAILLIERS !!......
EXIGEZ LA VÉRITABLE **TAPETTE E.**
POUR **RATS** ET **SOURIS**
DÉTENTE MÉTALLIQUE PERFECTIONNÉE
Robuste et Sensible
EC **PORTE-APPAT**

RESSORT TRÈS PUISSANT
En acier 1re qualité
A TRÈS HAUTE RÉSISTANCE

TAPETTE A RATS
MARQUE DÉPOSÉE

RÉGLAGE ET FONCTIONNEMENT GARAN

MARQUE DÉPOSÉE **E. A.** PARIS
GARANTIE DE FABRICATION SUPÉRIEURE

GROS ICI

Pièges à rats

Le célèbre exterminateur Julien Aurouze & Cie, situé rue des Halles, à Paris, a toujours été spécialisé dans l'extermination des nuisibles, et plus spécifiquement des rats. La vitrine du magasin, fondé en 1872, offre une illustration de la mission de la maison, avec des rats empaillés suspendus à des pièges et dispersés dans tout le magasin.

Groin intérieur

En 2009, trois porcelets sont nés avec les narines à l'intérieur de la lèvre supérieure. La moitié d'une portée née dans le village de Jingdezhen, en Chine, présentait cette rare difformité, mais les animaux affectés semblaient manger, boire et respirer normalement malgré leur absence de groin.

℞ FAUSSE PATTE

Un éléphant de 3 ans dont la patte s'était prise dans un piège est à nouveau capable de marcher. Il a été équipé d'une prothèse. Après avoir amputé 12 cm de tissus infectés, les chirurgiens cambodgiens ont pris l'empreinte du moignon de Chhouk pour permettre la fabrication d'une patte artificielle. Nul besoin de l'anesthésier pour lui fixer la prothèse : quelques navets et bananes ont fait l'affaire.

℞ MAMMIFÈRE VENIMEUX

Le *solénodonte d'Hispaniola*, un petit animal vivant en Haïti et République dominicaine, est l'un des 2 mammifères dont la morsure est venimeuse.

℞ ÉLÉPHANT MUSICIEN

Un éléphant, pensionnaire d'un parc safari anglais, distrait les visiteurs en jouant de l'harmonica. Five, une éléphante africaine du West Midlands Safari Park, a découvert l'instrument laissé par accident dans son enclos, et a rapidement appris à le porter à sa bouche et à souffler pour produire des notes.

℞ GENTIL GÉANT

Sancho, un bœuf d'une ferme de New Holland, Ohio, arbore des cornes mesurant plus de 3 m de pointe à pointe.

℞ CHER MOUTON

Un jeune mouton Texel – espèce très appréciée pour sa viande maigre – a été vendu aux enchères sur un marché de bétail écossais pour plus de 216 £ en 2009. Le jeune mâle, qui peut engendrer jusqu'à 1 000 agneaux par an, coûte plus de 1 858 £ le kilo, ce qui signifie qu'une de ses côtes coûterait environ 371 £ !

℞ TÉLÉPHONE RECYCLÉ

En 2009, un pélican du zoo de Tautphaus, en Idaho, avala un téléphone qu'un visiteur avait laissé tomber dans la piscine, avant de le régurgiter quelque temps plus tard.

℞ KIT TREMBLEMENT DE TERRE

Dans les zones à risques, les propriétaires d'animaux de compagnie peuvent acheter des kits d'urgence pour s'assurer de la survie de leur chat ou de leur chien. Créés par une société japonaise, ils contiennent une veste renforcée, un chapeau de pluie, des bottes spéciales pour protéger les pattes, une cloche au cas où l'animal serait perdu dans des décombres, de la nourriture, de l'eau et des huiles essentielles pour calmer leur stress.

℞ DEUX NEZ

Un lapin à deux nez et quatre narines a été découvert dans une animalerie de Milford, Connecticut, en 2009.

ℝ SUPER RAT

Une nouvelle espèce de rat a été découverte en Nouvelle-Guinée, aussi grande qu'un chat domestique ! Vivant dans le cratère du mont Bosavi, un volcan éteint, le rat laineux de Bosavi mesure plus de 80 cm de la queue aux moustaches, et pèse 1,4 kg.

ℝ AVALEUR DE FLÈCHE

Un chiot du Kent, en Angleterre, a survécu après avoir avalé une flèche en plastique de 27 cm, presque aussi longue que lui. Betty, un terrier de 8 mois, a dû être opéré d'urgence pour retirer la flèche, qui s'était logée dans son corps entre l'œsophage et l'intestin grêle.

IO KG !

ℝ FAUX JUMEAUX

Quand le fermier Vic Phillips, du Somerset, en Angleterre, accoupla son taureau Aberdeen Angus avec une vache Simmental, cette dernière accoucha de jumeaux de différentes races. Le mâle était Simmental, mais la femelle était Aberdeen Angus.

ℝ EN BALADE

Un chien disparu sur la Côte d'or, en Australie, en 2000, a été retrouvé 9 ans plus tard et 2 000 km plus loin à Melbourne. En toilettant la chienne, les services animaliers découvrirent la puce qui leur permit de l'identifier et de la rendre à ses propriétaires, la famille Lampard.

ℝ COUP DE CHANCE

Mac, un golden retriever, a survécu après être tombé d'une falaise de 12 m de haut en pourchassant un lapin. Son collier se prit dans des rochers et arrêta sa chute.

ℝ LENTILLES DE CONTACT

Une société allemande a inventé une gamme de lentilles de contact pour les animaux souffrant de cataracte, une maladie qui les laisse aveugles. Quelques-uns des animaux qui pourraient être traités : les lions, les girafes, les ours, les lions de mer, les kangourous et les tigres.

Gros plein de soupe

EN 2009, UN DISPENSAIRE POUR ANIMAUX MALADES A LANCÉ UN CLUB D'AMAIGRISSEMENT POUR CEUX AYANT DES PROBLÈMES DE POIDS, ET SOCRATE A FAIT PARTIE DES 9 SÉLECTIONNÉS. L'ÉNORME CHAT DE NEWCASTLE, ANGLETERRE, AIME MANGER DES CHIPS « OIGNON-FROMAGE » ET PÈSE 10 KG. C'EST PLUS DE DEUX FOIS SON POIDS IDÉAL ET CELA FAIT DE LUI UN « OBÈSE MORBIDE ». LES ANIMAUX DU CLUB DE FITNESS SONT MIS AU RÉGIME STRICT ET À L'EXERCICE QUOTIDIEN PENDANT 100 JOURS POUR AUGMENTER LEUR ESPÉRANCE DE VIE, ET CELUI QUI PERD LE PLUS DE POIDS GAGNE DES VACANCES (AVEC SON MAÎTRE !).

ℝ INSTINCT MATERNEL

Les manchots royaux adoptent souvent les petits de leurs congénères et ont déjà été vus essayant d'élever un bébé skua : cette espèce d'oiseaux se nourrit des petits manchots !

ℝ SANS MÂCHOIRE

Les limules n'ont pas de mâchoire, et donc ne mâchent pas. Elles enfournent la nourriture dans leur bouche ouverte à l'aide de leurs pattes.

ℝ DIVERSION DE CRUE

Pendant les crues, les dauphins de la rivière Amazone la quittent pour nager à travers les forêts submergées par le débordement.

ℝ JEUNESSE ÉTERNELLE

La nutricula de Turritopsis, une cousine de la méduse, peut revenir à l'état juvénile un nombre infini de fois, évitant ainsi de mourir de vieillesse.

ℝ DANS LA MERDE

Les grenouilles du Bundala National Park, au Sri Lanka, se sont installées dans des tas de bouses d'éléphant. Ces grenouilles vivent habituellement dans le compost créé par les feuilles sur le sol. Lors de la saison sèche, elles utilisent les bouses comme habitat alternatif.

ℝ PASSAGER CLANDESTIN

Quand Vickie Mendenhall, de Spokane, dans l'État de Washington, acheta un canapé d'occasion pour 27 $ en 2009, elle découvrit un chat vivant à l'intérieur. Il y était entré par un petit trou quand le précédent propriétaire en avait fait don au magasin Value Village.

ℝ ÉNERGIE VERTE

En 2008, l'État du Michigan a voté une nouvelle loi permettant de transformer les carcasses d'animaux morts (récupérées sur la route ou ailleurs) en énergie. Les bactéries et enzymes, en décomposant les cadavres, produisent du gaz pouvant être utilisé pour créer de l'électricité.

ℝ PEAU DOUCE

On applique régulièrement de la crème hydratante sur les fesses et les pattes des éléphants du zoo de Belfast, en Irlande du Nord, pour éviter qu'elles se dessèchent. La gardienne Aisling McMahon a recommandé pour cela la crème qu'elle utilise elle-même.

ℝ CÉPHALOPODE ENDORMI

La seiche géante australienne passe 95 % de sa journée à se reposer et à se dissimuler aux yeux des prédateurs.

ℝ NAISSANCE DE CHOC

Un requin est né hors de l'eau en 2009 dans un aquarium du Cheshire, en Angleterre. L'œuf était en train d'être soigneusement transporté vers une section de quarantaine du Blue Planet Aquarium quand il a éclos de manière inattendue dans les mains d'un plongeur.

ℝ PRISONNIER SOUS TERRE

Un terrier Jack Russell a été coincé sous terre dans un trou de lapin pendant 25 jours, en 2009, jusqu'à ce qu'il ait perdu assez de poids pour pouvoir s'en extraire. Jake, 6 ans, se promenait avec son maître Richard Thomas dans l'Haverfordwest, pays de Galles, quand il pourchassa un lapin dans un trou. Comme il ne réapparut pas, on le crut mort. Mais un mois plus tard, un Jake tout mince finit par sortir, grâce à son régime forcé.

ℝ PARLOTTE DE DAUPHIN

En plus des clics et sifflements qu'ils émettent, les dauphins se « parlent » en faisant claquer leur queue. Des scientifiques espagnols ont observé que ces animaux utilisent des mouvements variés, dont les plongeons, comme moyen de communication.

Langue de baleine

Quand une malheureuse baleine à bosse s'échoua, morte, sur une plage de Provincetown, Massachusetts, en 2009, les gaz libérés par la décomposition firent gonfler sa langue comme un ballon géant. Cet animal est la seconde plus grosse créature au monde, après la baleine bleue : ce jeune spécimen mesurait 12 m de long et pesait 10 t.

LE + DE ®IPLEY

L'ALBINISME EST UN TRAIT GÉNÉTIQUE CARACTÉRISÉ PAR L'ABSENCE DE MÉLANINE DANS LE CORPS, CE QUI SE TRADUIT PAR UN MANQUE DE PIGMENT. C'EST CE QUI DONNE AUX ALBINOS, ANIMAUX OU HUMAINS, LEUR COULEUR BLANCHE DISTINCTIVE. IL EST CEPENDANT TRÈS RARE POUR UN ANIMAL ALBINOS, COMME CE DAUPHIN, D'ÊTRE AUSSI UNIFORMÉMENT ROSE. BEAUCOUP SOUFFRENT DU SOLEIL, CAR LA MÉLANINE PROTÈGE CONTRE LES RAYONS ULTRAVIOLETS, MAIS ÇA NE SEMBLE PAS ÊTRE LE CAS DE PINKY, QUI NE PASSE QU'UN PEU PLUS DE TEMPS QUE LES AUTRES SOUS LA SURFACE DU LAC CALCASIEU.

Dauphin rose

Un dauphin rose vif attire l'œil des marins du lac Calcasieu, en Louisiane. Il a grandi dans la région et est en parfaite santé, si l'on exclut sa teinte rose uniforme. Le jeune animal nage avec un groupe de ses congénères et fournit une vision inoubliable à ceux qui ont la chance de l'apercevoir.

® GOURMANDISE

Un ours gourmand s'est introduit dans une maison du comté de San Bernardino, en Californie, et a avalé une boîte de chocolats de 900 grammes présente dans le frigo. Il a repoussé les légumes et s'est jeté directement sur les friandises. Il a aussi essayé d'ouvrir une bouteille de champagne, sans succès.

® CANICHE DEBOUT

Un caniche de la ville de Xi'an, en Chine, se promène tous les jours sur deux pattes. Gou Gou attire les foules en marchant patte dans la main de son maître, Wang Guoqiang, qui a appris au chien à marcher debout lorsqu'il était petit.

® EAUX PROFONDES

Les cachalots peuvent plonger jusqu'à 3 km de profondeur et rester 90 min sous l'eau sans avoir besoin de remonter respirer à la surface.

® PIEUVRE SAUTEUSE

Certaines espèces de pieuvres sautent au-dessus de l'eau et planent pour éviter les prédateurs.

® CHIEN SURFEUR

Un border terrier de 8 mois peut surfer sur des vagues allant jusqu'à 1 m de haut près de son foyer de Cornwall, Angleterre. Dressé par son maître, Tim Kevan, Jack surfe régulièrement sur une planche de 3 m et peut même effectuer des figures telles que le Hang Five, ou faire des allers-retours sur la planche tout en surfant.

® CROCS DE POISSON

Le *Danionella dracula*, une espèce de poisson du Myanmar, possède des excroissances osseuses qui traversent la peau de sa bouche et lui servent de crocs.

® HYDRODYNAMIQUE

La peau du requin est recouverte de minuscules protubérances appelées denticules, qui l'aident à nager avec un minimum de friction.

® BOSSE BALAISE

Pendant de nombreuses années, l'université de Cambridge, en Angleterre, a exposé dans son musée de zoologie le squelette d'une baleine à bosse longue de 21 m. Le spécimen, trouvé en 1865 sur une plage du Sussex, devait peser 80 t, chair comprise.

Cochon de mer

Cette drôle de créature a été attrapée en eaux profondes par le Cabrillo Marine Aquarium, en Californie. D'une taille proche de celle d'une pomme, elle habite la plupart des océans à une profondeur supérieure à 100 m. C'est un genre de pieuvre. Ses filaments, qui ressemblent à des cheveux, sont en fait des tentacules attachés à sa tête. Le pigment orange peut ressembler à un visage quand son corps se gonfle d'eau. Ajoutez à cela un « siphon » protubérant, qu'il utilise pour se propulser, et vous avez un animal connu sous le nom de pieuvre porcelet.

Cirque de
PUCES

Le chapiteau du
de Maria, à Phila[...]

REINE DES PUCES

MARIA FERNANDA CARDOSO, UNE ARTISTE COLOMBIENNE, A CONSTRUIT SA CARRIÈRE EN EXPLORANT LES CAPACITÉS PHYSIQUES DES ANIMAUX, ET SON CÉLÈBRE PROJET DE CIRQUE DE PUCES CARDOSO EN EST UN BON EXEMPLE. EN 1996, CARDOSO A ÉLEVÉ UN CHAPITEAU, CONÇU PAR LE MUSÉE DU TEXTILE DE PHILADELPHIE, ET DEUX AUTRES PISTES POUR SES ARTISTES PUCES. SA TROUPE SE COMPOSE DE PUCES FUNAMBULES, TRAPÉZISTES, ET PUCES CANON. CARDOSO, EN COSTUME DE SCÈNE, DIRIGE SES PUCES LORS DE NUMÉROS CONÇUS POUR TESTER LEUR RÉACTION À LA CHALEUR, À LA LUMIÈRE ET AU DIOXYDE DE CARBONE. UNE FOIS QUE LES INSECTES ONT BIEN TRAVAILLÉ, ILS SONT RÉCOMPENSÉS EN BUVANT LE SANG DE MADAME LOYALE PENDANT UNE DEMI-HEURE.

L'une de ces puces bien dressées s'équilibre sur un câble grâce à un balancier.

Plus de puces !

● Une puce peut tirer plus de 160 000 fois son poids, ce qui équivaut à un humain tirant 2 679 bus à deux étages.

● Il existe 2 000 espèces de puces différentes.

● On pense que les puces existent depuis plus de 100 millions d'années.

● Une puce peut sauter jusqu'à 200 fois sa propre taille, ce qui équivaut à un humain sautant par-dessus l'Empire State Building.

● La plus grande infestation de puces fut enregistrée dans une ferme à cochons anglaise en 1986 : on y recensa 133 378 450 insectes.

● Une puce peut pondre 500 petits durant sa vie.

Les revelations all ripley

Une puce femelle tire une calèche du XIXᵉ siècle dans un cirque allemand.

Le cirque de puces Alberti

Le cirque de puces Alberti, géré familialement depuis des années, a ouvert en Caroline du Nord en 1880. L'imprésario actuel est Jim Alberti, à qui son grand-père a appris à dresser ces insectes lorsqu'il avait 12 ans.

Ⓡ IPLEY · L'interview

Andy Clark, un expert des cirques de puces, nous explique pourquoi ces animaux sont les meilleurs artistes au monde.

Quand le premier cirque de puces a-t-il été créé ?
Les bijoutiers furent les premiers à utiliser ces insectes quand, après avoir fabriqué des chaînes en or de plus en plus petites, l'un d'eux a eu l'idée d'attacher une puce à une chaîne. Des témoignages parlent de puces enchaînées aux XVIᵉ et XVIIᵉ siècles, et de puces tirant des calèches miniatures déjà en 1745. L'homme connu pour avoir rendu les cirques de puces populaires est Louis Bertolotto, qui se produisait avec ses puces savantes sur Regent Street, à Londres, en 1830, avant de faire le tour du monde avec son numéro.

Pourquoi les puces sont-elles de bons artistes de cirque ?
Elles possèdent des pattes très fortes et un bon équilibre. On peut attacher un fil de fer autour de leur cou, comme un harnais de bœuf de trait. Une fois harnachées, elles peuvent tirer un poids bien supérieur au leur. Elles sont douées pour marcher sur un fil, et leurs pattes solides peuvent aussi être utilisées pour taper dans un ballon lors de matchs de foot miniatures. Tout cela ne blesse pas les puces mais leur espérance de vie est courte. Un propriétaire de cirque doit donc souvent remplacer ses artistes.

Comment dresser des puces et créer son propre cirque ?
C'est surtout un processus de sélection. Certaines puces n'aiment pas être harnachées et refusent de se nourrir une fois captives. D'autres sont trop sensibles à la lumière ou au bruit, d'autres encore sont dociles mais peu taillées pour la scène. Cependant, nombreuses sont celles qui adorent se balader en tirant des chariots ou taper dans un ballon, et ce sont elles qu'on utilise généralement.

Puces célèbres

William Heckler lança son cirque de puces à New York en 1900, son fils Roy prenant sa suite en 1925. Quand la Seconde Guerre mondiale décima ces insectes, il décida d'en faire l'élevage. En tant que directeur, Roy nourrissait régulièrement ses petites protégées avec son propre sang, leur permettant de se servir à volonté afin qu'elles donnent leur maximum sur scène. Préfé... dresser les femelles, plus grandes que le... mâles, il se servait d'un tube horizontal... verre pour leur apprendre à marcher p... que sauter. Une fois qu'elles s'étaient cogné la tête une ou deux fois, elles restaient au sol !

A UNIQUE NOVELTY.
Direct from Earls Court Industrial Exhibition, London.

PROFESSOR KONTILI'S
WONDERFUL ROUMANIAN
Flea Circus
MUST BE SEEN TO BE BELIEVED.
PATRONISED BY ROYALTY, NOBILITY, & CLERGY.

Come and see the
LIVELY FLEAS
Dance a Ballet,
Fight a Duel, with
Swords,
Walk the Tight
Rope à la Blondin

Harnessed like
horses and drawing
and driving
Hansom Cabs, Mail
Vans, Funeral Cars
Cabriolets, Milk
Cars, Artillery Fleas
firing a Cannon.

The
Smallest Performers
in the World.
Interesting alike,
to
Old and Young,
Rich and Poor.

BEWARE OF
THE DOG

TO BE SEEN WITHIN.

Cheapest Steam Printers, 38, Church Lane, (corner) Commercial Road, London, E.

℞ TAPIS DE CORPS

Des milliers de générations de papillons de nuit Bogong ont passé leurs étés dans les grottes des Alpes australiennes, où leurs cadavres forment un tapis de 1,5 m d'épaisseur.

℞ CHOUETTE COUPLE

Un bébé hibou grand-duc a été adopté par un épagneul springer dans un refuge pour oiseaux de proie en Cornouailles, en Angleterre, en 2009. Le couple est devenu inséparable et Sophie l'épagneule fait même chaque jour la toilette de Bramble le hibou, en le léchant.

℞ LONG LOMBRIX

Le ver de terre géant qui vit dans l'État de Victoria, en Australie, peut atteindre une longueur de 3 m. Les jeunes font déjà 70 cm lors de l'éclosion. Quand ce ver géant a été découvert, dans les années 1870, sa taille a conduit les scientifiques à le classer parmi les serpents.

℞ BOUCHE-TROUS

Certains pucerons utilisent les sécrétions gluantes de leur corps pour colmater les brèches de leurs nids, mais beaucoup en meurent.

℞ SPRAY À LA MENTHE

Le *Megacrania batesii*, un phasme australien familièrement appelé « sucre d'orge à la menthe », pulvérise un fluide irritant parfumé à la menthe pour se défendre.

℞ COMPLICES À PLUMES

En mars 2009, la police brésilienne a découvert que des détenus de la prison Danilo Pinheiro, à Sorocaba, élevaient des pigeons voyageurs afin de faire passer des objets en fraude, notamment des téléphones portables et des chargeurs de batteries.

℞ QUI GARDE COCO ?

En avril 2009, le juge James Martz, du comté de Palm Beach, en Floride, a ordonné la comparution d'un perroquet pour un litige portant sur sa garde.

℞ CHIEN GUIDE CHIEN

Un border collie a son propre chien-guide d'aveugle ! Dans un refuge du Norfolk, en Angleterre, Clyde, 5 ans, totalement aveugle, s'appuie sur un autre collie, Bonnie, pour l'aider. Clyde refuse de bouger sans Bonnie, qui reste à ses côtés en permanence. Bonnie le laisse même poser sa tête sur ses hanches quand il se sent désorienté.

℞ DANSE DE LARVES

Certaines chenilles de tenthrèdes (ou mouches à scie) effectuent une danse pour dérouter les prédateurs pendant qu'elles se nourrissent de feuillage. Six d'entre elles peuvent ainsi se dresser en même temps sur leurs pattes arrière, pour se donner une apparence plus imposante.

℞ MON GROS LAPIN

Benny, un lapin géant des Flandres mâle âgé de 2 ans qui vit chez Martin et Sharon Heather, en Angleterre, fait presque 90 cm de long et pèse plus de 10 kg. Il coûte 50 € chaque semaine en nourriture.

As de la voltige

Les hirondelles atteignent l'incroyable vitesse de 56 km/h. Face à un passage de 5 cm de large, elles font simplement pivoter leurs ailes (envergure : 36 cm), sans cesser de voler. Capables de spectaculaires écarts grâce à leur queue en V, elles se faufilent à travers des fentes minuscules, saisissent des insectes au vol...

TAILLE ACTUELLE !

AUTODÉFENSE

Voici quelques techniques bizarres utilisées par des animaux de petite taille pour se protéger.

● **Le crapaud-caillou** (*Oreophrynella nigra*), qui vit sur les cimes du Venezuela, a une drôle de méthode face au danger : il se roule en boule et se laisse rebondir comme une pierre à flanc de montagne.

● **La grenouille de rivière** (*Lithobates heckscheri*), qui vit aux États-Unis, a une étrange façon de se défendre. Au lieu de fuir, elle se retourne et fait la morte, complètement flasque. Les prédateurs, préférant la viande fraîche, passent leur chemin.

● **L'araignée verge d'or** (*Misumena vatia*) peut changer entièrement de couleur en sécrétant un liquide jaune. Cela lui est très utile pour se cacher de ses prédateurs ou de ses proies dans les fleurs aux couleurs vives.

● **La myxine** est un animal aquatique dépourvu d'écailles qui ressemble à une anguille. Attaquée, elle libère aussitôt d'énormes quantités de mucus, devenant visqueuse. Le prédateur qui tente de l'avaler n'y arrive pas, ou suffoque.

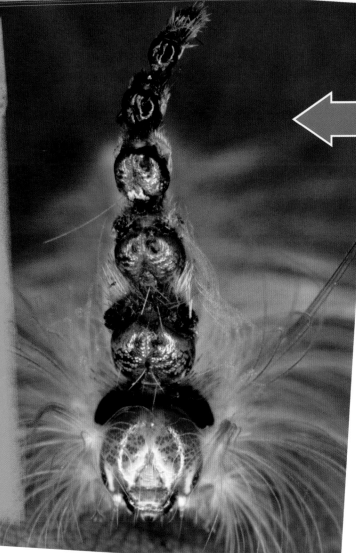

Tata Yoyo

La chenille *Uraba lugens*, communément appelée *Hatterpiller*, qui vit sur les eucalyptus de toute la Nouvelle-Zélande et de l'Australie, empile ses vieilles têtes (dont elle change à chaque mue), pour paraître plus impressionnante. En grandissant, une pointe se développe sur le dessus de son crâne : pratique pour empiler ses vieilles têtes comme des chapeaux ! Elle peut en avoir jusqu'à 6 au-dessus de la vraie.

℞ SUPER KERMIT

Une espèce de grenouille qui vivait à Madagascar voici quelque 70 millions d'années était si grande et si agressive qu'elle aurait pu manger des bébés dinosaures. Plus grande que toute grenouille actuelle, *Beelzebufo ampinga* mesurait 40 cm et pesait environ 4,5 kg. Elle possédait une très large gueule et des mâchoires puissantes.

℞ TÊTE DURE

Un chihuahua d'environ 1,8 kg a survécu après avoir été foulé aux pieds par son meilleur ami, un cheval Clydesdale de 900 kg. Little Berry jouait avec son ami Leroy à leur domicile de Geelong, en Australie, quand la grosse bête a involontairement piétiné la tête de la petit chienne.

PÉRIL BAVEUX

L'ESCARGOT GÉANT D'AFRIQUE EST L'UNE DES CRÉATURES LES PLUS DESTRUCTRICES AU MONDE. IL PEUT ATTEINDRE JUSQU'À 25 CM. ON LE TROUVE SURTOUT EN AFRIQUE ORIENTALE, EN ASIE ET AUX CARAÏBES. IL SE RÉPAND PARTOUT, SE GLISSANT DANS LES CONTENEURS DE MARCHANDISES. EN 1966, UN GARÇON DE MIAMI, EN FLORIDE, A ACHETÉ TROIS DE CES LIMAÇONS, QUE SA GRAND-MÈRE A LIBÉRÉS DANS LE JARDIN. SEPT ANS APRÈS, ILS ÉTAIENT 18 000. LEUR ÉRADICATION A PRIS DIX ANS ET COÛTÉ 1 MILLION DE DOLLARS.

℞ ALLÔ ? WOUF !

Buddy, un berger allemand, a demandé de l'aide par téléphone pour le compte de son maître, Joe Stalnaker, de Scottsdale, en Arizona, victime à trois reprises d'attaque cardiaque. Étonnamment, à l'autre bout du fil, les opérateurs ont réussi à comprendre le message de détresse du chien.

℞ MÉGAPHASME

Phobaeticus chani, parfois appelé « super-canne de Chan », est un phasme mesurant 55 cm découvert sur l'île de Bornéo par un naturaliste malais en 1989. Son corps seul, sans les pattes, mesure 35 cm.

℞ T'AS VU MA COLLEC' ?

Fondé dans le cadre du British Museum en 1756, le Muséum d'histoire naturelle de Londres détient une collection de près de 9 millions de papillons.

℞ GARE AU TRITON !

Le pleurodèle de Waltl, un triton que l'on trouve au Maroc, au Portugal et en Espagne, possède des côtes aiguisées qu'il peut pointer pour se défendre contre ses prédateurs.

LES DENTS DEHORS

En décembre 2008, aux Bahamas, un requin de récif a bondi de son aquarium, atterri sur un toboggan et glissé jusque dans la piscine, surprenant le personnel.

CHASPIRATEUR

Zeke, un chat appartenant aux Scarpino, une famille de Cedar Knolls, New Jersey, a dû passer sur le billard pour être soulagé des élastiques à cheveux, rubans et autres rebuts accumulés dans son estomac, qui avait atteint cinq fois sa taille normale.

ROBINSON À POIL

Emporté par une lame de fond alors qu'il se trouvait sur un voilier, un chien a nagé 8 km dans des eaux infestées de requins, puis atteint une île où il a survécu 4 mois, se nourrissant de chevreaux. Ce bouvier gris et noir a retrouvé ses propriétaires, Jan et Dave Griffith, après avoir été recueilli par des gardes-côtes en patrouille à St Bees, île presque inhabitée au large du Queensland, en Australie.

COCHON D'INVITÉ

En 2008, un cochon de la taille d'un poney Shetland a terrorisé une femme à Murwillumbah, en Nouvelle-Galles du Sud. Il avait élu domicile chez Caroline Hayes et refusait de la laisser tranquille.

MARSUPIAL AU PIEU

En mars 2009, un kangourou a fait irruption par la fenêtre d'une chambre et sauté dans le lit, surprenant un couple d'Australiens. Beat Ettlin, pour protéger sa famille de ce marsupial de 1,80 m, s'est livré à un corps-à-corps avec l'animal, qu'il a cravaté et traîné dans le couloir, avant de l'expulser par la porte.

FINALEMENT, NON

Un orang-outan femelle a tenté de s'échapper d'un zoo australien en 2009, court-circuitant une clôture électrique. Karta, 27 ans, a coincé un bâton dans les fils électriques, puis empilé assez de matériaux pour escalader la clôture de béton et de verre. Arrivée au sommet, elle est restée immobile pendant 30 min avant de changer d'avis et redescendre dans son enclos.

INTERMINABLE

Une espèce de serpent qui vivait dans la jungle colombienne il y a 58 millions années aurait atteint 13 m de long, soit plus qu'un bus.

MOTORISÉES

Dans le Wisconsin, des écolos pilotent des ULM pour aider les grues blanches, menacées d'extinction, à migrer vers le sud pour l'hiver. Ces oiseaux d'élevage suivent les aéronefs qui diffusent des enregistrements de cris de grues adultes. Les jeunes les suivent sur plus de 2 000 km, jusqu'en Floride.

TRÈS CHER CLONE

Une Américaine a payé 155 000 $ pour un clone de son défunt toutou. Nina Otto, de Boca Raton, avait conservé l'ADN de son labrador bien-aimé, Sir Lancelot, prélevé et congelé 5 ans avant sa mort en 2008. En 2009, la famille a accueilli Lancelot Encore, un chiot de 3 mois, réplique génétique exacte de l'animal défunt.

À RESSORTS

On a découvert une nouvelle espèce de squale, qui se déplace en rebondissant sur le plancher océanique. « L'aiguillat psychédélique », identifié en 2008 au large des côtes indonésiennes, se déplace ainsi maladroitement grâce à sa queue décentrée. Il se propulse vers l'avant par à-coups, expulsant de l'eau par ses minuscules ouvertures branchiales.

PORT-PLAGE

LES TOURISTES QUI S'AVENTURENT DANS LES EAUX LIMPIDES DE BIG MAJOR SPOT ISLAND, AUX BAHAMAS, SE RETROUVENT FACE À DES PORCS. L'ENDROIT A ÉTÉ SURNOMMÉ PAR LES GENS DU COIN PIG BEACH (« PORC-PLAGE »), ET PERSONNE NE SAIT VRAIMENT COMMENT ILS SONT ARRIVÉS LÀ. L'ÎLE EST DÉSERTE, À PART QUELQUES VISITEURS QUI APPORTENT À MANGER AUX ANIMAUX SE PRÉCIPITANT À L'ARRIVÉE DES BATEAUX.

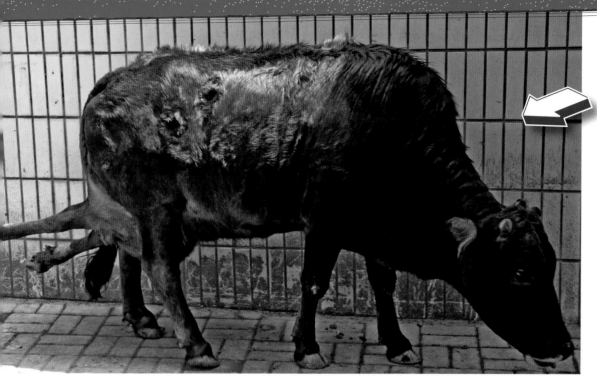

Six pattes

Cette vache de 6 ans née avec 6 pattes est l'une des attractions du zoo de Yichang, en Chine. Elle a bien sûr un grand succès auprès des visiteurs. Une telle malformation, qui peut affecter la plupart des animaux, résulte d'un problème génétique (absorption partielle dans l'utérus d'un jumeau déformé) ou d'un facteur externe (pollution).

℞ CHIEN VOLANT

Emporté dans les airs en avril 2009 par une rafale de vent à 110 km/h, un chihuahua a été retrouvé sain et sauf 1,6 km plus loin. Tinker Bell se trouvait sur la plate-forme arrière du pick-up de ses maîtres, sur un marché aux puces de Waterford Township, Michigan, quand il a littéralement disparu.

℞ AIMANTÉ

Des biologistes de Floride ont fixé des aimants sur la tête de crocodiles nuisibles pour être en mesure de perturber leur sens de l'orientation à distance, grâce au magnétisme.

℞ TÉLÉMANIAQUE

Une lapine de Xiamen, en Chine, est tellement accro aux feuilletons télé sud-coréens qu'elle entre en fureur si ses maîtres s'avisent de changer de chaîne. Tous les soirs, à 22 heures, Jia Xiaoyu se hisse entre eux pour regarder la télé et se met à mordre les coussins si son émission favorite, « Mme Sirène », disparaît de l'écran.

℞ DÉFI BÊTE

En 2009, Johannes Swart a passé 37 jours dans une cage de verre de 5 m sur 4 avec 40 serpents très venimeux dans un zoo près de Pretoria, Afrique du Sud. Son séjour s'est brutalement achevé lorsqu'il a été mordu au pied par une dangereuse vipère heurtante et qu'il a dû subir une intervention d'urgence à l'hôpital.

℞ L'ORANG ENTEND

Un orang-outan du zoo national de Washington a étonné ses gardiens en apprenant à siffler. Bonnie, 32 ans, a appris en les écoutant siffloter au travail. On pense qu'elle a ensuite enseigné sa technique à un autre orang-outan du zoo.

℞ PYTHON MORDU

Un Kenyan a échappé à un python en le mordant, après que le serpent l'eut enveloppé dans ses anneaux et traîné en haut d'un arbre. Au cours du combat, qui a duré trois heures, Ben Nyaumbe a étouffé le serpent avec sa chemise pour l'empêcher de l'avaler et lui a mordu le bout de la queue.

Drôle de pote

Uorn Sambath, de Setbo, au Cambodge, possède un animal de compagnie inhabituel pour un jeune garçon : un énorme python de près de 5 m et 100 kg ! Il lui fait des bisous et le serre contre lui, dormant parfois dans ses replis. Le python s'est glissé dans la chambre du garçon quand celui-ci avait 3 mois, et il dispose maintenant de sa propre pièce.

Folle MénaGeRie?

L'interview

⊙ IPLEY

Pourquoi avoir créé cette ménagerie?
Depuis tout petit, j'ai bâti une collection autour de l'univers du cirque, des exhibitions de phénomènes, des attractions... J'ai créé ma propre foire aux monstres pour faire découvrir aux gamins les merveilles de la nature et pour leur rappeler que la vie, jusque dans ses formes les plus étonnantes, est un don. Enfant, j'ai moi-même visité l'une de ces exhibitions et ça a tout changé pour moi... J'ai adoré! Le regard d'un gamin qui voit pour la première fois un animal à deux têtes, c'est unique. Comme s'il redécouvrait le monde! Voilà pourquoi j'ai fondé ma propre foire, pour susciter toutes ces interrogations sur les mystères de la vie. Et pour célébrer, avec les petits comme les grands, la splendeur et la majesté de la Création.

Todd, posant devant le Venice Beach Freakshow avec Myrtle et Squirtle, qui partagent la même carapace.

Le *Freakshow* (« Foire aux monstres ») de Todd Ray abrite quelques-uns des êtres vivants les plus étranges au monde. C'est à Venice, en Californie, que Todd, après une carrière dans l'industrie musicale, a fondé sa ménagerie, sur le bord de mer. Sa collection comporte entre autres des tortues, serpents et lézards à têtes multiples, un chien à cinq pattes, un iguane à double queue, un rat sans poils, des serpents albinos, et bien d'autres bizarreries. On peut également y voir, conservés dans du formol, des restes d'animaux tels ces vache, poulet et raton laveur à 2 têtes...

L'une des nombreuses curiosités rassemblées par Todd : un chaton à double face, conservé dans du formol.

Cheech et Chong, tortue(s) à deux têtes et six pattes

L'iguane à queue double

Le pogona à deux têtes

Rocky, le petit pinscher à cinq pattes, dans les bras d'Asia, la fille de Todd

Laverne et Shirley, serpent(s) kingsnake à deux têtes

Béquille

Motola, une éléphante thaïlandaise de 48 ans, a eu besoin d'une solution poids lourd lorsqu'elle a perdu l'un de ses membres, il y a 10 ans, à cause d'une mine antipersonnel. Après avoir testé divers prototypes, elle a été récemment équipée d'une prothèse assez solide pour supporter son poids, à l'Hôpital des éléphants, dans le nord de la Thaïlande. Pour l'opérer, il a fallu lui administrer une dose d'anesthésiant capable de tuer 70 personnes !

® ESCORTE DE DAUPHINS

En avril 2009, dans les eaux du golfe d'Aden, des milliers de dauphins ont empêché les pirates somaliens d'attaquer une flottille de navires marchands chinois. Lorsque les dauphins, qui nageaient près des navires marchands, se sont mis à faire des bonds hors de l'eau, les pirates ont préféré renoncer.

® PENGUATHLON

En mai 2009, la Nouvelle-Zélande a accueilli la première compétition sportive réservée aux manchots. Le Penguathlon d'Orakei a vu manchots royaux et manchots papous s'affronter bec à bec dans cinq épreuves : football, frisbee, surf, swingball et course dandinatoire.

® CHEVAL RAYÉ

Bill Turner, ancien jockey professionnel, se rend au pub à Sherborne, dans le Dorset, en Angleterre, à dos de zèbre. Il ne lui a fallu que 2 semaines pour dresser l'animal, acheté dans un élevage aux Pays-Bas.

® 6 OU 8 BRAS ?

Des experts britanniques ont découvert que les pieuvres avaient en réalité non pas 8 mais 6 bras. En effet, leurs recherches montrent que les pieuvres n'utilisent pour se nourrir que 6 de leurs tentacules ; les 2 dernières leur servent de jambes.

® CROCO MÉCANIQUE

Doug Mader, vétérinaire à Marathon, en Floride, a su reconstruire, au moyen de 4 broches et 41 vis, la mâchoire d'un crocodile qui avait eu la tête écrasée par une voiture en décembre 2008.

® SINGE DENTISTES

Près de Bangkok, en Thaïlande, des macaques crabiers femelles ont été observés en train d'apprendre à leurs petits à se servir de fil dentaire. On les a vus passer des mèches de poils entre leurs dents pour les nettoyer, et ce de façon encore plus régulière et élaborée quand elles sont en présence de leurs jeunes ; comme si elles voulaient leur enseigner l'importance d'une bonne hygiène dentaire.

® 15 000 PIEDS

L'étoile de mer « tournesol » peut dépasser 1 m d'envergure. Le dessous de son corps comporte 15 000 tubes qui lui servent de pieds.

L'homme crocodile

Chito Loco (« Chito le fou ») ne voit aucun problème à batifoler dans l'eau avec son crocodile de près de 450 kg et 5 m de long. Ce pêcheur du Costa Rica l'a recueilli et soigné voici plus de 20 ans, alors que des fermiers lui avaient tiré dessus. Chaque semaine, Chito grimpe sur Pocho devant un public étonné.

CARNIVORACE

UNE ÉQUIPE D'INTRÉPIDES EXPLORATEURS A RÉCEMMENT RACONTÉ COMMENT ELLE A IDENTIFIÉ AUX PHILIPPINES UNE PLANTE FORT ÉTONNANTE, CAPABLE DE PIÉGER ET DE DÉVORER UN RAT ENTIER. ON N'AVAIT PLUS ENTENDU PARLER DE CETTE PLANTE DEPUIS 1907, MAIS STEWART McPHERSON ET SES COMPAGNONS ONT ESCALADÉ UNE MONTAGNE ENCLAVÉE DANS UN VASTE CENTRE DE DÉTENTION, GUIDÉS PAR TROIS MEURTRIERS, POUR LA REDÉCOUVRIR. GROSSE COMME UN BALLON DE FOOT, BORDÉE DE TENTACULES SÉCRÉTANT UN LIQUIDE COLLANT, ELLE CAPTURE INSECTES ET RONGEURS PUIS LES DISSOUT GRÂCE À SES ENZYMES DIGESTIVES.

Végétation oh !

Serpentaire commune La nuit, les fleurs de cette plante piègent les mouches, attirées par son fumet de viande avariée.

Sensitive La sensitive ou *Mimosa pudica* est très pudique : sitôt qu'on la touche, ses branches se replient et ses feuilles se recourbent.

Hydnora africana Plante parasite, elle émet une odeur de fèces, attirant les mouches qui contribuent ainsi à sa pollinisation.

Arum titan Elle a l'une des plus grandes fleurs au monde, sent la charogne et ne fleurit que tous les 6 ou 7 ans.

Utriculaire commune Cette plante aquatique est capable de piéger et d'avaler des vers, des têtards et même des alevins.

℞ CHAUD L'HIPPO

En Afrique du Sud, un hippopotame qui avait voulu échapper à la chaleur en plongeant dans un réservoir d'eau de 3 m de profondeur s'y est retrouvé coincé. Un ouvrier agricole s'en est aperçu et l'a signalé à une équipe de la Mpumalanga Tourism and Parks Association, qui a vidé le réservoir, puis poussé l'hippopotame avec des perches dans une cage d'acier, avant de le soulever à l'aide d'une grue hydraulique.

℞ PANDA À TROMPE

En 2009, les responsables de l'Ayutthaya Elephant Kraal, en Thaïlande, ont peint 5 de leurs éléphants en noir et blanc, à la peinture à l'eau, pour les faire ressembler à des pandas géants ! Cette drôle d'idée visait à rehausser la popularité de l'éléphant, au moment où tout le pays, après la naissance d'un panda femelle au zoo de Bangkok, s'était entiché de cet animal.

℞ RATS DE GARDE

Des rats blancs de laboratoire protègent les dossiers de la police à Karnal, dans l'État indien de l'Haryana, en effrayant les souris. Sinon, elles grignoteraient les documents et détruiraient les preuves.

℞ BZZZ J'AI PEUR !

En 2009, les employés d'un magasin de jeux vidéo d'une zone commerciale new-yorkaise ont dû rester des heures à l'intérieur, coincés par les milliers d'abeilles qui avaient envahi les environs. Un passant a réussi à en capturer quelques-unes, permettant de faire venir un spécialiste muni d'un conteneur spécial où il a emprisonné les insectes, grâce à un appât simulant l'odeur de leur reine.

℞ WETA FROID OU PAS ?

Le weta des Alpes de Nouvelle-Zélande, une sorte de gros criquet, peut rester gelé des mois sans aucun dommage.

℞ PHOQUE ZE POLICE

Un lion de mer a tenté en 2009 d'échapper à des gardes-côtes californiens en prenant le contrôle de leur hors-bord. Ayant mordu un jeune garçon à Newport Harbor, « Snoopy » avait été ramassé par les policiers. Une fois à bord de leur bateau, ce gros malin a réussi à mettre les gaz, diriger l'embarcation et même actionner la sirène.

℞ URGENCES TORTUES

En mars 2009, une tortue malade a nagé toute seule jusqu'à l'Hôpital des tortues, un centre de traitement spécialisé en Floride ! On a diagnostiqué à cette tortue caouanne de 33 kg une infection bactérienne.

Serpent griffu

On a découvert en Chine, en 2009, un serpent à une patte. Ce reptile mutant de 40 cm a été trouvé par Duan Qiongxiu, à Suining. Mme Duan a eu tellement peur qu'elle a tué le serpent avec sa chaussure. La croissance d'un pied est une mutation très rare chez les serpents, auxquels il pousse plus souvent une double tête. Les scientifiques tentent de savoir si cette évolution est liée à des changements environnementaux.

ℝ MÈRE CHIENNE

En Chine, une chienne s'est tellement attachée à deux petits pandas roux qu'elle a rejeté son propre chiot. Ces animaux rares avaient été abandonnés par leur mère, peu après leur naissance au zoo de Taiyuan. Leur nouvelle maman leur a donné son lait et son affection, mais elle a refusé d'allaiter son chiot.

ℝ CHIEN SOURD

Un jeune border collie apprend la langue des signes depuis qu'on s'est aperçu de sa totale surdité. Pixie doit mémoriser différentes instructions que lui mime sa formatrice, Liz Grewal, à Coffs Harbour, Nouvelle-Galles du Sud, en Australie.

ℝ OURS BIEN REÇUS

En octobre 1807, le Président américain Thomas Jefferson a reçu deux grizzlis en cadeau. Il était si heureux qu'il les a gardés auprès de lui pendant des mois, sur la pelouse de la Maison Blanche.

ℝ CHIOT AUX CHIOTTES

Un chiot jeté dans les WC en juin 2009 par son maître, persuadé qu'il avait besoin d'un bon nettoyage, a survécu. Ce cocker était tout crotté, et Daniel Blair, petit Anglais de 4 ans du Middlesex, a décidé de le laver en le mettant dans les toilettes puis en tirant la chasse. Resté pris au piège dans un tuyau d'évacuation pendant près de quatre heures, le chiot a été sauvé par une équipe de plombiers.

ℝ IMPERMÉABLE

L'argyronète, une araignée d'Europe, passe sa vie entière sous l'eau. Elle se construit un sorte de cloche de plongée où elle stocke de l'oxygène.

ℝ GERALD ET EDDIE

Gerald, une girafe qui vit au Noah's Ark Zoo Farm, à Bristol, en Angleterre, a une drôle de compagne : une chèvre nommée Eddie. Ils sont inséparables depuis plus de trois ans. Gerald laisse sa petite amie lui grimper sur le cou et partage avec elle sa litière. Il va jusqu'à chasser les zèbres qui importunent Eddie.

ℝ ARMÉE DE CHENILLES

Le président du Liberia a déclaré l'état d'urgence en janvier 2009 à cause d'une gigantesque invasion de chenilles, la pire de ce genre depuis 30 ans. Des dizaines de millions d'insectes pullulaient dans plus de 80 villes et villages, empêchant les paysans d'aller aux champs ou les obligeant à fuir leur foyer.

ℝ PAS TOUCHE !

Le « mille-pattes dragon » de Thaïlande (Desmoxytes purpurosea) présente une brillante couleur rose et des glandes produisant du cyanure.

ℝ MERCI, BORIS

Un chien ayant sauvé la vie d'une femme après l'avoir trouvée presque morte d'hypothermie a été l'invité d'honneur de son mariage, cinq ans plus tard. Zoé Christie a été découverte en novembre 2004 dans un champ du Devon, en Angleterre, par John Richards et son chien boxer Boris. M. Richards était passé près du corps sans le voir, mais Boris l'a remarqué et a fait un tel vacarme que son propriétaire s'est retourné pour revenir sur ses pas.

ℝ COUCOU

Lesley Coles, du Somerset, en Angleterre, se demandait pourquoi son sac était si lourd. Lorsqu'elle a regardé à l'intérieur, elle y a trouvé un python de 90 cm lové au fond. On pense que ce serpent vivait depuis des mois secrètement dans le placard de Mme Coles, après s'y être glissé à travers un trou pratiqué pour le compteur d'électricité.

ℝ MÉMOIRE D'ÉLÉPHANT

Les éléphants peuvent reconnaître des groupes de personnes en fonction de leur odeur spécifique, de la couleur et du style de leurs vêtements.

Smiley à pattes

La minuscule « araignée souriante » (Theridion grallator) ne se rencontre que dans les forêts tropicales de quatre îles : Oahu, Molokai, Maui et Hawaï. Elle mesure environ 5 mm. On ne sait pas vraiment pourquoi les motifs colorés de son dos ressemblent à un visage souriant. Selon certains, cette évolution est destinée à tromper les oiseaux, ses prédateurs, mais l'espèce est néanmoins sous la menace d'un nombre croissant de nouveaux animaux, introduits dans les îles. Peut-être faudrait-il une nouvelle mutation, qui lui donnerait un visage effrayant !

PETITE CURIEUSE

Gracie, une jeune jument trop curieuse de Pullman, en Virginie-Occidentale, est restée coincée en 2008 dans un tronc d'arbre où elle avait glissé la tête. Jason Harschbarger, un voisin, ayant entendu ses plaintes désespérées, est venu à la rescousse. Il a dû se servir d'une tronçonneuse pour la libérer. Gracie n'a eu que quelques égratignures et la mâchoire déplacée. Elle est à nouveau en pleine forme, mais ne s'approche plus trop des arbres !

℞ TU LE CROÂS ?

En 2009, des crapauds sonneurs du Danemark, d'Allemagne, de Lettonie et de Suède ont croassé en chœur dans le Land de Schleswig-Holstein, en Allemagne, à l'occasion du 2ᵉ Concours international de chants de crapauds.

℞ BRAQUE BOXEUR

Chela, un chien appartenant à la police nationale du Pérou, a appris à boxer. Selon son entraîneur, Cesar Chacaliaza, ce braque allemand femelle à poil court ne raffolait pas des gants de boxe au départ, mais a appris à envoyer des directs avec ses pattes avant, debout sur ses pattes arrière.

℞ ENCHANTÉ, PETIT PORC !

Sue, un porc kune kune appartenant à Wendy Scudamore, du Herefordshire, en Angleterre, serre la main sur commande, en présentant une patte, et peut effectuer les mêmes tests d'agilité qu'un chien. Mme Scudamore espère qu'un jour, Sue sera capable de garder les moutons, tout comme le cochon du film *Babe*.

℞ LE BRAS LONG

La pieuvre géante du Pacifique a une envergure de bras de plus de 4 m.

℞ SQUELETTE MOU

Les requins et les raies ont un squelette de cartilage, cette substance caoutchouteuse qui donne forme à nos oreilles et notre nez.

℞ NI VU NI CONNU

Bili, chimpanzé bonobo de 3 mois, a pris place sur un siège, comme tous les passagers du vol Birmingham-Francfort, pour rejoindre son nouveau domicile : le zoo de la ville allemande.

℞ BELETTE EN FURIE

En 2009, M. Zhang Wuchang, de la province du Hubei, en Chine, a fait savoir que sa famille était harcelée par une belette depuis qu'il avait capturé la compagne de l'animal. La belette mâle venait déféquer sur les tables, jetait des souris mortes dans la maison et sautait même sur les lits en criant.

℞ LE PORC A BON GOÛT

En août 2009, Anne Moon, du Yorkshire, en Angleterre, a perdu une ancienne bague de fiançailles en diamant d'une valeur de 1550 € avalée par un porcelet. Alors qu'elle caressait Ginger, petit cochon kune kune de 10 semaines, celui-ci a refermé sa mâchoire sur la bague, refusant de la lâcher.

℞ LENTEUR DE TORTUE

En 2009, une tortue du Norfolk, en Angleterre, est devenue père à l'âge de 100 ans. Billy, une tortue mauresque, a réussi à s'accoupler avec Tammy, une femelle de 47 ans qui repoussait ses avances depuis 15 ans.

℞ ŒIL MIGRATEUR

Le flet est un poisson dont l'œil migre. Au départ, il nage de façon classique, le corps vertical, un œil de chaque côté. Ensuite, l'un de ses yeux se déplace, rejoignant l'autre, et il nage à plat.

℞ DOUBLE GROIN

Un porcelet né en 2009 dans la province du Zhejiang, en Chine, avait deux bouches et trois yeux. La mère était tout à fait normale, comme les sept autres rejetons de la portée.

℞ MOSCOU VITE

Les chiens errants de Moscou utilisent le métro pour gagner le centre-ville, en quête de nourriture. Ils le prennent tous les matins et le reprennent le soir pour rentrer. S'ils s'endorment et ratent leur arrêt, ils descendent à la station suivante et repartent dans l'autre sens.

Tortue albinos

NON, CE N'EST PAS UNE DINDE DE NOËL PRÊTE À METTRE AU FOUR ! CETTE GROSSE BÊTE BLANCHE EST EN RÉALITÉ UNE TORTUE ALBINOS. TROUVÉE SUR LES RIVES DU FLEUVE JAUNE, DANS LE HENAN, EN CHINE, EN 2009, ELLE MESURE 40 CM ET PÈSE 6,5 KG. TOUTE BLANCHE À L'EXCEPTION D'UNE TACHE ROSE, ELLE SERAIT LE PRODUIT D'UNE MUTATION GÉNÉTIQUE DUE À LA POLLUTION.

Tour de cochon

La fête de la Cushendun Community, en Irlande du Nord, comprenait en 2009 une drôle d'attraction : une course de cochons chevauchés par des jockeys en laine. On en organise très souvent dans les foires aux États-Unis. Seuls les jeunes porcs peuvent concourir. Ils tournent sur une piste d'herbe ou de terre, en sautant parfois des haies.

℞ BAISER-CRI

Afin d'éloigner les prédateurs et se faire passer pour plus imposants qu'ils ne sont, les orangs-outans baissent le timbre de leur voix tout en soufflant de drôle de baisers. Ils réalisent ce bruit, le « baiser-cri », en appliquant des feuilles contre leur bouche.

℞ ATTENTION, TORTUES !

Une piste de l'aéroport international John F. Kennedy de New York a été brièvement fermée en 2009 lorsque 80 tortues ont émergé de la baie de la Jamaïque, toute proche, pour ramper sur le tarmac. Cette invasion de tortues à dos de diamant de 20 cm de long a obligé les autorités à différer tous les vols pendant près d'une heure et demie.

℞ FOU DE BALLES

Lorsque leur chien Bertie a commencé à marcher bizarrement, Mark et Michelle Jewell, de l'Essex, en Angleterre, l'ont conduit chez un vétérinaire qui a constaté la présence de 9 balles de golf dans son estomac.

℞ WILLOW IT

Lyssa Rosenberg, éducatrice pour chiens à New York, a appris en 6 semaines à lire à son terrier, une femelle nommée Willow. Celle-ci fait la morte quand elle voit le mot « bang », tend une patte en l'air quand elle voit « salut » et se met sur son arrière-train quand elle voit « assis ». Elle connaît par ailleurs 250 tours différents.

℞ 176 ANS ?

Jonathan, une tortue qui vit sur l'île de Sainte-Hélène, serait âgée de 176 ans. La première photo d'elle, à côté d'un prisonnier de la guerre des Boers, remonte à plus de 100 ans.

℞ IMPRONONÇABLE

San Diego, en Californie, accueille les Wienerschnitzel Wiener Nationals, une course de sprint réservée aux teckels.

℞ MARVIN ÉGAYE

Pour rendre un requin d'humeur amoureuse, le personnel du Sea Life Aquarium de Londres a diffusé des chansons de Barry White et de Marvin Gaye dans son bassin. Grâce à ces mélodies langoureuses, ils espéraient encourager Zorro, requin zèbre de 6 ans, à se reproduire avec Mazawabee, une femelle célibataire.

Dévalisés

Les visiteurs du Knowsley Safari Park de Prescot, en Angleterre, doivent garder leurs bagages à l'intérieur de leur véhicule pour ne pas se faire dévaliser par les babouins. En juillet 2009, vingt de ces singes ont compris comment forcer les bagages attachés sur les galeries, ne laissant aux visiteurs d'autre choix que d'assister, impuissants, à l'éparpillement de leurs affaires ! L'incident s'est reproduit si souvent que le directeur du parc, David Ross, a dû recommander aux voitures avec coffre de toit de ne pas entrer dans l'enclos des singes.

R PYTHON PISTÉ

Un python mesurant 1,80 m, volé dans un centre de recherches à Perth, en Australie, a pu être pisté grâce à ce qu'il venait de manger. Le serpent dérobé avait avalé une bettongie à queue touffue, rare marsupial menacé d'extinction, qui portait une puce électronique. Même à l'intérieur de son estomac, elle a continué à émettre, trahissant le voleur.

R REDÉCOUVERTE

En 2009, plus de 100 ans après avoir été signalée pour la première fois, une population de rares grenouilles des montagnes à pattes jaunes a été redécouverte en Californie, dans la San Bernardino National Forest, localisée par une équipe de scientifiques qui a suivi la même piste qu'en 1908.

R ÇA PEND ÉNORMÉMENT

Le 13 septembre 1916, à Erwin, dans le Tennessee, « Mary la Meurtrière », l'éléphante du cirque des frères Sparks, a été exécutée pour homicide. Une foule de 2 500 personnes a assisté à la pendaison de l'animal de 5 t au bout d'une chaîne fixée à un wagon-grue.

Courtepattes

Les pompiers ont été dérangés quatre fois pour sauver Mayflower, un poney shetland gris prétendument enfoncé jusqu'aux genoux dans la boue. En réalité, il a de toutes petites pattes et est deux fois moins grand que les poneys qui paissent habituellement dans les marais salants de la Test, une rivière du Hampshire, en Angleterre.

R MAX L'INCREVABLE

Max, un terrier croisé appartenant à Janelle Derouen, de New Iberia, en Louisiane, a fêté en 2009 son 26e anniversaire – l'équivalent de 182 ans pour un être humain.

R UNE DE TROP

Lilly, un chihuahua femelle né à Gastonia, en Caroline du Nord, avait 5 pattes. Son 5e membre, inerte, pendait entre ses pattes arrière ; on le lui a ôté à l'âge de 7 semaines.

R ABYSSAL

Pseudoliparis amblystomopsis a été filmé à 7,7 km sous l'eau dans la fosse du Japon, dans l'océan Pacifique. On ne connaît pas d'autre poisson vivant à une plus grande profondeur.

R OURS GOURMAND

En juillet 2009, un ours noir qui avait forcé la porte d'une pâtisserie à Tobermory, au Canada, a été découvert assis sur le réfrigérateur, occupé à grignoter des cookies.

R OIES, QUELLE PERF'!

Lorsqu'elles descendent des hauteurs, certaines oies volent sur le dos tout en gardant la tête et le cou dans le bon sens. Cette technique contorsionniste appelée *whiffling* (« fouettage ») leur permet de réduire leur vitesse à l'atterrissage.

R JOLI COUP

En Angleterre, une poule a pondu 1 œuf en forme de quille de bowling! Selon sa propriétaire, Natalie Wiltshire, c'est pourtant une pondeuse ordinaire, l'une des 20 qu'elle possède.

R MOUTON QUI FOND

En Écosse, une race de moutons sauvages rétrécit à cause du réchauffement climatique. Depuis 1985, les moutons de Soay, petite île inhabitée de l'archipel de Saint-Kilda, ont perdu 5 % de leur taille. Autrefois, seuls les plus grands animaux résistaient au froid. Mais l'hiver étant moins rude, et l'herbe régulièrement disponible, même les individus les plus chétifs peuvent survivre.

Trop bête !

Reggie, un serpent d'un mètre de long utilisé comme animal de compagnie dans le West Sussex, en Angleterre, a dû subir une intervention d'urgence: il avait avalé sa queue. Il croyait ingurgiter l'un de ses congénères, et ses crochets l'empêchaient de le régurgiter! Bob Reynolds, vétérinaire, lui a ouvert la gueule de force, lui disloquant la mâchoire pour libérer son appendice, qu'il risquait de digérer.

R L'HYDRE DE LIU

En Chine est né en 2009 un cobra à 2 têtes capable de se nourrir par ses 2 bouches simultanément. Il vit chez M. Liu, un employé des chemins de fer dont l'élevage des serpents est la passion.

R CHER ORCHUK

Une Israélienne a payé 22 000 € pour qu'Orchuk, un boxer, puisse voyager avec elle en classe affaires entre Paris et Tel Aviv. Elle a réservé un compartiment entier pour son chien, son vétérinaire et elle-même. La compagnie El Al a dû démonter plusieurs fauteuils pour installer la cage de l'animal.

R TRADICHIENNELLES

Hildegarde Bergbauer, designer bavaroise créatrice de robes traditionnelles *dirndl* pour femmes, s'est mise à en dessiner aussi pour les chattes, les chiennes et même les juments !

℞ TÉMOINS À POIL

En 2009, lorsque Casey Anderson, un naturaliste, a épousé l'actrice Missi Pyle, il a choisi pour garçon d'honneur Brutus, son grizzly d'une demi-tonne. L'ours s'est mêlé aux 85 invités du lunch et a eu droit à une part de gâteau nuptial. Casey est très lié à Brutus, qu'il a recueilli lorsqu'il était ourson. Il va souvent se promener et pêcher en compagnie de son copain d'une taille de 2,70 m.

℞ DÉLICIEUX!

Les araignées sont incapables d'avaler des aliments solides. Elles régurgitent des sucs digestifs sur leurs proies avant des les tailler en pièces à l'aide leurs mandibules, puis de pomper le jus.

℞ PARADIS VERT

On connaît actuellement plus de 20 000 espèces de papillons. 40 % d'entre elles vivent dans la forêt amazonienne.

℞ ATOMISÉS

La moitié des chameaux de Bactriane vivent dans une région du Xinjiang qui a servi à tester l'arme nucléaire chinoise.

℞ DARD D'AMOUR

Plusieurs espèces d'escargots possèdent un « dard d'amour ». Lors de l'accouplement, l'escargot, hermaphrodite (à la fois mâle et femelle), plante violemment celui-ci dans le réceptacle de n'importe quel autre escargot.

℞ CHAT NU

Un chat imberbe (hormis une grosse touffe de poils sur la poitrine) est devenu la vedette de l'Exeter Veterinary Hospital, dans le New Hampshire. « Ugly Bat Boy », 8 ans, de race inconnue, a été adopté peu après sa naissance par le Dr Stephen Bassett. Il est probablement atteint d'une mutation génétique.

℞ SARA AIME ÇA

Sara, un croisé labrador/chow-chow, adore faire de la balançoire au parc ! À tel point que ses maîtres, les Boone, de Caroline du Nord, doivent l'y conduire plusieurs fois par semaine.

Chat géant

RIANA VAN NIEUWENHUIZEN, DE BLOEMFONTEIN, EN AFRIQUE DU SUD, AIME LES GRANDS FÉLINS. ELLE PARTAGE SA MAISON AVEC 9 GUÉPARDS, 3 LÉOPARDS, 1 JAGUAR ET 1 LION, AUXQUELS S'AJOUTENT 2 LOUPS ET 3 CHIENS. TOUS DES ANIMAUX ORPHELINS OU ABANDONNÉS QU'ELLE A RECUEILLIS.

Riana avec son petit dernier, un bébé guépard nommé Aviva.

Fiela, ici prête à manger, consomme avec les autres animaux de Riana 25 kg de poulet par jour.

Riana a acheté son premier guépard, Fiela, en 2006, alors qu'il n'avait que 6 semaines. Il a été dressé pour vivre à la maison, dans laquelle il est libre d'aller et venir.

ℝ VIVRE SENT

Tant qu'elle est en vie, la fourmi d'Argentine émet un composé chimique. Lorsqu'elle ne sent plus cette odeur, les autres fourmis l'emportent et la mettent au rebut, sur leur pile de cadavres.

ℝ FAN DE FANIONS

Un écureuil qui volait les petits drapeaux américains d'un cimetière pour les emporter dans son repaire a été pris sur le fait par l'un des volontaires qui, le Jour du souvenir, placent un fanion sur chacune des tombes des 1 000 vétérans inhumés au Mount Hope Cemetery de Port Huron, dans le Michigan.

ℝ OPINIÂTRES

Une fois arrachées, les pattes de l'opilion (ou faucheux), cousin des araignées, peuvent encore gigoter pendant plus d'une heure.

ℝ PIGEON HÉROÏQUE

GI Joe, un pigeon messager de l'US Army, a contribué à sauver plus de 1 000 soldats britanniques durant la Seconde Guerre mondiale. En 1946, le maire de Londres lui a remis une médaille d'honneur.

ℝ VARAN VORACE

Les varans de Komodo, qui peuvent peser plus de 77 kg, sont capables d'ingérer en un seul repas l'équivalent de 80 % de leur poids.

ℝ PAIE-LUI UN 06 !

Smokey, une perruche ayant su décliner son nom au téléphone, a pu retrouver ses propriétaires. Enfuie du domicile des Edwards, Smokey a été retrouvée près de Wrexham, dans le nord du pays de Galles. Mme Edwards, pour prouver qu'elle lui appartenait, a demandé qu'on lui passe l'animal. Dès que celui-ci a entendu sa voix, il s'est mis à répéter « Smokey ! Smokey ! »

ℝ MERCI WILLIE

En 2009, la Croix-Rouge américaine a récompensé un perroquet, Willie, pour avoir sauvé une petite fille de 2 ans, Hannah Kuusk, de Denver. Lorsque l'enfant, qui avait avalé de travers, s'est mise à suffoquer, Willie a alerté sa maîtresse, battant des ailes en criant : « M'man, bébé ! »

ℝ HOT DOG GÉANT

Vision d'horreur en mars 2009 pour une Australienne : son petit chien a été avalé par un serpent. Patty Buntine, de Katherine, s'inquiétait pour Bindi, son bichon maltais de 3 ans, introuvable dans la maison. Partie à sa recherche, elle est tombée sur un serpent au ventre si enflé qu'il ne pouvait plus bouger. Il avait mangé Bindi, soit l'équivalent de 60 fois son poids.

ℝ GLANDES QUI PÈTENT

Plusieurs espèces de fourmis d'Asie du Sud-Est ont dans la tête des glandes explosives, ce qui leur permet de lancer des attaques chimiques suicides.

ℝ BEC POSTICHE

En 2009, une cigogne au bec endommagé se l'est fait refaire dans une clinique pour oiseaux, en Hongrie. L'animal, dont on pense qu'il a heurté un mur, a été opéré par Tamas Kothay, spécialiste de la pose de postiches en résine.

Fais des photos !

Un python a été surpris en train d'étouffer un malheureux cacatoès à Cairns, en Australie, en 2008. Cindy Lane, une artiste qui travaillait dans son atelier, a entendu des cris d'oiseau. Elle est aussitôt sortie, découvrant en haut d'un arbre de son jardin le serpent lové autour de l'animal. D'après elle, l'agonie a duré deux heures.

TAILLE RÉELLE !

Mégaraignée

CETTE ARAIGNÉE, UNE NÉPHILE PHOTOGRAPHIÉE DANS UN JARDIN D'ATHERTON, EN AUSTRALIE, A RÉUSSI À CAPTURER UN CAPUCIN DONACOLE. L'ARAIGNÉE GÉANTE S'APPRÊTE À LUI INJECTER SON VENIN AVANT DE L'EMPRISONNER DANS UN FILET DE BAVE « GARDE-MANGER ». UNE TELLE PROIE EST TROP GROSSE POUR QU'ELLE EN FASSE UN SEUL REPAS, ELLE DEVRA LA GRIGNOTER EN PLUSIEURS FOIS. *NEPHILA PILIPES* PEUT DÉPASSER LA TAILLE D'UNE MAIN D'HOMME, MAIS SE NOURRIT EN GÉNÉRAL D'INSECTES. IL EST RARE QU'ELLE CAPTURE DES OISEAUX.

℞ LA VIE EN L'AIR

Le martinet commun passe le plus clair de sa vie en vol, niche sur des surfaces verticales et ne pose que très rarement pied à terre.

℞ DANSE LE CACATO

Les clowneries d'un cacatoès l'ont rendu célèbre sur un site de partage de vidéos. Mais il a aussi convaincu les scientifiques que les oiseaux étaient capables de danser en rythme. « Snowball — Our Dancing Cockatoo », vidéo dans laquelle il bouge au rythme d'une chanson des Backstreet Boys, a été vue plusieurs millions de fois.

℞ PIGEONS EXPERTS

Des chercheurs japonais sont parvenus à la conclusion que des pigeons de concours, récompensés en graines, pouvaient évaluer des tableaux comme le ferait un critique d'art ! Leur étude montre qu'une fois éduqué, l'œil des volatiles peut apprécier la couleur, les motifs, la texture d'une peinture.

℞ ANTILOUPS

Il est possible de tenir en respect les loups au moyen d'un dispositif rudimentaire : une corde à laquelle on attache des rubans rouges. Cette technique est connue depuis des siècles sous le nom de *fladry*.

℞ MINIFOU

Pour impressionner les femelles, le colibri d'Anna – ainsi nommé en l'honneur d'Anna Massena, duchesse de Rivoli (1802-1887) –, effectue des piqués à la vitesse de 80 km/h. Il vise parfois d'autres oiseaux, ou des êtres humains. Pour y parvenir, le petit oiseau, originaire de Californie, doit agiter ses ailes à plus de 1 000 battements par minute.

HIPPOS FURAX

AU BORD DU GRUMETI, DANS LE SERENGETI NATIONAL PARK, EN TANZANIE, UN CROCODILE A ÉTÉ MORDU À MORT PAR UNE HORDE DE 50 HIPPOPOTAMES. LE SAURIEN S'ÉTAIT APPROCHÉ TROP PRÈS D'UNE FEMELLE ET DE SES PETITS ; LE GROUPE ENTIER L'A ALORS ENCERCLÉ. AU LIEU DE BATTRE EN RETRAITE, LE CROCO A PANIQUÉ : IL A VOULU PASSER SUR LE DOS DES HIPPOS, LES METTANT EN RAGE. SON CUIR ÉPAIS NE LUI A ÉTÉ D'AUCUN SECOURS CONTRE LES DENTS ÉNORMES DE SES ASSAILLANTS, DONT LA MÂCHOIRE EXERCE UNE PRESSION DE PLUSIEURS TONNES. EN GÉNÉRAL, LES DEUX ESPÈCES SE RESPECTENT, MAIS SI LEURS JEUNES SONT MENACÉS, LES HIPPOPOTAMES PEUVENT DEVENIR LES CRÉATURES LES PLUS REDOUTABLES QUI SOIENT.

ℝ CLÔTURE D'ABEILLES

Des fermiers kenyans sont parvenus à empêcher les éléphants de détruire leurs récoltes en les effrayant au moyen de clôtures d'abeilles. Elles sont faites de ruches reliées entre elles par des fils métalliques. Si un éléphant parvient à éviter les ruches, quand il veut forcer le fil, celles-ci tanguent violemment, et les abeilles attaquent. Un essaim grouille autour des yeux du pachyderme et les abeilles s'infiltrent dans sa trompe ; elles peuvent même tuer les éléphanteaux, dont le cuir est beaucoup plus fin que celui des adultes.

ℝ ALLIGÂTÉS

Alors que les humains ne disposent pour toute leur vie que de 2 jeux de dents, les alligators peuvent compter sur le renouvellement de 2 000 à 3 000 dents au total.

ℝ CHIENS ET SES CHIENS

À la suite d'un infarctus, Sun Chien, un Chinois de Shenyang, a fabriqué un chariot spécial et dressé ses deux terriers, Pong Pong et Wow Wow, à faire les courses à sa place. Les chiens poussent le chariot, qui comporte un étui pour l'argent et la liste des courses, jusqu'aux boutiques. Si l'un est fatigué, il peut compter sur l'autre pour le relayer.

CÉSARIENNE

Un requin femelle d'un aquarium d'Auckland, en Nouvelle-Zélande, a été mordu au flanc par l'un de ses congénères. Les visiteurs ont alors eu la surprise de voir s'échapper de la blessure béante quatre bébés requins. Selon les responsables de l'aquarium, la femelle a subi l'équivalent d'une césarienne. Ils l'ont recousue, mais seulement après avoir extrait quatre autres bébés de son ventre.

ℝ BÉBÉ SAUVÉ

Un bébé abandonné en 2008 à La Plata, en Argentine, doit sa survie à une chienne qui l'a recueilli et réchauffé avec ses chiots. Fabio Anze, le fermier propriétaire de la chienne, China, a découvert le nourrisson, âgé de quelques heures seulement, au milieu de la portée.

ℝ CRAPAUD AU BLOC

Un crapaud géant du genre *Limnodynastes*, mordu par un chien près de Johannesburg, en Afrique du Sud, est devenu le premier amphibien au monde à porter une prothèse. Lors d'une délicate opération qui a duré deux heures, il a été appareillé d'une patte postiche en métal de 2,5 cm de long.

ℝ FOURCHETTE À CHIOTS

En 2009, un chihuahua a survécu 2 jours avec une fourchette à barbecue plantée dans le crâne. Lors d'un barbecue familial à London, dans le Kentucky, Smokey, âgé de douze semaines, jouait près de ses maîtres quand une fourchette posée sur le gril s'est cassée en deux, la partie pointue venant se ficher sur sa tête. Le chiot s'est alors enfui vers les bois en hurlant. On ne l'a retrouvé que deux jours plus tard, recroquevillé dans les buissons.

ℝ LA SACRÉE VACHE

Un veau à la peau sombre, noire et écailleuse comme celle d'un crocodile, est né en 2009 dans un village isolé de la province de Pursat, au Cambodge. La sécheresse qui durait depuis 3 mois ayant pris fin le lendemain de sa naissance, les villageois l'ont déclaré sacré. L'animal n'a vécu que 3 jours, mais eut droit à des obsèques solennelles.

ℝ OISON BIONIQUE

Un oison de 2 semaines ayant eu la patte cassée, les vétérinaires du Tiggywinkles Wildlife Hospital, en Angleterre, ont créé pour lui un membre bionique. Ils se sont servis de broches, d'écrous et de boulons d'acier minuscules pour construire une fausse patte qui lui permet à nouveau de marcher.

En mai 2009, Jeff Fehr, un Canadien champion de moto acrobatique freestyle, a réussi un bond énorme depuis un tremplin surplombant un ranch cow-boy de l'Alberta, face aux montagnes Rocheuses. Au plus haut de son saut, Fehr a réussi une figure très risquée, la fameuse « Superman ».

SPORT EXTRÊME

LIT D'AIGLE

GRÂCE À UNE INVENTION DES ANNÉES 80, LES ALPINISTES AU CŒUR VRAIMENT BIEN ACCROCHÉ PEUVENT PASSER LA NUIT SUR DES PAROIS À PIC, À DES MILLIERS DE MÈTRES D'ALTITUDE. LE PORTALEDGE EST UNE PETITE TENTE SUSPENDUE PAR DES FIXATIONS ARRIMÉES AUX FISSURES DE LA PIERRE. ÇA N'A PAS L'AIR BIEN SOLIDE, MAIS IL PARAÎT QUE C'EST D'UNE STABILITÉ ÉTONNANTE. CERTAINS SE RISQUENT MÊME À UTILISER UN RÉCHAUD À GAZ DANS LA TENTE POUR CUISINER OU FAIRE FONDRE DE LA NEIGE. IL EST RECOMMANDÉ DE RESTER HARNACHÉ À LA PAROI ROCHEUSE DURANT SON SOMMEIL QUAND ON A L'HABITUDE DE TOMBER DU LIT !

ℝ RENCONTRE AU SOMMET

En avril 2009, deux équipes anglaises de cricket ont fait un trek de 9 jours dans l'Everest afin de disputer un match à 5 165 m d'altitude. Ce challenge était une idée de Richard Kirtley, un fan de cricket qui avait remarqué que le plateau de Gorak Shep, le plus haut au monde de cette taille, ressemblait au célèbre terrain de cricket londonien, The Oval.

ℝ UN LANCEUR PLEIN DE CRAN

Bert Shepard a été lanceur des Washington Senators, une équipe de base-ball de la Ligue américaine, alors que cet ancien pilote de chasse avait perdu une jambe lors de la Seconde Guerre mondiale.

ℝ 36 HEURES CHRONO

En avril 2009, à Bristol, en Angleterre, deux équipes de football ont joué un match de charité qui a duré 36 heures et donné lieu à plus de 500 buts. À l'issue de cette rencontre épique, les Leeds Badgers ont battu la Bristol Academy 285 à 255.

ℝ MAUVAIS REBOND

Alors qu'il poursuivait une balle pendant un match contre les Cleveland Indians en 1993, la star de l'équipe de base-ball des Texas Rangers, José Canseco, l'a soudain perdue de vue : elle a rebondi sur sa tête et a disparu au-delà de la clôture. Résultat : un *home run* pour l'équipe adverse. Cette bourde s'est révélée fatale puisque les Indians l'ont emporté 7 à 6.

ℝ UN TRÈS LONG PARCOURS

Un terrain de golf s'étendant sur 1 365 km d'autoroute dans le désert a ouvert en 2009 en Australie. Le Nullarbor Links, plus long que la France du nord au sud, traverse 2 fuseaux horaires. Il faut quatre jours pour terminer ce parcours dont les trous se situent dans 18 villes et stations-service. Après chacun d'eux, les golfeurs doivent parcourir jusqu'à 100 km pour atteindre le suivant !

ℝ ATTERRISSAGE SURPRISE

En février 2009, dans l'Himachal Pradesh, en Inde, un match de cricket a dû être interrompu lorsqu'un pilote d'hélicoptère égaré a posé son appareil au beau milieu du terrain.

La tête la première

Cette photo est dans le bon sens ! En 2009, dans le ciel de l'Illinois, 108 casse-cou ont sauté d'un avion à 5 486 m. Lors d'une chute libre en formation serrée, ils ont atteint la vitesse de 290 km/h ! La délicate manœuvre de regroupement a eu lieu 40 secondes après leur plongeon, et ils n'ont tenu la position que quelques secondes avant de se séparer en vue de l'atterrissage.

℞ TOUT SCHUSS

Le skieur autrichien Balthasar Egger a dévalé environ 374 km de pistes en 24 heures à Heiligenblut, en Autriche, en mars 2009.

℞ MARATHON DE GOLF

Le golfeur américain Tom Bucci, de Latham, a joué 1 801 trous en une semaine à l'Albany Country Club, en juin 2009. Malgré un orage qui lui a fait perdre une heure et quart, Bucci a bouclé 15 parcours (270 trous) par jour, avec une moyenne de 90 coups par parcours, dont 32 birdies et le tout premier trou en un de sa carrière.

℞ DÉBAUCHE DE CALORIES

Lors d'une étape de montagne du Tour de France, un cycliste peut brûler jusqu'à 10 000 calories, soit plus de quatre fois ce que l'on dépense en marchant une heure et quart par jour pendant une semaine.

℞ SACRÉE JOURNÉE

Le 4 août 1982, le joueur texan Joel Young-blood a frappé deux coups sûrs pour deux équipes de la Ligue majeure de base-ball, dans deux villes différentes ! L'après-midi, il jouait pour les Mets de New York, au Wrigley Field de Chicago, contre les Chicago Cubs. Le soir même, après avoir appris son transfert, il a joué pour les Montreal Expos à Philadelphie.

℞ COUP DE BALLE

La probabilité qu'un spectateur reçoive une balle pendant un match de base-ball de Ligue majeure est de 1 sur 300 000.

℞ DES BUTS EN RAFALE

Au cours d'un tournoi préolympique de hockey sur glace, en 2008, l'équipe féminine de Slovaquie a battu la Bulgarie par 82 buts à 0, soit une moyenne de plus d'un but par minute.

℞ UN VRAI GLOBE-TROTTER

Marques Haynes, des Harlem Globetrotters, a joué au basket pendant plus de 50 ans. Il a tiré sa révérence en 1997, à plus de 70 ans, après avoir disputé plus de 12 000 matchs dans 97 pays, et parcouru près de 6,5 millions de kilomètres, soit environ 160 fois le tour de la Terre. Il était capable de produire six dribbles par seconde, la main à quelques centimètres du sol.

℞ UN SPRINT SUR LES TALONS

Une course en talons aiguilles est organisée à Nanning, dans la province chinoise du Guangxi. Les hommes doivent porter des talons d'au moins 8 cm, et les femmes, 10 cm. Parce qu'elles ont l'habitude de ces chaussures !

℞ IL EN TIENT UNE COUCHE !

Après un combat, le boxeur ukrainien Vitali Klitschko, qui évolue dans la catégorie poids lourds, s'enroule les mains dans les couches mouillées de son fils de 3 ans pour éviter qu'elles n'enflent. Selon lui, l'urine de bébé est idéale : elle est pure, ne contient pas de toxines et ne sent pas mauvais.

℞ BASKET SUR RESSORT

La jeune Anna Schmeissing, 13 ans, de Chicago, est capable de jouer au basket perchée sur une échasse à ressort.

℞ NATE L'ÉPATE

Nate Kmic, de l'équipe de football américain de l'université de Mount Union, dans l'Ohio, est le seul joueur à avoir parcouru plus de 8 000 yards durant sa carrière universitaire, un record cumulé entre 2005 et 2008.

℞ ICE TEE

Une station de ski italienne organise un tournoi de golf dans 90 cm de neige, à 1 600 m d'altitude. Les joueurs utilisent des balles orange vif sur ce parcours de 9 trous spéciale-ment conçu pour le domaine de Riva di Tures.

℞ DROIT AU BUT

Alan Perrin, un ancien soldat britannique de 44 ans presque aveugle, et à qui il manque un bras, a réussi l'exploit de faire un trou en un dans son club de golf d'Exminster, près d'Exeter, en Angleterre. C'était en avril 2009. Son partenaire et lui n'en revenaient pas quand ils ont trouvé la petite balle jaune au fond du trou, après l'avoir cherchée en vain pendant plusieurs minutes.

℞ DOMINATION MASCULINE

300 athlètes participèrent aux jeux Olympiques d'hiver de Chamonix en 1925... mais seulement 13 femmes, autorisées à concourir dans les seules épreuves de patinage artistique.

Marche en plein ciel

En août 2009, âgé d'à peine 8 ans, Tiger Brewer, de Londres, a voyagé debout sur l'aile supérieure d'un biplan piloté par son grand-père à 160 km/h. Son exploit s'est déroulé à 304 m au-dessus de l'aérodrome de Rendcomb, dans le Gloucestershire. Tiger s'inscrit dans une tradition familiale, puisque son grand-père, Vic Norman, est à la tête des SuperAeroBatics, la seule formation d'acrobates au monde à marcher sur les ailes des avions.

® TOUT LE MONDE DEHORS !

En juin 2009, dans l'Iowa, un arbitre de base-ball a expulsé la centaine de spectateurs présents. Don Briggs a pris cette décision radicale lors d'un match opposant le lycée de Winfield-Mount Union à celui de West Burlington : les spectateurs hurlaient et se disputaient trop à son goût.

® JEUNE PRODIGE

Keith O'Dell Jr., de Gloversville, aux États-Unis, joue au billard jusqu'à trois heures par jour... alors qu'il n'a que 2 ans.

® BOXE À L'AVEUGLE

Bashir Ramathan, de Kampala, en Ouganda, est aveugle depuis plus de 10 ans mais a repris depuis peu sa carrière de boxeur professionnel.

Jolie défense !

L'ORIGINE DE CE SPORT INSOLITE REMONTE AU DÉBUT DU XXᴱ SIÈCLE EN INDE, MAIS C'EST EN 1983 QU'EST NÉE LA VERSION MODERNE DU POLO SUR ÉLÉPHANT AU NÉPAL – PAYS QUI LE CONSIDÈRE COMME UN SPORT OLYMPIQUE. LES TOURNOIS ORGANISÉS PAR LA WEPA (WORLD ELEPHANT POLO ASSOCIATION) EN THAÏLANDE, AU NÉPAL ET AU SRI LANKA ATTIRENT CHAQUE ANNÉE 12 ÉQUIPES INTERNATIONALES VENUES DE CINQ CONTINENTS. UN MATCH IMPLIQUE 28 ÉLÉPHANTS, DIRIGÉS PAR UN CORNAC ASSOCIÉ À UN JOUEUR. CE SPORT SE JOUE SUR UNE SURFACE DE LA TAILLE D'UN TERRAIN DE FOOTBALL ET LES JOUEURS MANIPULENT UN MAILLET LONG DE 1,8 À 2,7 M.

Polo sur éléphant LES RÈGLES

- Les éléphants n'ont pas le droit de se coucher devant les buts.

- Un éléphant ne peut pas ramasser une balle avec sa trompe pendant le jeu.

- Les éléphants ne doivent pas marcher sur la balle.

- À aucun moment, une équipe ne doit avoir plus de 3 éléphants sur une même moitié de terrain.

- Le sexe, l'âge et la taille des éléphants n'ont aucune importance.

- Les hommes peuvent se tenir à une main sur l'éléphant, les femmes à 2 mains.

ℝ VOLCANO GLISSE

Ce nouveau sport se pratique sur le Cerro Negro, un volcan du Nicaragua qui a connu 20 éruptions depuis 1850 (la dernière en 1999) et offre un dénivelé de 726 m. Protégés par une combinaison, un casque et des genouillères, les amateurs de sensations fortes dévalent ses pentes à une vitesse pouvant atteindre 80 km/h, sur des planches spéciales en contreplaqué.

ℝ LE BUZZ DES ABEILLES

En 2009, un match de base-ball opposant à San Diego, en Californie, les Padres de San Diego aux Astros de Houston a été interrompu au début de la 9e manche quand un essaim d'abeilles a envahi le terrain. Les joueurs ont dû l'évacuer, et une partie des tribunes a été évacuée.

ℝ SAUT DE L'ANGE

En juillet 2009, Charlotte Wharton, une jeune Britannique de 13 ans, a fait un saut à ski nautique de plus de 30 m. Malgré seulement 2 ans de pratique à son actif, elle s'est élevée à près de 15 m pour retomber l'équivalent de 2 bus articulés plus loin.

Sauce piquante

Le championnat du monde de lutte dans la sauce gravy s'est déroulé en 2009 dans le Lancashire, en Angleterre, dans un but caritatif. Un industriel a fourni 2 000 l de sauce pour les 16 lutteurs en lisse. Pour sa 3e participation, « Stone Cold Steve Bisto », alias Joel Hicks, un conseiller juridique de 30 ans, a remporté la compétition devant plusieurs centaines de spectateurs.

ℝ TOUJOURS SUR SES QUILLES

En avril 2009, Emma Hendrickson, de Morris Plains dans le New Jersey, a participé au championnat américain de bowling... à l'âge de 100 ans ! Pour sa 50e participation, l'arrière-arrière-grand-mère a marqué successivement 115, 97 et 106 points.

ℝ ÇA JETTE UN FROID

Au cours d'un des printemps les plus froids de l'histoire de la Ligue majeure de base-ball, le début de saison 2007 a prouvé qu'un joueur glacé frappant une balle glacée avec une batte glacée ne pouvait pas faire de merveilles. Le nombre de *home runs* et le nombre total de points ont été au plus bas depuis 1993.

ℝ UN CAUCHEMAR POUR L'ARBITRE

Cette équipe italienne de football amateur perturbe tous les arbitres. En effet, tous les joueurs ont le même nom de famille : De Feo. Mieux encore, l'entraîneur, le secrétaire, le médecin et les 12 sponsors du club se nomment aussi De Feo. Et le terrain de Serino est situé... rue Raffaele De Feo !

ℝ LA CHANCE DU DÉBUTANT

En mars 2009, une Norvégienne de 62 ans, Unni Haskell, a réalisé un trou en un lors de son tout premier swing sur un parcours. Elle n'avait pris que 2 mois de cours avant de réussir cet exploit sur un trou long de 91 m, au golf de Saint Petersburg, en Floride.

Sur le fil

Le navigateur anglais Alex Thomson a décidé de voir la mer sous un autre angle. Il est descendu sur la quille de son yacht de 18 m en pleine course au large de la côte sud de l'Angleterre. Ce skipper chevronné, qui a défié les vagues vêtu d'un élégant costume fourni par son sponsor, a relaté une expérience « très dangereuse mais vraiment excitante ».

ℝ TEE GÉANT

Une équipe de l'université Bay College, dans le Michigan, a fabriqué un tee de golf en bois de plus de 8 m de haut, près de 100 fois la taille normale. Sa tête a un diamètre de 90 cm et l'ensemble pèse près d'une tonne.

ℝ MAGIC MINK

En 2008, à 73 ans, Ken Mink a joué avec l'équipe de basket du Roane State Community College de Harriman, dans le Tennessee, battant l'équipe B du King College 93 à 42. 52 ans après son dernier match en tant qu'étudiant, le vétéran a même marqué deux lancers francs.

ℝ CAP AU SUD

Les Norvégiens Rune Malterud et Stian Aker ont skié presque sans arrêt pendant 17 jours et 11 heures pour remporter, devant 5 autres équipes, l'Amundsen South Pole Race, une course à travers l'Antarctique qui se termine au pôle Sud.

ℝ JONGLERIE

En mai 2009, à San Marcos, en Californie, l'Américain Abraham Muñoz a couru 1 km en moins de cinq minutes tout en jonglant avec un ballon de football.

ℝ BASKETTEUR PRODIGE

Sans avoir jamais joué au basket auparavant, S. Ramesh Babu, de Bangalore, en Inde, a marqué 243 paniers en une heure, soit une moyenne de 4 par minute environ.

ℝ SEPTUPLE MARATHONIEN

L'Irlandais Richard Donovan, de Galway, a couru 7 marathons sur 7 continents en moins de six jours. Il a commencé dans l'Antarctique le 31 janvier 2009 et, après avoir couru en Afrique du Sud, à Dubaï, en Angleterre, au Canada et au Chili, a franchi la ligne d'arrivée à Sydney, en Australie, 5 jours 10 heures et 8 minutes plus tard. En tout, il aura couru 295 km en cent trente heures par des températures extrêmes, se contentant de dormir dans les avions qui le menaient d'un continent à l'autre, en classe éco.

ℝ PRIS POUR UNE DINDE

En 1931, Joe Engel, le propriétaire de l'équipe de base-ball des Lookouts de Chattanooga, Tennessee, a cédé son joueur Johnny Jones à l'équipe de Charlotte, Caroline du Nord, contre une dinde de 11 kg !

ℝ PERDS PAS LA BOULE

Rikki Cunningham a joué au billard pendant 72 heures non-stop à Greensboro, Caroline du Nord, en août 2009. Il a affronté 80 adversaires.

Fou de roller

Le rollerskater de l'extrême allemand Dirk Auer a atteint la vitesse incroyable de 290 km/h, tiré par une puissante moto sur un circuit en Allemagne. Il a aussi fait du roller sur les ailes d'un planeur et sur des montagnes russes.

℞ MOUSTACHE GÉANTE

Après avoir décroché sept médailles d'or aux J.O. de Munich en 1972, le nageur américain Mark Spitz s'est amusé à confier à un coach de natation russe que sa moustache légendaire l'avait aidé à nager plus vite, en déviant l'eau de son nez. L'année suivante, Spitz a remarqué que tous les nageurs russes portaient la moustache !

℞ BOXE DE L'OMBRE

Pour fêter le 1er anniversaire des J.O. de Pékin, près de 34 000 personnes se sont rassemblées dans la capitale chinoise en août 2009 pour pratiquer le taï-chi, également appelé « boxe de l'ombre ».

℞ JOLIE PRISE

En 2008, Jeff Kolodzinski a pêché 1680 poissons en 24 heures dans le lac Minnetonka, dans le Minnesota.

℞ LE ROI DE LA BATTE

Le batteur Mark Filippone, de North Babylon, État de New York, a tenté d'intercepter près de 7 000 lancers en 13 h 30, en août 2009.

℞ PÉCHÉ DE GOURMANDISE

Le boxeur Eduard Paululum, premier athlète olympique de l'île de Vanuatu, dans le Pacifique, a fait le voyage jusqu'à Séoul, en Corée du Sud, en 1988. Mais il a pris un petit déjeuner trop copieux avant la pesée : il a été disqualifié pour un surpoids de 453 grammes, et est rentré chez lui sans avoir combattu !

EN NOVEMBRE 2009, MAIKO KIESEWETTER, 13 ANS, A ESCALADÉ UN MUR DE 5 M PLANTÉ DE FLÉCHETTES, DANS SA VILLE DE HAMBOURG.

DARD DARD

Plongeon de ouf !

On vous avait parlé de ses plongeons ahurissants dans *Le Big Livre de l'Incroyable 2010* : l'intrépide Darren Taylor, alias Professeur Splash, du Colorado, a battu un nouveau record en sautant de 11 m dans une piscine contenant 30 cm d'eau. Il en est ressorti trempé mais indemne. Sa technique de saut à plat peut paraître douloureuse, mais en s'étirant pendant sa chute, le Professeur Splash réduit le choc infligé par l'eau sur son corps au moment de l'impact.

® UN LONG PARCOURS

En juillet 2009, Billy Foster, le caddie du golfeur anglais Lee Westwood, a parcouru à pied les 142 km séparant le Scottish Open de Loch Lomond du British Open de Turnberry, qui avait lieu la semaine suivante.

® TROP FORT

De 1943 à 1955, l'équipe de basket de l'université du Kentucky a remporté une série de 129 victoires à domicile.

® ÉCHECS TOUS AZIMUTS

En février 2009, le grand maître bulgare Kiril Georgiev a joué simultanément 360 parties d'échecs en 14 heures. Il en a remporté 284, n'en a perdu que 6 et a fait 70 parties nulles.

Un grands pas pour l'humanité

Qui fut le premier homme dans l'espace ? Non pas un astronaute, mais un pilote d'essai, Joe Kittinger. En 1960, il est désigné pour découvrir si un astronaute pourrait survivre à l'abandon d'une mission à 32 km au-dessus de la Terre. Kittinger monte en ballon jusqu'à 31,3 km et saute dans le vide. Au début, il est si haut qu'il ne sent même pas la résistance du vent. Il tombe pendant 4 min et 36 s, atteignant la vitesse de 988 km/h, avant d'ouvrir son parachute à 5 500 m du sol.

® 24 HEURES CHRONO

En mai 2009, le Britannique Dan Magness, de Milton Keynes, en Angleterre, a jonglé pendant 24 heures avec un ballon de foot, utilisant ses pieds, ses jambes et sa tête.

® SEUL CONTRE TOUS

Bob Holmes, de Rumney, New Hampshire, a joué près de 17 000 matchs de volley en solo. Il a battu des équipes de policiers, de sportifs professionnels, et même une équipe composée de 1 000 personnes. En tout, il se sera mesuré à 400 000 joueurs et aura essuyé 400 défaites.

® ROGER LE MAGNIFIQUE

Pendant 5 ans, le tennisman suisse Roger Federer a atteint au moins les demi-finales de 20 tournois consécutifs du Grand Chelem. Entre 2005 et 2007, il a enchaîné 10 finales du Grand Chelem. Entre sa défaite au premier tour de Wimbledon en 2002 et celle en finale du même tournoi en 2008, il a remporté 65 matchs d'affilée sur gazon.

® MATE LE PUTT !

En 1981, le présentateur télé et radio irlandais Terry Wogan a réussi un putt incroyable à 30 m d'un trou, sur le green du parcours de Gleneagles, en Écosse, pendant une partie opposant des professionnels à des célébrités organisée par la BBC.

® UN DIEU DU CRICKET

Pour le remercier d'avoir restauré la réputation de leur pays, les fans de cricket indiens ont annoncé en 2008 qu'ils voulaient construire un temple en l'honneur de Mahendra Singh Dhoni, le capitaine de leur équipe nationale, dans sa ville natale de Ranchi.

® LEÇON DE COURAGE

À 18 ans, Bethany Hamilton a terminé 2ᵉ des championnats du monde junior de surf féminin, en janvier 2009. Elle avait pourtant perdu un bras 5 ans plus tôt ! En octobre 2003, Bethany surfait près de chez elle, à Hawaï, quand elle a été attaquée par un requin tigre de 4,5 m. Trois semaines après l'accident, elle remontait déjà sur sa planche.

® UN BRAS, ET ALORS ?

Bien qu'elle soit née sans main ni avant-bras droits, la Polonaise Natalia Partyka participe à des compétitions de tennis de table face à des athlètes valides, et a même représenté son pays lors des J.O. de Pékin en 2008.

CARNAVAL AQUATIQUE

Pourquoi s'ennuyer dans une éternelle combinaison noire ? Diddo, un designer d'Amsterdam, a imaginé un motif « attaque de requin » pour les surfeurs qui veulent s'amuser à jouer les victimes en sortant de l'eau. Parmi ses autres modèles, l'écorché vif, le requin baleine et la combinaison rouillée, qui fait penser à un vieux scaphandre.

SAUTS PÉRILLEUX

LES « RECORTADORES » ESPAGNOLS DE VALENCE FONT VIVRE UNE TRADITION QUI REMONTE À 1500 AVANT J.-C. DEBOUT FACE À UN TAUREAU QUI CHARGE, ILS ATTENDENT LE BON MOMENT POUR SAUTER PAR-DESSUS L'ANIMAL, JAMBES TENDUES ET BRAS ÉCARTÉS. LES SPECTATEURS ASSISTENT À LEURS ACROBATIES AÉRIENNES LORS DE REPRÉSENTATIONS QUI PEUVENT DURER QUATRE HEURES, AU COURS DESQUELLES ILS RISQUENT À TOUT INSTANT LA MORT OU UNE GRAVE BLESSURE. LE TAUREAU, LUI, S'EN SORT INDEMNE.

Il ne mesure que **56 cm !**

Né en 1992 au Népal, Khagendra Thapa Magar est l'homme le plus petit au monde : il mesure 56 cm, à peine plus qu'un bébé.

À la naissance, Khagendra n'était pas beaucoup plus lourd qu'une canette de soda. Maintenant qu'il est adulte, il pèse 4,5 kg, le poids d'un chat. Vu son gabarit, il n'a besoin que d'une centaine de grammes de nourriture par jour, l'équivalent de deux barres chocolatées. Sa petite taille est sans doute due à un problème d'hypophyse. Sinon, il n'a aucun problème de santé, et adore la danse et le karaté.

BLESSURE DE GUERRE

Plus de 60 ans après avoir été blessé par un éclat de mortier lors de la Seconde Guerre mondiale, le Londonien John Ready voit encore sortir des morceaux de shrapnel de sa peau.

TOUT TATOUÉ

Depuis son premier tatouage, une petite massue de jonglage, sur la hanche, l'artiste australien Lucky Diamond Rich a fait recouvrir son corps à 100 %. Il s'est même fait tatouer par-dessus ses premiers tatouages !

CRAC-TICULATIONS

Le son provoqué lorsqu'on fait craquer ses doigts est dû à des bulles de gaz qui éclatent.

PARFUM BALAISE

34 personnes ont été hospitalisées au Texas en juillet 2009 à cause d'un parfum ! Les employés du standard de la Bank of America de Fort Worth ont eu des vertiges, des nausées et des étouffements après qu'une collègue eut vaporisé du parfum. La panique s'est vite répandue dans l'immeuble, les gens se sont précipités dehors et 110 autres personnes ont dû être traitées sur place pour des douleurs thoraciques et des migraines.

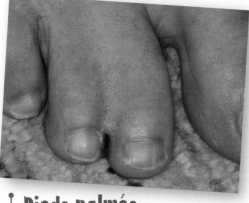

Pieds palmés

Bien que normale chez les oiseaux, les reptiles, les amphibiens et certains mammifères, la syndactylie – ou pieds palmés – est rare chez les humains : environ 1 naissance sur 2 500. Généralement, les deuxième et troisième orteils sont joints par de la peau et du tissu flexible. La cause en est inconnue, mais c'est parfois héréditaire. Certains « pieds palmés » sont célèbres, comme Dan Aykroyd, Ashton Kutcher et… Joseph Staline.

ALLERGIQUE AU BÉBÉ

Ayant souffert de cloques et d'urticaire après avoir accouché, Joanne Mackie, de Birmingham, en Angleterre, a découvert qu'elle était allergique à son propre bébé. Une maladie rare de la peau, le pemphigoïde gestationnel, développée pendant la grossesse, l'a empêchée de prendre le petit James dans ses bras pendant le premier mois de sa vie, tellement les cloques étaient douloureuses. Pour lui donner le biberon, elle devait enrouler des serviettes humides autour de son bras.

CADEAU RÉUSSI

L'écolière Sophie Frost de Rayleigh, en Angleterre, doit sa vie à l'iPod qu'elle portait quand elle a été frappée par la foudre. Elle a survécu au choc de 30 000 volts, mais uniquement grâce au câble du gadget, qui a redirigé la foudre loin de ses organes vitaux. Sa grand-mère lui avait fait cadeau de l'iPod seulement 4 jours plus tôt.

Plis de peau

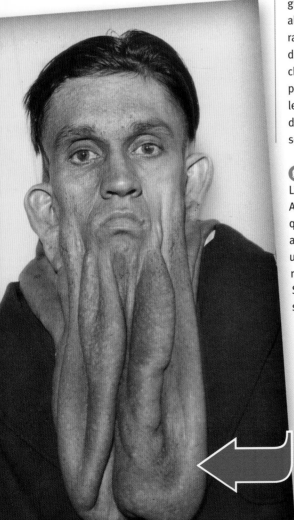

Arthur Loos, qui se produisait à l'Odditorium de Ripley, à Chicago, en 1933, présentait d'énormes plis de peau pendant de son visage. Il souffrait de neurofibromatose, qui cause des anomalies extrêmes de l'épiderme.

SOMMEIL PROFOND

Marius Purcariu d'Arad, en Roumanie, s'en est tiré avec quelques blessures mineures après être tombé du quatrième étage lors d'une crise de somnambulisme. On l'a retrouvé enroulé dans un rideau sur le capot d'une voiture garée sous la fenêtre de sa chambre. Les médecins pensent que, parce qu'il dormait, son corps était détendu, ce qui lui a sans doute sauvé la vie.

OREILLE MAL PLACÉE

Les médecins de Cologne, en Allemagne, ont sauvé l'oreille d'une femme en la cousant à ses fesses. L'oreille droite de Julia Schwarz avait été arrachée dans une bagarre, et la première tentative pour la recoudre avait échoué, la blessure n'ayant pas suffisamment cicatrisé. En attendant d'effectuer une seconde opération, les chirurgiens ont fait une petite incision dans sa fesse et ont cousu l'oreille à l'intérieur, la laissant là jusqu'à ce que son crâne ait cicatrisé.

COURS DE RIRE

Après qu'une étude eut révélé que les Allemands rient en moyenne 6 min seulement par jour, un groupe de thérapeutes du yoga du rire a été installé à Cologne pour apprendre à rire aux habitants. C'est bon pour la santé, et l'antidote du vieillissement. Il y a plus de 6 000 clubs du rire répartis sur les 5 continents, et même une journée mondiale du rire.

MARIÉE ÉLASTIQUE

Souffrant d'un type rare de nanisme, Tiffanie DiDonato de Jacksonville, en Caroline du Nord, a enduré une procédure d'allongement des os pour gagner 35 cm, et passer de 1,14 m à 1,45 m pour son mariage. Les chirurgiens ont cassé ses os puis inséré un dispositif qui en éloignait lentement les deux morceaux, à raison d'1 mm par jour. Ceux-ci ont alors poussé et progressivement rempli le vide. À cause de sa maladie, Tiffanie avait cessé de grandir à 8 ans.

LUMIÈRE HUMAINE

Notre corps émet de minuscules quantités de lumière, 1 000 fois trop faibles pour être vues à l'œil nu. Elles sont plus fortes dans l'après-midi et plus basses la nuit ; les joues, le front et le cou sont les endroits les plus lumineux. Cela vient de la bioluminescence, un effet secondaire du métabolisme de toutes les créatures vivantes.

VISAGE DISTINCTIF

John Lynch, gérant de banque anglais à la retraite, a plus de 240 piercings. Son visage et son cou en comptent 150 à eux seuls, et il a dû renoncer à prendre l'avion car il ne passe pas les scanners de sécurité. Il a aussi des centaines de tatouages, dont une image de Marilyn Monroe qui couvre son torse. Il n'a fait son premier piercing qu'après ses 40 ans.

GROS BRAS

TINY IRON, DE LONDRES, POSSÈDE D'ÉNORMES BICEPS : AVEC 61 CM DE CIRCONFÉRENCE (PLUS QU'UNE CUISSE MOYENNE), ILS PEUVENT FAIRE ÉCLATER UN ŒUF EN SE CONTRACTANT ! TINY A TRAVAILLÉ COMME GARDE DU CORPS, MAIS À PRÉSENT IL EST ACTEUR ET LUTTEUR. POUR ENTRETENIR SES 127 KG DE MUSCLES, IL SUIT UN RÉGIME HYPERPROTÉINÉ DE BLANCS DE POULET, MATIN, MIDI ET SOIR.

℞ ARBRE SOLITAIRE

Lors de vacances à Ténérife, Maureen Evason, 66 ans, a été sauvée d'une chute de 45 m quand sa tête s'est coincée dans le seul arbre de la montagne. Elle est restée suspendue trois heures entre 2 branches qui ont fait office de minerve naturelle, lui évitant toute lésion de la colonne vertébrale.

℞ OS UNIQUE

L'os hyoïde, juste au-dessus du larynx, rattaché aux muscles de la langue, est le seul os du corps humain qui n'en touche aucun autre.

℞ VUE RETROUVÉE

Un homme de 70 ans qui avait été myope comme une taupe toute sa vie a soudain acquis une vision parfaite après avoir subi une attaque. L'architecte à la retraite Malcom Darby, du Leicestershire, en Angleterre, portait d'épaisses lunettes depuis l'âge de 2 ans. Quand il s'est réveillé après l'opération pour lui retirer le caillot ayant déclenché l'attaque, il a découvert que, pour la première fois de sa vie, il voyait clair sans elles.

℞ MÉTÉORITE PRÉCIS

En juin 2009, Gerrit Blank, 14 ans, a survécu après avoir été frappé par une météorite qui s'est écrasée à Essen, en Allemagne, à une vitesse de 48 000 km/h. L'astéroïde chauffé au rouge lui est apparu comme une boule de lumière avant de rebondir sur sa main et de creuser un cratère de 30 cm dans le sol. La collision (1 chance sur 100 millions !) l'a jeté au sol et lui a laissé une cicatrice de 8 cm sur la main. Le bruit causé par le crash était tellement fort que ses oreilles ont résonné pendant des heures.

℞ PATTES DE CHEVAL

Une styliste de Seattle, État de Washington, a créé l'accessoire ultime pour ceux qui veulent paraître plus grands et plus élégants : des extensions « pattes de cheval ». Ses extensions Digitrade sont faites d'acier, de câble, de polystyrène et de plastique dur, et ajoutent 35 cm à ceux qui les portent. Elle dit qu'il ne faut que 15 min pour apprendre marcher avec, mais qu'il vaut mieux éviter les escaliers. La paire coûte environ 500 €, auxquels il faut ajouter 140 € de sabots à ressorts, pour une démarche plus sautillante.

℞ TROIS GÉNÉRATIONS

En août 2009, trois générations de la même famille naquirent à 30 min d'intervalle dans le même hôpital de Dublin, en Irlande. La matriarche de la famille, Eileen McGuiness, 85 ans, a accueilli son 69e petit-enfant, son 58e arrière-petit-enfant et son premier arrière-arrière-petit-enfant, qui se sont succédé extrêmement rapidement. Étonnamment, aucune des 3 mères ne savait que les autres étaient également en train d'accoucher dans le même hôpital.

℞ GARÇON CHAUVE-SOURIS

Un jeune Anglais aveugle a appris à « voir » le monde autour de lui en utilisant l'écholocalisation, utilisée par les chauves-souris et les dauphins. En faisant claquer sa langue sur son palais, Lucas Murray, du Dorset, repère l'emplacement et la taille des objets qui l'entourent grâce à l'écho qu'il capte. Il peut ainsi jouer au basket et déterminer où est le panier avant de tirer.

Gros nez

Liu Ge a un nez qui fait presque 10 cm de long et 7,5 cm de large, un désagréable effet secondaire de sa profession de goûteur de brandy à Beijing, en Chine. Il en boit 2 litres par jour depuis 52 ans, ce qui fait qu'il souffre désormais de rhinopyma, causé par le gonflement constant des vaisseaux sanguins de son nez.

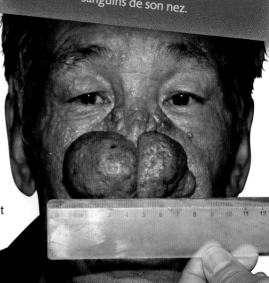

℞ ATTAQUE DE REQUINS

Quand un grand requin blanc arracha un morceau du surf d'Hannah Mighall, 13 ans, dans la baie de Binalong, en Tasmanie, avant de l'entraîner sous l'eau, la vie de l'adolescente fut sauvée par son cousin et compagnon de surf, Syb Munday, qui nagea vers elle et se mit à frapper l'animal sur la tête. Celui-ci, de 5 m de long, relâcha sa proie, qui survécut avec des morsures aux jambes qui nécessitèrent plus de 200 points de suture.

℞ PENSÉE MAGIQUE

Le neuroscientifique Scott Mackler, totalement paralysé, dépend d'un système informatique qui traduit ses pensées en texte pour continuer son travail à l'université de Pennsylvanie. Il porte une casquette spéciale qui capte l'activité électrique de son cerveau et lui permet de choisir des lettres en y pensant. L'ordinateur vocalise alors les phrases qu'il a construites.

℞ RHUME DE L'AIGUILLE

Des médecins chinois ont découvert la cause de la toux et des rhumes constants du jeune Xia Ming, 8 ans : une vieille épingle rouillée coincée dans son poumon droit. Le garçon souffrait depuis un an.

℞ STAYIN' ALIVE

Une femme du Massachussetts a réanimé son mari victime d'un infarctus grâce à un massage cardiaque au son du classique disco des Bee Gees, « Stayin' Alive ». Lorsque son mari s'est effondré pendant une promenade, elle s'est rappelé une pub de l'American Heart Association, qui conseillait aux gens n'ayant pas de formation de secouriste d'aider les victimes de crise cardiaque en compressant leur poitrine 100 fois par minute, en s'aidant de « Stayin' Alive », dont le tempo est de... 103 pulsations par minute.

℞ L'HOMME MÉMOIRE

Bob Petrella, un producteur de télévision d'environ 50 ans habitant à Los Angeles, se souvient de presque tout ce qu'il a fait depuis l'âge de 5 ans : des détails précis de chacun de ses anniversaires, tous les 31 décembre des 40 dernières années, et la plupart des conversations qu'il a eues par le passé. Il a été diagnostiqué comme doué d'hyperthymésie, une capacité que 4 personnes seulement dans le monde possèdent.

℞ SUPER BOY

En 2009, à seulement 3 ans, Liam Hoekstra de Grand Rapids, Michigan, pouvait déplacer des meubles, soulever des poids de 2,5 kg, faire des abdos et réaliser des tours de force incroyables. Bien qu'il soit plus petit que la plupart des enfants de son âge, il souffre d'une condition physique unique, a très peu de graisse et 40 % de masse musculaire en plus. Il mange jusqu'à six fois par jour pour satisfaire son incroyable métabolisme.

℞ JAMBE EN CONSERVE

Song Weiguo de Jiangyan, en Chine, a conservé sa jambe amputée dans du formol pendant près de 20 ans pour avertir les gens des dangers de l'alcool au volant. Après avoir bu 1 l d'alcool fort, il a perdu son membre dans un accident de moto en 1989 et l'expose à présent tous les ans à la date anniversaire de l'accident.

Mauvais œil

Le créateur d'effets spéciaux Kevin Carter, à Hollywood, crée des lentilles de contact colorées qui peuvent transformer ceux qui les portent en démons ou en extraterrestres. Il passe jusqu'à 2 jours pour peindre chaque lentille à la main. Ses créations terrifiantes, qui incluent la mâchoire béante d'un requin, se vendent jusqu'à 750 $ la paire.

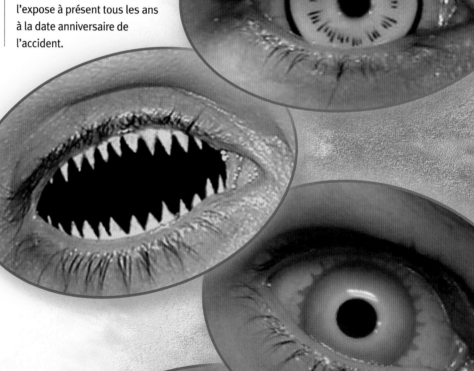

Micro ado

Jyoti Amge, 16 ans, de Nagpur, en Inde, est l'une des plus petites adolescentes du monde, avec seulement 60 cm de haut et 5 kg. Bien qu'elle ne pèse que 4 kg de plus qu'à sa naissance, Jyoti dit qu'elle n'est pas différente des autres. Elle est fière d'être petite et aime l'attention qu'on lui porte. Elle se rend à l'école sur la mobylette de son frère, avec ses sœurs. En classe, son bureau est à sa taille. Elle possède une grande collection de robes, comme toute adolescente, et rêve de devenir actrice : elle a déjà participé à un clip du chanteur pop Mika Singh.

LE + DE ®IPLEY

Jyoti souffre d'achondroplasie, une forme génétique de nanisme qui produit des os plus courts que la normale. Une étude a démontré que les gens souffrant de cette maladie étaient respectés dans l'Égypte antique et tenaient souvent des positions prestigieuses. La tombe de Toutankhamon contenait une offrande représentant une petite femme, et les Égyptiens adoraient des dieux de petite taille.

TAILLE RÉELLE

VIEUX AVANT L'ÂGE

Le syndrome de Werner, une maladie génétique rare, cause un vieillissement prématuré – rides, calvitie, cataracte et atrophie musculaire – dès la trentaine.

MONTRÉE DU DOIGT

Pour dénoncer la décision du juge l'obligeant à vendre une partie de sa ferme pour rembourser sa dette, Orico Silva de Figueira da Foz s'est tranché un doigt avec un couteau de boucher sur la table du tribunal.

PRISONNIERS SOUS TERRE

Quand la mine de Xinqiao, dans la province chinoise de Guizhou, a été inondée en juin 2009, 3 mineurs ont survécu 25 jours sous terre en léchant l'eau sur les murs.

BONNE PRISE

En 2008, un groupe de jeunes gens de Port Orange, en Floride, a sauvé une petite fille en l'attrapant au vol après qu'elle fut tombée d'un manège de 12 m de haut, pendant que sa mère était suspendue au-dessus de la foule. Le manège s'était mis en marche juste au moment où sa fille et elle en descendaient.

PÊCHEURS FLOTTANTS

Quand leur bateau a coulé lors d'une tempête au nord de l'Australie en décembre 2008, 2 pêcheurs birmans ont survécu pendant presque 1 mois, dérivant sur une glacière dans des eaux infestées de requins.

SACRÉ CHOC

Un garçon chinois a survécu à un choc de 10 000 volts en mars 2009. He Haoyang jouait avec des fils électriques dans un champ de la province du Sichuan lorsque la gaine protectrice se brisa. Il s'en sort avec des brûlures aux mains, alors que l'herbe brûla entièrement sur le lieu de l'accident.

NAISSANCE À GRANDE VITESSE

Une petite fille est née en septembre 2009 dans un TGV faisant la liaison Paris-Bruxelles. Le bébé a été mis au monde par 2 médecins et 2 infirmières qui étaient à bord du train lancé à 300 km/h.

OREILLE SÉLECTIVE

Des chercheurs anglais ont découvert une femme de 60 ans qui ne peut identifier qu'une seule voix : celle de l'acteur écossais Sean Connery. Elle souffre d'une rare anomalie, appelée phonagnosie, qui la rend incapable d'identifier quiconque au téléphone, y compris sa fille. Elle s'aide d'un système de mots de passe pour reconnaître les gens qui l'appellent.

Visage nu

L'artiste suisse Dave a créé ce portrait de Barack Obama à partir de plusieurs corps peints ensemble pendant une performance à Athènes, en 2009. L'utilisation de la chorégraphie et de la peinture en simultané est décrite comme une nouvelle forme d'art appelée « fusionisme ».

CERVEAU REDIRIGÉ

Bien qu'elle n'ait qu'un demi-cerveau, une petite fille allemande a une vision parfaite d'un œil. Les experts ne comprenaient pas comment, née sans la partie droite de son cerveau (qui gère le champ de vision gauche), la fillette pouvait voir parfaitement à gauche et à droite avec un œil. Des IRM ont révélé que son cerveau s'était « reprogrammé » avant la naissance. Les fibres nerveuses de la rétine, transportant les informations de l'œil et qui auraient dû aller dans l'hémisphère droit du cerveau, se sont redirigées vers le gauche.

PIC DE JUMEAUX

Le village indien de Kodinhi, au Kerala, abrite plus de 250 paires de jumeaux issus de seulement 2 000 familles, soit 6 fois la moyenne mondiale.

HOLD-UP SOMNAMBULE

Mark Lester, de Norwich, en Angleterre, a évité la prison après avoir cambriolé un supermarché avec une arme quand le tribunal a su qu'il souffrait d'une rare maladie causant des *black-outs* et une amnésie partielle. Après le cambriolage, il a raconté à sa mère qu'il avait fait un cauchemar où il menaçait d'une arme les gens d'un magasin. Quand elle l'a reconnu dans un reportage télévisé, elle a réalisé que c'était plus qu'un cauchemar.

À LA BOÎTE

Jakob Strauss, 4 ans, s'est retrouvé coincé dans une boîte aux lettres à Feldkirch, en Autriche. Il s'y était introduit après que le postier l'eut laissée ouverte et avait refermé le loquet derrière lui. Des passants entendirent ses appels à l'aide ; les pompiers durent utiliser des pinces coupantes pour le libérer.

FUMEUX

Après avoir été frappé par la foudre alors qu'il jouait au golf avec ses amis à Cape Cod, dans le Massachusetts, Michael Utley a titubé un moment, de la fumée sortant de sa bouche, son nez et ses oreilles : ses tissus internes étaient en train de bouillir ! Bien que son cœur se soit arrêté, il s'est entièrement remis par la suite.

ANNIVERSAIRE MÉMORABLE

Treize mois après avoir donné naissance à Campbell le 8 août 2008 (08/08/08), Alison Miller de Fayetteville, en Arkansas, a eu une deuxième fille, Molly Reid, le 9 septembre 2009 (09/09/09).

La femme à visage d'éléphant

ANITA, PROCLAMÉE « SEUL ÊTRE
HUMAIN AU NEZ COMME UNE TROMPE
D'ÉLÉPHANT », SE PRODUISAIT DANS
LE SIDESHOW DE CONEY ISLAND À NEW
YORK, EN 1944.
À CETTE ÉPOQUE,
L'ÎLE ÉTAIT
CONNUE COMME LE
CENTRE MONDIAL DE
L'INDUSTRIE DU PARC
D'ATTRACTION.

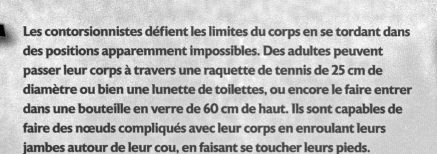

ART tordu

Les contorsionnistes défient les limites du corps en se tordant dans des positions apparemment impossibles. Des adultes peuvent passer leur corps à travers une raquette de tennis de 25 cm de diamètre ou bien une lunette de toilettes, ou encore le faire entrer dans une bouteille en verre de 60 cm de haut. Ils sont capables de faire des nœuds compliqués avec leur corps en enroulant leurs jambes autour de leur cou, en faisant se toucher leurs pieds.

L'art de la contorsion est représenté par des sculptures dans les cultures romaine, égyptienne ou grecque antique et fait partie de la danse Tsam du bouddhisme depuis des siècles. En Mongolie, de nombreux élèves sont entraînés depuis leur plus jeune âge dans des écoles de contorsion. La technique fait aussi partie du yoga hindou. Dans l'Amérique du début du xxe siècle, les contorsionnistes proposaient des numéros de cirque très populaires. L'un des plus célèbres était « Dad » Whitlark, qui pouvait se transformer en bretzel ou mettre sa tête entre ses chevilles à 76 ans. Il était capable de se pencher en arrière et de ramasser un mouchoir par terre avec ses dents.

Le contorsionniste éthiopien Kiros Hadgu, alias « Kiros le Tordu », peut déboîter ses bras et ses jambes, et même tourner son torse à 180 degrés.

Les contorsionnistes se plient soit en avant soit en arrière, en fonction de la souplesse de leur colonne. Quelques artistes, comme Daniel Browning Smith (l'Homme caoutchouc), se plient dans les deux sens (photo de gauche). Il peut se pencher si loin en arrière que le haut de son crâne touche le haut de ses cuisses, et si loin en avant qu'il peut embrasser ses propres fesses !

Contorsion avant : Cette contorsionniste (1957) tord son corps en nœuds humains. Dans ces positions, elle peut passer à travers de petits cerceaux ou entrer dans des tubes étroits.

NŒUD PAS ESSAYER À LA MAISON

Contortion arrière : Comme le démontre cette contorsionniste mongole, les contorsionnistes arrière peuvent se produire debout, allongés sur le ventre ou en équilibre sur les mains.

En équilibre: Pouvez-vous deviner à qui appartient chaque membre ? Une tour de contorsionnistes talentueux lors d'un spectacle chinois.

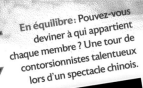

LE + DE ®IPLEY

LES CONTORSIONNISTES SONT SOUVENT EXTRÊMEMENT FLEXIBLES NATURELLEMENT, SOUPLESSE QU'ILS ACCROISSENT PAR DE NOMBREUSES ANNÉES D'ENTRAÎNEMENT. CEPENDANT, LES CAPACITÉS DE BEAUCOUP D'ENTRE EUX SEMBLENT ÊTRE HÉRÉDITAIRES. LEURS VERTÈBRES ONT TENDANCE À ÊTRE PLUS ESPACÉES QUE CELLES D'UNE COLONNE VERTÉBRALE NORMALE, CE QUI LES DOTE DE LIGAMENTS TRÈS LONGS ET SOUPLES. CES CARACTÉRISTIQUES DE LA COLONNE SONT PLUS FRÉQUENTES CHEZ LES FEMMES, CAR LES HORMONES FÉMININES ONT APPAREMMENT UN EFFET ASSOUPLISSANT SUR LES FIBRES DE COLLAGÈNE FORMANT LES LIGAMENTS. CERTAINS CONTORSIONNISTES NAISSENT AVEC LE SYNDROME EHLERS-DANLOS, UNE MALADIE QUI CAUSE UNE PRODUCTION DE COLLAGÈNE ANORMALEMENT ÉLEVÉE, AUGMENTANT PAR LÀ MÊME L'ÉLASTICITÉ DES LIGAMENTS.

Posture de Marinelli:
La contorsionniste mongole Iona Luvsandorj peut supporter tout son poids avec sa bouche dans une manœuvre périlleuse. Elle a réussi à tenir cette position de contorsion arrière, appelée posture de Marinelli, pendant 33 secondes en mai 2009.

Cassée en deux:
Ruby Ring, une contorsionniste américaine des années 1940, se baptisait « la mère du très grand écart ». Elle se tenait debout sur deux chaises puis, sans prendre appui sur quoi que ce soit, faisait glisser les chaises jusqu'à atteindre un terrifiant écart de plus de 180 degrés.

Homme en bouteille:
La spécialité du contorsionniste argentin Hugo Zamoratte est d'entrer dans des bouteilles. En 1982, il a failli mourir en s'entraînant dans une chambre d'hôtel au Chili. Il est resté coincé dans une bouteille, dont la porte s'était verrouillée accidentellement. Après 40 min dans une position très inconfortable, il commençait à halluciner. Il a été sauvé par l'arrivée *in extremis* d'une femme de ménage qui, ébahie, a ouvert la porte de la bouteille et libéré le contorsionniste épuisé.

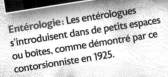

Entérologie: Les entérologues s'introduisent dans de petits espaces ou boîtes, comme démontré par ce contorsionniste en 1925.

Geoff a un blason tatoué sur le pied droit.

Gros plan des fleurs oiseaux du paradis sur la cuisse droite de Geoff.

Des tournesols sont représentés en détail sur sa cuisse gauche.

Cette fleur rouge élaborée est tatouée derrière l'un des genoux de Geoff.

Natures vivantes

Le professeur d'histoire à la retraite Geoff Ostling de Sydney, en Australie, est littéralement une œuvre d'art vivante. Voici plus de 20 ans, il a commencé à travailler avec un célèbre tatoueur sur le thème des fleurs australiennes, qui recouvrent à présent son corps du cou aux orteils. À sa mort, Geoff veut que l'intégralité de sa peau soit exposée dans la National Gallery australienne, à Canberra. Il a déjà engagé un taxidermiste en prévision de ce jour.

℞ RADEAU FATAL

Jeanne Schnepp, 63 ans, a passé presque une semaine coincée sur un radeau sur la rivière Wapsipinicon, en Iowa. Elle pêchait lorsque le fort courant emporta son embarcation et l'emprisonna entre un à-pic de 3,6 m de haut et un entrelacs de bois qu'elle ne pouvait escalader. Après avoir subi deux orages, des journées caniculaires et des nuits glaciales, elle fut finalement repérée par un pêcheur.

℞ TATOUAGES DE GEEKS

Les fous d'informatique se font maintenant tatouer des images en rapport avec leur passion. Les tatouages les plus populaires sont le câble USB et le logo Apple.

℞ MIEUX VAUT TARD...

Un morceau de shrapnel qui était resté pendant 65 ans dans la mâchoire d'Alf Mann, de Birmingham, est sorti soudainement en 2009. Alf luttait pour parler et manger depuis qu'il avait été blessé par une explosion durant la Seconde Guerre mondiale. Un matin, il s'est réveillé avec du sang et le morceau de shrapnel de 1,2 cm sur son oreiller.

℞ AVENTURE EN JEEP

Un garçon de 3 ans a été sauvé en juillet 2009 après avoir lancé sa jeep miniature dans la rivière Peace, au Canada, et avoir flotté sur 13 km. Il a été retrouvé assis dans son jouet, toujours ravi, dans une eau de 4,5 m de profondeur.

℞ DENT MAGIQUE

Après avoir été aveugle pendant 12 ans suite à un accident du travail, Martin Jones, du Yorkshire, a retrouvé la vue en 2009 lorsqu'on a transplanté une de ses dents dans son œil. Une de ses canines a été convertie en réceptacle pour une lentille spéciale et insérée dans sa joue pendant 3 mois pour pouvoir développer de nouveaux tissus et vaisseaux sanguins avant d'être implantée dans son œil droit. Deux semaines plus tard, il a retrouvé la vue et, pour la première fois, pu voir sa femme Gill, qu'il avait épousée en 2005.

℞ AU VOL

En septembre 2009, un garçon de 6 ans a survécu à une chute de 21 m du balcon de son appartement de Göteborg, en Suède. Un passant, qui s'était arrêté en le voyant tomber, a réussi à le rattraper au vol.

℞ DEUX UTÉRUS

Sarah Reinfelder de Sault Ste Marie, dans le Michigan, possède 2 utérus. En février 2009, elle a donné naissance à des jumelles, une de chaque utérus.

℞ TROP FORT !

À 83 ans, Sidney Williams de Port Elizabeth, en Afrique du Sud, peut soulever jusqu'à 160 kg, alors que lui-même n'en pèse que 100. Il peut donc porter 60 % de plus que son propre poids.

Travaux d'aiguille

L'embaumeur W.K. Foster de Winnipeg, au Canada, a collecté plus de 30 tatouages qu'il a retirés de cadavres récupérés à l'université de médecine où il travaillait dans les années 1920. Robert Ripley l'avait baptisée « la collection d'art la plus étrange au monde » et en avait exposé une sélection dans le premier Odditorium à Chicago, en 1933. Les tatouages se trouvent à présent au musée Ripley de St Augustine, en Floride.

Bonne affaire

Un collectionneur allemand a payé 150 000 € pour ce tatouage de la Vierge, même s'il n'est pas tatoué sur sa peau. L'œuvre de l'artiste belge Wim Delvoye figure sur le dos du Suisse Tim Steiner, qui s'expose donc lui-même. Il doit montrer l'œuvre 3 fois par an et a aussi signé un accord stipulant que sa peau tatouée sera rendue au propriétaire après sa mort. Ce n'est pas la première fois qu'un tatouage de Wim Delvoye se retrouve sur le marché. Un Français a tenté de léguer son tatouage à un musée parisien, et un Anglais a essayé de vendre son propre « tableau sur peau » aux enchères, mais sans trouver d'acquéreur.

℞ COMME DES LAPINS

Au XVIIIe siècle, une femme de chambre de Godalming, en Angleterre, devint célèbre lorsqu'elle parvint à convaincre des médecins qu'elle avait donné naissance à des lapins. En 1726, un homme sage-femme, John Howard, assista au travail de Mary Toft, 25 ans, qui mit au monde 9 bébés lapins le même jour. Les médecins furent fascinés par ces naissances qu'ils attribuèrent à des « impressions maternelles », arguant que ses rêves de lapins pendant la grossesse avaient généré ces modifications du fœtus humain. Mary admit plus tard avoir mis en scène l'accouchement en introduisant des morceaux d'animaux dans son utérus. Le corps médical de l'époque en fut grandement ridiculisé.

℞ 16 ORTEILS

Un bébé est né avec 16 orteils – 8 sur chaque pied – à Leizhou, en Chine, en novembre 2008.

℞ SAUVÉ PAR LES PSAUMES

Un pasteur argentin a survécu grâce au livre de psaumes qu'il tenait et qui a dévié la balle qui lui était destinée. Mauricio Zanes Condori essayait de convaincre deux voleurs de ne pas cambrioler son église de Rodeo del Medio en mai 2009 quand l'un des hommes lui a tiré dessus à bout portant. Le livre a dévié et ralenti la balle.

℞ JUMEAUX RARES

Avec une chance sur un million, une mère américaine a donné naissance à des jumeaux de pères différents. Mia Washington de Dallas, au Texas, a accouché de Justin et Jordan à 7 min d'intervalle, mais par un remarquable coup du destin, ils se révélèrent être demi-frères. Miss Washington dut admettre qu'elle avait été infidèle.

℞ MORT EN VOL

Un débutant en chute libre s'est posé sans encombre en 2009, alors même que l'instructeur auquel il était attaché était mort d'une crise cardiaque en plein ciel. Le soldat Daniel Pharr a effectué son premier saut depuis un avion au-dessus de Chester, en Caroline du Sud, avec l'instructeur George Steele, 49 ans, un vétéran avec plus de 8 000 sauts. À des kilomètres du sol, alors que leur parachute venait de s'ouvrir, Steele mourut. Pharr atterrit à 700 m du point prévu, bien qu'il n'ait pu atteindre qu'une poignée du parachute derrière le cadavre, l'obligeant à descendre en rond.

℞ BÉBÉ SECRET

Des médecins de Qingshen, en Chine, ont découvert en 2009 qu'une femme de 92 ans portait un enfant mort depuis plus de 60 ans. Huang Yijun, de Huangjiaotan, expliqua que son bébé était mort dans son ventre en 1948, mais qu'elle n'avait pas les moyens de faire retirer le fœtus. Son secret fut révélé par un scanner après qu'elle se fut blessée à l'estomac. En principe, un fœtus mort aurait dû se décomposer et causer une infection, mais Huang était restée en parfaite santé pendant tout ce temps.

℞ VILLE DES JUMEAUX

10 % des enfants nés à Cãndido Godói, au Brésil, sont des jumeaux, et la moitié sont génétiquement identiques. Généralement, seulement 1,25 % des grossesses produisent des jumeaux.

℞ SAUVÉ PAR SA COUCHE

En 2008, Caua Felipe Massaneiro, 18 mois, a survécu à une chute d'une fenêtre d'un 3e étage à Recife, au Brésil. Sa couche s'est accrochée à un piquet de sécurité, ralentissant sa chute.

Tous ses doigts et ses orteils

Les chances d'avoir 6 doigts formés à chaque main ou 6 orteils à chaque pied sont très minces, mais K.V. Subramaniyan, du Kerala, en Inde, a les deux ! Cet acuponcteur souffre d'une déformation génétique appelée polydactylie. Cela se traduit généralement par un seul doigt ou orteil en plus, un morceau de chair contenant parfois des os sans articulations. Mais les doigts supplémentaires de K.V. sont complètement fonctionnels à la fois aux mains et aux pieds, ce qui est extrêmement rare.

Mère miracle

Dans les montagnes de Rio Talea, dans le sud du Mexique, en mars 2000, Inès Ramirez a été obligée de pratiquer elle-même une césarienne pour sortir son bébé, après avoir souffert pendant douze heures de travail. La clinique la plus proche se trouvant à 80 km, sans téléphone pour appeler son mari dans la ville voisine, elle était complètement seule. Elle avala de l'alcool à brûler pour supporter la douleur et se mit, en utilisant un couteau de 15 cm de long, à couper la peau, la graisse et les muscles, avant de pouvoir sortir son petit garçon, Orlando Ruiz Ramirez. Inès pense qu'elle a opéré pendant environ une heure avant de sortir son bébé et de s'évanouir. Son fils de 6 ans, Benito, arriva avec les secours plusieurs heures après. Inès est probablement la seule femme au monde à survivre à sa propre césarienne.

℞ DEUX UTÉRUS

Lors d'une visite à l'hôpital pour des douleurs abdominales, Lindsay Hasaj, de Londres, enceinte de 2 mois, apprit qu'elle avait deux utérus – un cas sur un million.

℞ ATTAQUE DE GRIZZLY

En mai 2008, Brent Case de Saanich, au Canada, réussit à conduire plus de 24 km pour chercher du secours après qu'un grizzly l'eut blessé si gravement qu'il avait perdu une partie de son cuir chevelu. Pendant l'attaque, il crut que l'ours lui mangeait littéralement le cerveau.

℞ LARMES DE CROCODILES

Pendant près de 20 ans, Patricia Webster du Kent, en Angleterre, a souffert du syndrome des larmes de crocodile, une affection rare qui la faisait pleurer chaque fois qu'elle mangeait. Les fibres nerveuses utilisées pour la salivation, défectueuses dans son cas, s'étaient développées dans les glandes lacrymales, qui contrôlent l'écoulement des larmes. Ainsi, quand Patricia mâchait ou avalait de la nourriture, elle ne pouvait s'empêcher de pleurer. Elle fut guérie par des injections de Botox.

℞ MAINTENUE EN VIE

À Oxford, en Angleterre, en janvier 2009, une petite fille a été maintenue en vie dans l'utérus de sa mère morte pendant deux jours jusqu'à ce qu'elle puisse naître sans risques. Jayne Soliman avait succombé à une hémorragie cérébrale. Bien qu'elle ait été déclarée cliniquement morte, les médecins ont continué à faire battre son cœur pendant 48 heures, jusqu'à ce que la petite Aya voie le jour par césarienne, prématurément à 25 semaines.

IL VOIT BLEU

EN 2007, LE CANADIEN SHANNON LARRATT NE RÉSISTA PAS À LA TENTATION D'ARBORER LE PREMIER TATOUAGE D'ŒIL ESTHÉTIQUE AU MONDE. LA PROCÉDURE CONSISTAIT EN 40 INJECTIONS D'ENCRE DANS LA PARTIE SUPERFICIELLE DU GLOBE OCULAIRE AVEC UNE SERINGUE, QUI EURENT POUR EFFET DE RENDRE LE BLANC DES YEUX DE SHANNON BLEU. LE TATOUAGE DE LA CORNÉE EST UNE PROCÉDURE CHIRURGICALE POUR DES PATIENTS SOUFFRANT DE TRAUMATISMES OCULAIRES SÉVÈRES, MAIS LES MÉDECINS RECOMMANDENT DE NE PAS LE FAIRE POUR DES RAISONS D'ESTHÉTIQUE.

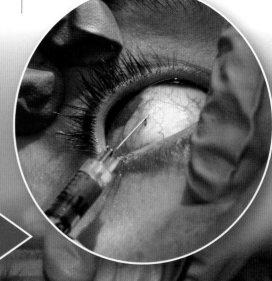

Poil au bras

Justin Shaw, un batteur professionnel du Kentucky, est très fier de ses longs poils de bras. Le plus long mesure 14,6 cm, assez pour faire le tour d'un pamplemousse. Depuis qu'il a emménagé à Miami, en Floride, ils poussent plus vite, ce que Justin attribue à une augmentation de la vitamine D dans son organisme, grâce au soleil.

℞ JAMAIS PROPRE

Un Indien père de 7 filles ne s'est pas lavé depuis 35 ans pour pouvoir avoir un garçon. Au lieu de prendre une douche quotidienne ou un bain, comme tout le monde, Kailash Singh, 63 ans, prend un « bain de feu » tous les soirs en se tenant debout sur une jambe à côté d'un feu de joie et en récitant des prières. Un médium lui aurait prédit qu'en agissant ainsi, il produirait un héritier mâle.

℞ CALCUL BALAISE

En janvier 2009, les médecins ont retiré un calcul rénal de la taille d'une noix de coco du corps de Sandor Sarkadi, à Debrecen, en Hongrie.

℞ MAIN ARRACHÉE

M. Shi, de Shenzen, en Chine, a perdu sa main en 2009 quand elle a été arrachée au poignet pendant un jeu de tire-à-la-corde sur la plage. Les médecins l'ont rattachée au terme d'une opération de cinq heures.

℞ CHIRURGIEN GÉNÉREUX

Le chirurgien italien Claudia Vitale, de l'hôpital Cardarelli, à Naples, a opéré le cerveau d'un patient en mars 2009 malgré une crise cardiaque survenue pendant la procédure. Réalisant que son patient ne se remettrait jamais s'il interrompait l'opération, il continua pendant trente minutes jusqu'à ce que le patient soit hors de danger.

℞ BRAS RÉCUPÉRÉ

À Slidell, en Louisiane, le jeune Devin Funck, 11 ans, eut un jour le bras arraché par un énorme alligator. Les Rangers se ruèrent sur le reptile et récupérèrent le bras quasiment intact dans son estomac.

℞ CONGELÉE

La Canadienne Donna Molnar, 55 ans, s'est évanouie dans une congère en décembre 2008. Elle a survécu trois jours à des températures inférieures à zéro et à des vents violents, avant d'être secourue. On l'a retrouvée ensevelie dans 60 cm de neige, entièrement recouverte à l'exception du visage et du cou.

℞ COMME SUPERMAN

Après qu'on lui eut tiré dessus en plein visage en février 2009, Richard Jamison, de Bridgeton, New Jersey, a recraché la balle avant d'aller chercher du secours.

℞ BAGUETTE OUBLIÉE

Un maître de kung-fu chinois, qui avait accidentellement avalé une baguette pendant un entraînement, oublia pendant 20 ans qu'elle était restée dans son estomac, jusqu'à ce qu'elle commence à le faire souffrir. En 2009, à 40 ans, Wing Ma subit finalement une opération pour retirer l'instrument de 18 cm de long.

℞ GROS PENSEURS

Des chercheurs québécois ont découvert que trop réfléchir peut faire grossir. Des tests sanguins sur des étudiants ont montré que ceux qui avaient récemment passé un examen mangeaient plus ; l'effort cérébral déréglait leurs niveaux de glucose et d'insuline, leur donnant faim.

℞ TUMEUR FACIALE

La Vietnamienne Lai Thi Dao, 15 ans, a subi une opération de 12 heures en avril 2008 pour retirer une tumeur qui représentait un quart de son poids. Au début à peine plus grosse qu'un kyste sur sa langue, elle s'était développée jusqu'à peser plus de 5,5 kg, envahissant le bas de son visage.

℞ EXTRA DOIGTS

Kamani Hubbard est né à San Francisco, en Californie, en janvier 2009, avec 24 doigts et orteils : 6 à chaque main et chaque pied, parfaitement formés et fonctionnels.

℞ PERCEUSE IMPROVISÉE

Rob Carson, un médecin de Maryborough, en Australie, utilisa une perceuse de bricoleur pour percer le crâne d'un enfant et soulager la pression causée par une hémorragie intracrânienne. Nicholas Rossi s'était gravement blessé à la tête en tombant de son vélo. L'hôpital ne possédant pas de perceuse chirurgicale, Carson envoya chercher une perceuse domestique et appela un neurochirurgien de Melbourne pour qu'il le guide pendant la procédure, qu'il n'avait jamais effectuée lui-même.

Ongle record

En 1996, Sheng Wang, de Fujian, en Chine, décida de laisser pousser l'un de ses ongles d'auriculaire pour devenir une personne plus calme et apprendre la patience. Il mesure aujourd'hui 46 cm de long. Son propriétaire se sent tellement mieux qu'il a refusé une offre de presque 7 000 € pour le couper.

℞ BRANCHE SPÉCIALE

John Nash, un « bleu » de la police de Rochdale, en Angleterre, tomba en poursuivant un criminel, mais ne réalisa pas qu'une branche d'un buisson avait traversé son œil avant d'avoir rattrapé et arrêté l'homme. Le bout de bois de 15 cm avait traversé sa paupière, s'était inséré sous son globe oculaire et finalement arrêté avant de toucher son cerveau.

℞ ARBRE HUMAIN

Les chirurgiens opérant un homme en Russie en 2009 ont découvert un arbre poussant à l'intérieur de son corps. Ils pensent qu'Artyom Sidorkin, 28 ans, a inhalé une graine qui a germé dans son poumon. La pousse de 5 cm lui causait des douleurs thoraciques extrêmes.

℞ SUPERGIRL

Bien qu'elle n'ait que 13 ans, Jacqueline Wickens d'Elko, dans le Nevada, a soulevé 140 kg à Anaheim, Californie, en décembre 2007.

℞ DENTISTE HYPNOTISEUR

En mai 2008, l'anglais Leslie Mason a subi deux heures d'opération des dents sans anesthésie après avoir été hypnotisé par son ami John Ridlington. Bien qu'on lui ait arraché 2 molaires avec leurs racines, plus 2 racines de dents préalablement retirées, le patient dit n'avoir rien senti d'autre qu'un « petit picotement ».

℞ CONGÉ ÉTENDU

Incapable de marcher ou de parler suite à un accident de la route qui avait failli le tuer, l'informaticien Karl McLennan d'Aberdeen, en Écosse, a repris le travail en 2009 après 12 ans d'arrêt maladie.

℞ L'AMOUR REND SOURD

En décembre 2008, un homme de Zhuhai, en Chine, a embrassé sa petite amie si passionnément qu'il a fait éclater son tympan, la rendant sourde d'une oreille.

℞ ÉPOUVANTAIL CHEVELU

Des fermiers de Malaisie récupèrent des sacs de cheveux humains chez les coiffeurs pour empêcher les sangliers sauvages de détruire leurs jeunes palmiers. Ils dispersent les cheveux autour des plantations. Ainsi, quand un sanglier renifle les plantes, il pense que des humains sont présents et s'enfuit.

Peau souple

La « fille à la peau élastique » (ci-dessus) était célèbre pour l'élasticité de ses joues et de son cou. Etta Lake, qui tournait avec le cirque King-Franklin en 1889, pouvait tirer sa peau jusqu'à 15 cm de ses pommettes.

℞ GROS BÉBÉ

En septembre 2009, une Indonésienne a donné naissance à un bébé pesant 8,7 kg ! Le nouveau-né, qui mesurait 62 cm, est né par césarienne dans un hôpital de la province du nord de Sumatra.

℞ COUP DE BOL

Quand Nada Acimovich, de Sljivovica, en Serbie, fut frappée par la foudre, elle fut sauvée par ses chaussures à semelles en caoutchouc ; la décharge guérit son arythmie cardiaque. Cette maladie, qui peut être mortelle, est normalement traitée par de légers chocs électriques qui régularisent le rythme du cœur.

℞ LONG SOURCIL

Brian Peterkin-Vertanesian, de Washington, arbore un poil de sourcil mesurant 16,2 cm de long, qu'il a appelé Wally. Il est capable de le mâchouiller, mais le coince généralement derrière son oreille pour qu'il soit en sécurité.

SI VOUS VOULEZ EN SAVOIR PLUS SUR CES ÉTRANGES CRÉATIONS DE CIRE, RENDEZ-VOUS EN PAGES 8 ET 9.

Galerie

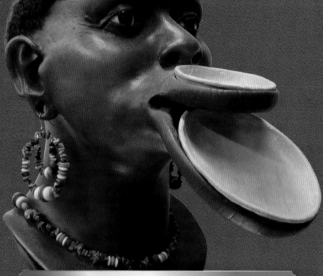

SARA, L'AFRICAINE AUX PLATEAUX

Les femmes Ubangi de la tribu de Sara, au Tchad, portent des plateaux de bois dans leurs lèvres pour se rendre repoussantes et éviter de se faire enlever par d'autres tribus.

L'HOMME CROCODILE

Bobby Blackburn, d'Afrique du Sud, est doté de dents de crocodile, suffisamment aiguisées pour déchiqueter les viandes les plus coriaces.

PRÉSENTANT LES PERSONNAGES LES PLUS ÉTRANGES RENCONTRÉS LORS DE SES VOYAGES, UNE GRANDE COLLECTION DE TÊTES EN CIRE FORME LE NOYAU DE L'UNIVERS RIPLEY. PRÉSENTES DANS LES MUSÉES RIPLEY DU MONDE ENTIER, ELLES SONT CRÉÉES PAR UNE ÉQUIPE DE SCULPTEURS, MAQUILLEURS, STYLISTES ET COIFFEURS. L'ÉQUIPE PASSE SES JOURNÉES DANS LE DÉPARTEMENT ARTISTIQUE, EN FLORIDE, ENTOURÉE DES OBJETS LES PLUS BIZARRES DE LA COLLECTION. ELLE FABRIQUE CES VISAGES PLUS VRAIS QUE NATURE EN COLLANT CHAQUE MÈCHE DE CHEVEUX AUX SCULPTURES ET EN PEIGNANT INDIVIDUELLEMENT CHAQUE RIDE !

LICORNE HUMAINE

Un homme appelé Weng, découvert par Ripley en 1931 en Mandchourie, arborait une corne de 33 cm poussant sur l'arrière de sa tête.

L'HOMME AU NEZ D'OR

L'astronome danois du XVIe siècle Tycho Brahe perdit son nez lors d'un duel. Il le fit remplacer par une prothèse en or massif.

L'HOMME-LOUP

D'après le film *Le Loup-garou*, de 1941, avec Lon Chaney Jr, dans lequel Larry Talbot est mordu par un loup et en devient progressivement un lui-même.

JO-JO L'HOMME À FACE DE CHIEN
Né en Russie, Fedor Jeftichew souffrait d'hypertrichose, ou « syndrome du loup-garou »: son corps était recouvert de poils mesurant jusqu'à 20 cm de long. Il prit le nom de « Jo-Jo l'homme à face de chien » quand il devint une attraction célèbre.

YEUX GLOBULEUX
Avelino Perez Matos, de Baracoa, à Cuba, pouvait sortir ses yeux de ses orbites à volonté.

LE PLUS LONG NEZ DU MONDE
Thomas Wedders, un Anglais se produisant dans les *sideshows* au XVIIIe siècle, avait un nez mesurant 19 cm de long !

LES HÉROS DE RIPLEY

L'HOMME-PHARE
Grâce à une bougie de 18 cm insérée dans son crâne, l'homme-phare servait de lanterne humaine dans les allées sombres de Chunking, en Chine, dans les années 1930. Il avait percé un trou dans son crâne pour pouvoir y faire tenir la bougie grâce à de la cire à cacheter.

GRACE McDANIELS
Présentée comme « la femme à visage d'ânesse » pendant sa longue carrière sur les planches, Grace provoquait des évanouissements dans le public en révélant son visage.

FEMME PADAUNG DU MYANMAR
Les femmes de la tribu des Padaungs ajoutent un anneau en or autour de leur cou chaque année jusqu'à en posséder une vingtaine, qui peuvent allonger leur cou de près de 40 cm.

Premiers pas

Jingle Luis, des Philippines, a fait ses premiers pas seule à 15 ans, après que les médecins d'un hôpital de New York eurent redressé ses pieds déformés, retournés vers l'arrière. Le Dr Terry Amaral y a inséré des vis et les a resserrées progressivement sur une période de 6 semaines, afin que ses pieds pivotent de quelques degrés jusqu'à retrouver une position normale.

ℝ SAC DE CHEVEUX

Peng Fu, herboriste ambulant chinois, n'a pas coupé ses cheveux depuis 60 ans. Il les transporte dans un sac à dos. La dernière fois qu'on les a mesurés, ils faisaient 2,70 m de long et pesaient 4 kg.

ℝ MÉMOIRE COURTE

Andy Wray de l'Essex, en Angleterre, a une mémoire couvrant seulement les 2 derniers jours : s'il est séparé de sa femme et de sa fille pendant plus de quarante-huit heures, il ne peut plus les reconnaître. Il souffre d'amnésie dissociative, affection qui efface sa mémoire régulièrement. Les médecins pensent que cette maladie est le résultat de traumatismes subis lorsqu'il était policier.

ℝ ORGANES À L'ENVERS

Un Indien est le seul homme au monde à souffrir du syndrome de *situs inversus*, qui inverse la position des organes internes. Les médecins de Mumbai allaient retirer une tumeur du rein d'Ashok Shivnani quand ils ont réalisé que la plupart des organes thoraciques et abdominaux, ainsi que de nombreux vaisseaux sanguins, étaient dans la position miroir par rapport à l'endroit où ils auraient dû se trouver.

ℝ COMME UN SONNEUR

Les ronflements de Jenny Chapman, de Cambridgeshire, en Angleterre, sont plus sonores que le bruit d'un jet. Elle ronfle à 111,6 décibels, soit 8 décibels de plus que le grondement d'un avion volant à basse altitude. Elle pourrait couvrir le bruit d'une machine à laver, d'un camion diesel ou d'un train.

ℝ MOMIE ÉGYPTIENNE

Nileen Namita, mère de famille de Brighton, en Angleterre, a subi près de 50 opérations de chirurgie esthétique pour ressembler à la reine Néfertiti. Depuis 1987, Nileen, qui pense être la réincarnation de la reine égyptienne, a dépensé plus de 200 000 € pour 3 opérations du nez, 3 implants du menton, un lifting du front, 3 liftings du visage, 6 miniliftings, 2 opérations des lèvres, 5 opérations des yeux et une vingtaine d'opérations diverses du visage pour se récréer à l'image de la « beauté du Nil ».

ℝ PETIT MUSCLE

Un petit Roumain de 5 ans a des muscles plus gros que ceux de garçons de 15 ans. Giuliano Stroe, qui s'entraîne depuis l'âge de 2 ans, peut réaliser des numéros éreintants, comme des enchaînements aux barres horizontales, des sauts périlleux arrière du haut d'une table, ou des circuits en marchant sur les mains avec une balle lestée entre les jambes.

ℝ VRAI POPEYE

Matthias Schlitte, un champion du bras de fer, a un énorme avant-bras droit de presque 46 cm de circonférence, plus de 2 fois la taille de son bras gauche. C'est Popeye en chair et en os !

ℝ MARCHE MIRACULEUSE

Un garçon de 4 ans censé rester en fauteuil roulant toute sa vie a miraculeusement appris à marcher en copiant les mouvements d'un caneton handicapé. Finlay Lomax de Plymouth, en Angleterre, souffre d'infirmité motrice cérébrale. Après avoir recueilli un caneton avec une jambe cassée, la maman de Finlay a été ébahie de voir son fils se lever et imiter ses pas.

ℝ ADOS BALAISES

Bobby Natoli, 15 ans, d'Oswego, État de New York, a réalisé 53 tractions en 1 min, dépassant le record de son père Robert, qui en avait fait 44 l'année précédente. Trois ans plus tôt, à l'âge de 12 ans, Bobby avait effectué 209 tractions en 30 min.

ℝ CHEVEUX À VENDRE

Pour faire face à la crise économique, de nombreuses femmes espagnoles se sont mises à vendre leurs cheveux. Selon la longueur et le poids, une queue-de-cheval peut valoir jusqu'à 160 € auprès d'une société fabriquant des perruques ou des extensions.

ℝ EMPALÉ SUR UNE BAGUETTE

Des médecins chinois ont retiré une baguette enfoncée de 4 mm dans le cerveau d'un garçon de 14 mois. Li Jingchao, de la province du Shandong, jouait avec des baguettes quand il est tombé sur l'une d'elles qui est entrée dans son nez et a légèrement pénétré son cerveau.

ℝ VACCIN EXPRESS

L'université du centre de la Floride a administré 2 527 vaccins contre la grippe en huit heures à ses employés, ses étudiants, et aux résidents locaux, en septembre 2008.

ℝ SAUVÉ PAR LES SIMPSONS

Alors qu'il s'étouffait avec un sandwich, Alex Hardy, 10 ans, de Wakefield, en Angleterre, a été sauvé par son meilleur ami, Aiden Bateman. Celui-ci a effectué la manœuvre de Heimlich, qu'il se souvenait avoir vue lors d'un épisode des Simpsons.

ℝ DIAGNOSTIC SURPRISE

Une inconnue a sauvé la vie d'une Espagnole en lui indiquant qu'elle souffrait sans doute d'une maladie rare. Montse Ventura était dans un bus à Barcelone, en 2009, quand une femme assise en face d'elle remarqua ses mains à la forme étrange. Elle encouragea Montse à aller faire des tests pour savoir si elle souffrait d'acromégalie, une anomalie de l'hypophyse qui provoque des hypertrophies du corps. Les médecins trouvèrent en effet une petite tumeur de l'hypophyse et la retirèrent.

ℝ ÉTERNUEMENT VIOLENT

Victoria Kenny, de Chichester, en Angleterre, a éternué tellement fort qu'elle s'est fracturé une vertèbre et est restée paralysée pendant presque 2 ans.

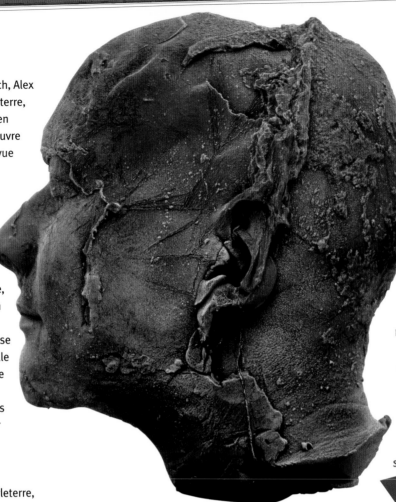

Portrait de sang

Un autoportrait à 320 000 € sculpté dans son propre sang congelé par l'Anglais Marc Quinn, a été exposé à la London's National Portrait Gallery en 2009. L'artiste a réalisé sa première « tête de sang » en 1991 et en a sculpté régulièrement d'autres pour illustrer son vieillissement. Il utilise 4,7 l de sang pour chaque œuvre, prélevés par doses de 50 cl par son médecin, toutes les 6 semaines.

ÉPREUVE DE GLACE

L'illusionniste letton Gennady Palychevsky a survécu pendant soixante-quatre heures dans un épais bloc de glace, à Moscou, avant de réclamer de l'aide car il souffrait de sévères engelures. Palychevsky, qui s'était entraîné dans des bains de glace pendant 6 mois, n'a bien sûr rien bu ni mangé durant sa performance.

Lionel , l'homme à face de lion
Né en Pologne en 1891, Stephan Bibrowski, alias Lionel, avait le corps entièrement recouvert de longs poils. Très intelligent, parlant cinq langues, il souffrait d'une variation de l'hypertrichose ou « maladie du loup-garou ». Il était célèbre à Coney Island dans les années 1920 et effectuait son numéro dans le Dreamland Circus sideshow.

Zip la tête d'aiguille
Né William Henry Johnson en 1842, on pense que Zip était microcéphale (un crâne étrangement réduit et un visage de taille normale). Il se produisit pendant plus de 60 ans avec les Ringling Brothers à Coney Island et fut présenté au début comme « l'homme sauvage », le chaînon manquant venu d'Afrique. Il devint comique par la suite, mais jouait si mal du violon que les gens le payaient pour arrêter. Il mourut riche à 84 ans.

Jean Carroll, la femme tatouée
Croyez-le ou non, Jean a commencé sa carrière comme femme à barbe et l'a terminée comme femme tatouée. Elle tomba amoureuse du contorsionniste John Carson, mais celui-ci ne pouvait se résoudre à épouser une femme poilue. Après une cour qui dura 15 ans, elle épila sa barbe par électrolyse et se fit tatouer tout le corps pour pouvoir continuer à se produire en spectacle.

Un plongeon remarqué
Un des numéros les plus célèbres de Coney Island fut un essai de décollage d'un avion primitif du haut d'un manège de 15 m. Il était composé d'un panier en osier aux ailes en mousseline fixées sur les côtés. Les ailes étaient manœuvrées par le pilote, Dutch Charley, qui tirait une série de cordes et poussait des pédales. La machine fut hissée en haut de l'attraction, Charley se mit à pédaler furieusement, la corde qui retenait l'engin fut coupée, et l'avion plongea aussitôt dans l'océan. Charley dut être secouru par des maîtres nageurs.

Premier grand huit
Le premier grand huit américain, Switchback Railroad, a été ouvert à Coney Island en 1884. Les passagers étaient assis de côté dans un train parcourant des rails posés sur une structure en bois de 183 m de long. Les wagons partaient d'une extrémité, à 15 m de haut, descendaient, puis remontaient jusqu'à ne plus avoir d'élan. Les passagers descendaient alors. Les opérateurs poussaient les wagons vers l'autre extrémité, puis les passagers se rasseyaient et refaisaient le chemin inverse jusqu'au point de départ. Avec une entrée à 5 cents, l'attraction était si populaire que son créateur, LaMarcus Thompson, gagnait environ 600 $ par jour. Il n'en avait dépensé que 1 600 pour sa construction.

Violetta, la femme tronc
Née en Allemagne en 1906, Aloisia Wagner entra dans le show business à l'âge de 15 ans, sous le pseudonyme de Violetta. N'ayant ni bras ni jambe, elle se déplaçait en sautillant et était parfaitement indépendante. Durant son numéro, elle chantait et démontrait ses dons pour coudre ou allumer une cigarette à l'aide de sa bouche.

1829 Ouverture de la Coney Island House

1867 Le hot-dog est inventé à Coney Island

1876 Premier manège constitué de chevaux et animaux sculptés à la main, 5 cents le tour

1879 Ouverture de la première piste de course de chevaux

1880 Nouveau ponton : les ferries peuvent acheminer les visiteurs depuis Manhattan

1884 Inauguration du Switchback Railroad, le premier grand huit américain

1885 Ouverture de l'Elephant hotel, 7 étages et 31 chambres

1895 Ouverture du Sea Lion's Park, 6,5 ha, premier parc d'attractions américain

1896 Incendie de l'Elephant Hotel

1897 George Tilyou construit Steeplechase Park

1898 Barnum & Bailey ouvre le Grand cirque de l'eau, avec des clowns, des nageurs extraordinaires et des équilibristes sur troncs

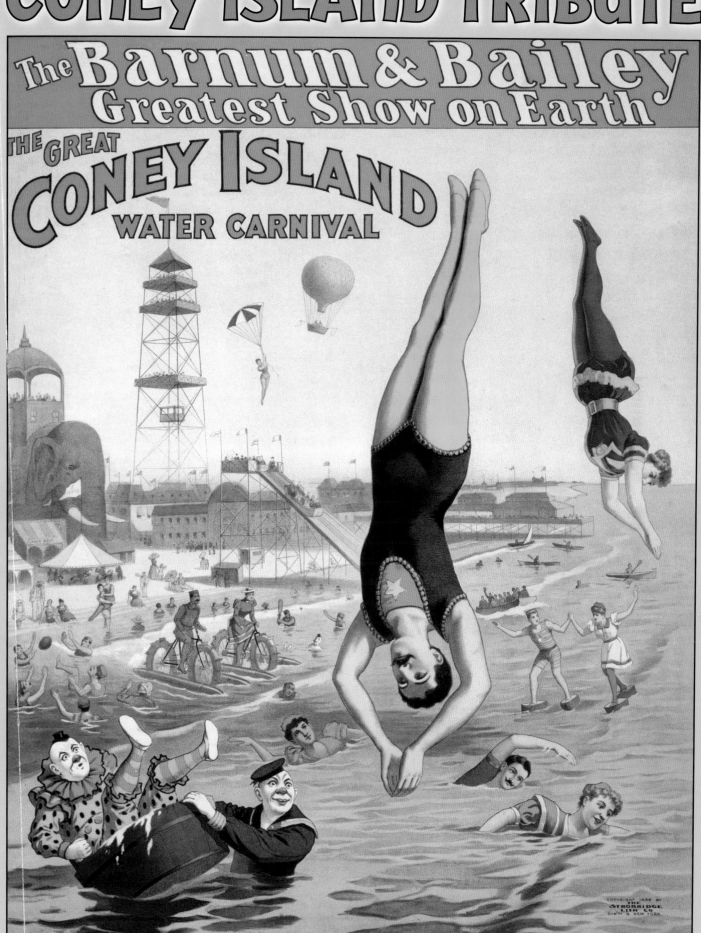

CONEY ISLAND TRIBUTE

The Barnum & Bailey
Greatest Show on Earth

THE GREAT CONEY ISLAND
WATER CARNIVAL

COPYRIGHT 1898 BY
THE STROBRIDGE
LITH CO
CIN'TI & NEW YORK.

AU PLUS FORT DE SA POPULARITÉ, DANS LES ANNÉES 1920, UN MILLION DE VISITEURS SE PRESSAIENT CHAQUE JOUR À CONEY ISLAND. ILS VENAIENT FAIRE UN TOUR DE GRAND HUIT, ADMIRER LA VUE DEPUIS LA GRANDE ROUE ET OBSERVER D'EXTRAORDINAIRES PHÉNOMÈNES HUMAINS RECRUTÉS EN AFRIQUE, EN ASIE ET EN EUROPE.

La femme aux quatre jambes

Josephene Myrtle Corbin était présentée comme « la femme à quatre jambes » : les membres inférieurs de sa jumelle non formée sortaient de son pelvis. Ces jambes étaient cependant trop faibles pour la porter. Son propre pied droit étant déformé, elle ne pouvait utiliser qu'une seule de ses quatre jambes. Elle épousa le Dr Clinton Bicknell à 18 ans et eut cinq enfants.

Bébé en conserve

Un bébé préservé dans du formol dans un spectacle de Coney Island en 1944. Coney Island a toujours exposé des bébés grâce à l'incubateur d'enfants, une attraction dans laquelle des nouveau-nés étaient exposés sous la garde d'un groupe d'infirmières diplômées. Les bébés de l'incubateur furent miraculeusement sauvés lors de l'incendie qui ravagea l'île en 1911.

Autrefois une île, à présent une péninsule, Coney Island se situe au sud de Brooklyn, à New York. La popularité de cette station balnéaire se développa dans les années 1860 quand le métro commença à desservir le quartier. Dès 1880, les manèges et numéros commencèrent à y apparaître. Pendant plus de 50 ans, jusqu'à la Seconde Guerre mondiale, Coney Island fut le plus grand parc d'attraction des États-Unis. En un seul jour, en septembre 1906, plus de 200 000 cartes postales furent envoyées depuis le site.

Il abritait 3 parcs d'attraction majeurs : Dreamland, Steeplechase Park et Luna Park. Dreamland était éclairé par un million d'ampoules électriques et, la nuit, son phare rayonnait jusqu'à 80 km au large. Le créateur de Dreamland est Samuel W. Gumpertz, qui parcourait le monde à la recherche d'humains bizarres pour qu'ils apparaissent dans ses numéros. Il effectua 5 voyages en Asie et 5 en Afrique, ramenant des personnes de petite taille, des femmes à barbe et plus de 3 000 artistes originaux.

En 1904, Gumpertz créa Lilliputia, une ville miniature habitée par 300 Lilliputiens qui fut un succès retentissant. Pour ajouter à l'effet de petitesse, il engagea même quelques géants pour se promener dans ses rues.

C'est au début du XXe siècle que la plupart des attractions ouvrirent, comme le World Circus Freak Show. Le « 10 en 1 » assurait une certaine stabilité aux artistes.

Parmi les échassiers faisant le tour de l'île pour vanter les mérites de telle ou telle attraction au début des années 1920 se trouvait un jeune Anglais, Archie Leach, qui deviendra célèbre plus tard sous le nom de Cary Grant.

Pour absorber le flux de visiteurs, de nombreux hôtels furent construits, le plus incroyable étant l'hôtel Elephant, de la forme de l'animal. Le magasin de cigares était logé dans une patte avant, et un escalier en colimaçon dans une patte arrière amenait les visiteurs aux chambres. La tête de l'animal, faisant face à l'océan, offrait une vue superbe à travers les fentes des yeux.

Quand le bâtiment de 3 étages, 150 m de long et 6 000 t fut menacé par l'érosion en 1888, il fut posé sur 120 wagons et, avec l'aide de 6 locomotives, déplacé de 180 m vers l'intérieur des terres. Aucune fenêtre ne fut cassée durant ce voyage !

Après la Seconde Guerre mondiale, l'intérêt pour les spectacles déclina, mettant les organisateurs sur la paille. La plupart des attractions humaines de Coney Island étaient devenues très riches, mais les sensibilités avaient grandement évolué et de plus en plus de gens pensaient que les artistes étaient exploités.

Les numéros n'ont pas vraiment disparu à Coney Island, mais l'attention s'est déplacée des monstres et anomalies humaines vers les artistes aux numéros improbables. « Sideshows by the Seashore », fondé par Dick Zigun en 1985, offre des attractions exotiques telles que des fakirs, des avaleurs de sabre et des cracheurs de feu.

Mais le souvenir des attractions qui ont fait de Coney Island la capitale mondiale de ce genre de numéros est toujours vivace.

1985
« Sideshows by the Seashore » ouvre le seul spectacle 10 en 1 (10 attractions pour un seul ticket d'entrée) d'Amérique du Nord.

2009
« Sideshows by the Seashore » continue à prospérer.

1989
La plate-forme de saut en parachute est déclarée « attraction touristique » de la ville.

1983
Première « parade des sirènes » de Coney Island, un concours de maillots de bain.

Exécution d'éléphant La rivalité entre les trois parcs majeurs de Coney Island était terrible. Quand George Tilyou attira les foules à Steeplechase Park en échouant un voilier devant l'entrée, les propriétaires du tout nouveau Luna Park ripostèrent en annonçant que Topsy, un éléphant rebelle ayant tué 3 personnes (dont un dresseur violent), serait exécuté publiquement. La SPA américaine refusant la pendaison, on décida de l'électrocuter. En 1903, environ 1500 personnes étaient présentes lorsqu'un courant de 6600 volts fut envoyé dans le corps de l'éléphant, le tuant en 10 secondes. Quand Coney Island brûla, quelques années plus tard, on invoqua la revanche de Topsy.

Femme sans tête
Une femme apparemment sans tête fut l'un des points d'intérêt majeurs des attractions de Coney Island par le passé.

Princesse Lola La plus grosse femme de Coney Island, Princesse Lola, affirma peser 253 kg en août 1949.

Coney Island aujourd'hui
« Sideshows by the Seashore » perpétue la tradition de Coney Island en présentant au public des numéros bizarres.

1903
Topsy l'éléphant meurtrier est exécuté à Luna Park

1903
Luna Park ouvre et rentre dans ses frais de construction (700 000 $) en à peine 6 semaines

1904
Ouverture de Dreamland, avec Lilliputia, une ville miniature habitée par des gens de petite taille.

1907
Steeplechase Park brûle mais est reconstruit pour la saison suivante

1911
Un énorme incendie détruit 50 parcs d'attractions, dont Dreamland. De nombreux animaux trouvent la mort

1917
Fatty Arbuckle et Buster Keaton tournent le film muet *Coney Island* à Luna Park

1920
Le métro raccorde Coney Island à Manhattan et Brooklyn

1920
Ouverture de la grande roue de 46 m de haut, Ferris Wonder Wheel, qui peut accueillir 144 personnes à la fois

1927
Le grand huit Wooden Cyclone est construit, avec une chute de 26 m à 60 degrés

1940
Steeplechase Park achète une plate-forme de saut en parachute haute de 75 m à l'exposition universelle de New York pour 150 000 $

1947
Le 4 juillet, 12 500 personnes montent sur la grande roue

1962
Ouverture d'Astroland, qui fermera en

1964
Fermeture de Steeplechase Park

LES HOMMES DE CORAIL

LIN TIANZHUAN, DE SHUIMEN, AU SUD DE LA CHINE, REMARQUA POUR LA PREMIÈRE FOIS LES EXCROISSANCES SUR SES MAINS ET SES PIEDS LORSQU'IL AVAIT 13 ANS. PENDANT LES 25 ANNÉES SUIVANTES, CES EXCROISSANCES S'ÉTENDIRENT ET DURCIRENT À TEL POINT QU'IL NE POUVAIT PLUS PLIER LES BRAS NI LES JAMBES. BAPTISÉ *CORAIL BOY* PAR SES AMIS ET SES VOISINS, LIN DEVINT UN ERMITE, RESTANT CACHÉ DANS LA MAISON FAMILIALE.

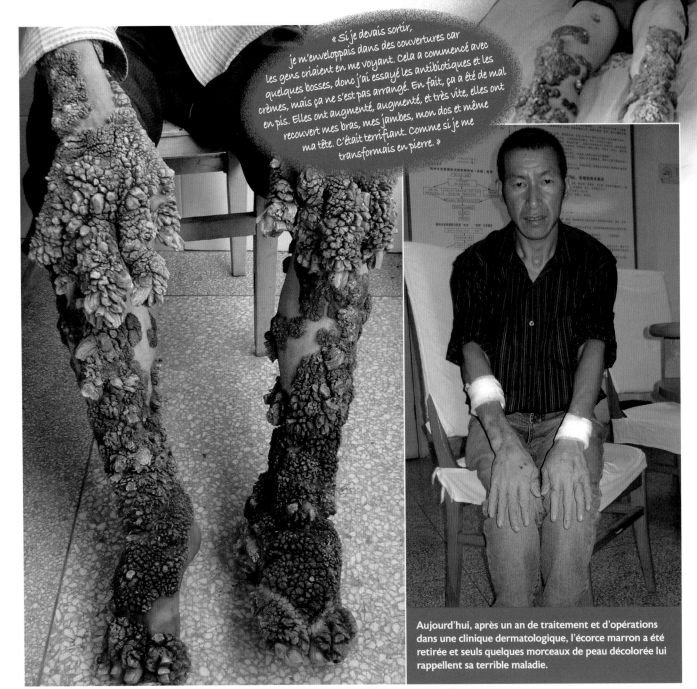

« Si je devais sortir, je m'enveloppais dans des couvertures car les gens criaient en me voyant. Cela a commencé avec quelques bosses, donc j'ai essayé les antibiotiques et les crèmes, mais ça ne s'est pas arrangé. En fait, ça a été de mal en pis. Elles ont augmenté, augmenté, et très vite, elles ont recouvert mes bras, mes jambes, mon dos et même ma tête. C'était terrifiant. Comme si je me transformais en pierre. »

Aujourd'hui, après un an de traitement et d'opérations dans une clinique dermatologique, l'écorce marron a été retirée et seuls quelques morceaux de peau décolorée lui rappellent sa terrible maladie.

AVANT

APRÈS

LE + DE IPLEY

On pense que ce syndrome est causé par le virus du papillome humain, une infection assez commune, qui ne cause généralement que de petites verrues. Cependant, si le patient souffre d'une déficience du système immunitaire, le corps laisse le virus se propager et créer des excroissances énormes, connues comme « cornes cutanées ». Moins de 200 personnes dans le monde souffrent de ce problème immunitaire.

La racine du problème

Le cas de Lin est semblable à celui de Dede Koswara, « l'homme arbre » indonésien. Adolescent, il s'entailla le genou. Une petite verrue apparut, se développant si vite que bientôt tout son corps fut recouvert d'étranges excroissances ressemblant à des arbres. Le seul travail qu'il put trouver fut en tant qu'attraction de *sideshow*. Aussi, quand on lui proposa un remède, il fut d'abord réticent à l'idée de perdre son gagne-pain. Plus tard, Dede changea d'avis et subit 9 opérations pour retirer plus de 8 kg de verrues de son corps.

Quand le designer londonien Barend Massow Hemmes
décida de faire connaître son travail, il créa Night
Shadow, une moto de l'extrême conçue sur le logo
de la marque Jaguar et mesurant plus de 2 m de long.
Le bolide est une œuvre de précision réalisée en acier
inoxydable et en fibre de verre, qu'il a construit
en plus de trois ans. La forme de félin est basée sur
un vrai bouchon de radiateur de Jaguar trouvé dans
une brocante. Plusieurs pièces de la moto, dont
le moteur de 1200 chevaux, ont été récupérées
sur une moto Buell Thunderbolt avant d'être fixées
sur un cadre fait sur mesure. Bien que Barend ait conçu
la moto comme une œuvre d'art, il est déjà monté
jusqu'à 100 km/h avec, et reste persuadé qu'elle peut
aller bien plus vite encore.

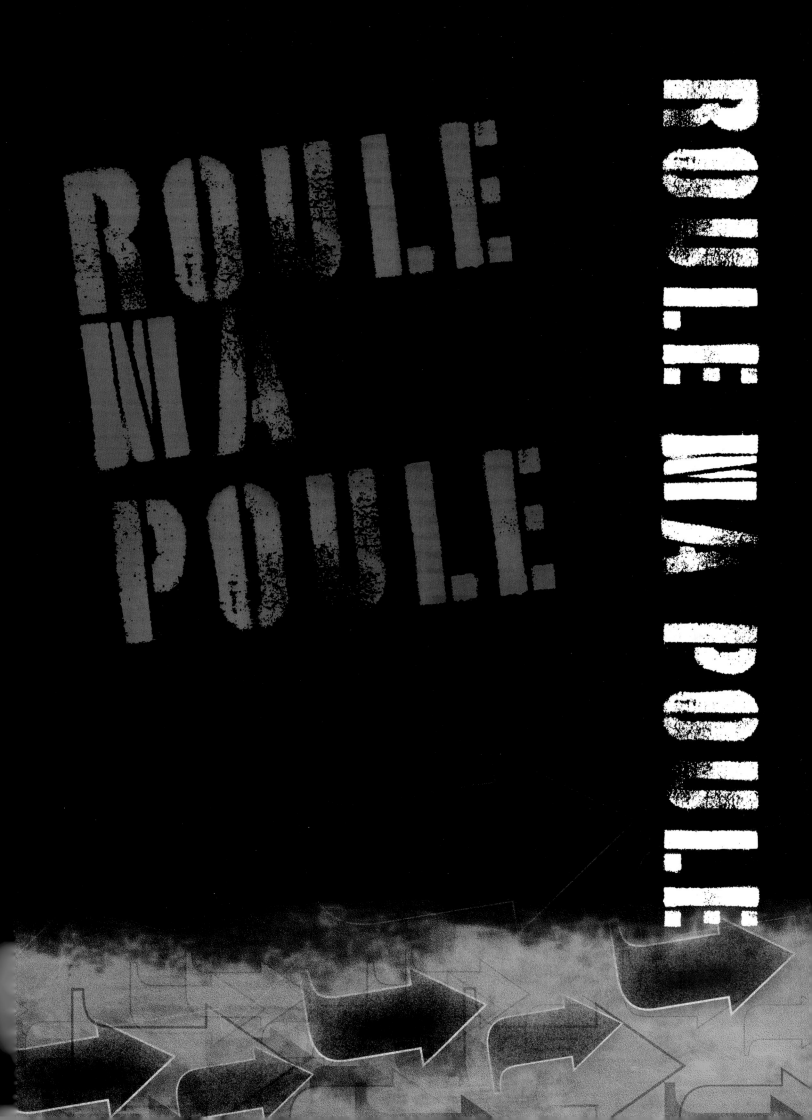

Bel engin

À Huai'an City, dans la province du Jiangsu, en Chine, un conducteur de camion vérifie que ses paquets sont toujours bien attachés.

℞ VÉLO IRRÉGULIER

Guan Baihua de Qingdao, en Chine, a passé 18 mois à développer un vélo aux roues polygonales : un pentagone à l'avant et un triangle à l'arrière. Il avoue que son vélo est une blague, mais qu'il pourrait servir aux cyclistes qui veulent perdre du poids, car pédaler requiert plus d'effort.

℞ CASQUE CITROUILLE

Quand une nouvelle loi est passée au Niger pour obliger les motards à porter des casques, plusieurs d'entre eux, dans la ville de Kano, sont apparus avec une citrouille séchée sur la tête.

℞ PASSAGER INATTENDU

Un livreur conduisant un petit van près de Peddie, en Afrique du Sud, a percuté un taureau en mai 2009. Il a dû rouler sur 14 km, jusqu'au commissariat local, avec l'animal coincé sur sa galerie.

℞ ATTERRISSAGE D'URGENCE

Un petit avion à destination de Santa Barbara, en Californie, a été percuté par trois voitures après avoir dû se poser en urgence sur une autoroute voisine. Le Piper PA-24 Comanche, avec deux passagers à son bord, s'est posé à 2 km de l'aéroport sur la Highway 101 après être tombé en panne d'essence. Bien que neuf personnes aient été impliquées dans l'accident, personne n'a été blessé.

℞ ENVIE PRESSANTE

Un pilote se tira indemne du crash de son avion quand l'atterrissage de celui-ci fut amorti par une pile de toilettes portables. Après avoir décollé d'un terrain d'aviation près de Tacoma, dans l'État de Washington, le moteur du Cessna 182 tomba en panne à environ 50 m d'altitude. En touchant le sol, l'avion heurta une barrière, se retourna et atterrit à l'envers sur des toilettes portables entreposées dans un champ voisin.

℞ RÉCIDIVISTE

Un homme de Boynton Beach, en Floride, a reçu plus de 50 contraventions en une seule journée, le 5 février 2009.

℞ CHOIX DU PRIX

Le propriétaire des taxis Recession Ride à Essex, dans le Vermont, laisse ses passagers choisir eux-mêmes combien ils veulent payer. La plupart paient cash, mais il a déjà reçu le CD d'un musicien et un coupon de 10 $ du supermarché voisin. Il n'a encore jamais été sous-payé.

Ballot d'âne

Un âne est guidé le long d'une route au sud de Dushanbe, au Tajikistan, portant des centaines de feuilles sur son dos.

℞ TAXI KARAOKÉ

Fan Xiaoming de Changchun, en Chine, a équipé son taxi d'un lecteur de CD, de baffles, d'un ampli, d'un micro et d'un écran LCD pour que ses passagers puissent chanter pendant leur trajet.

℞ JOUR MAUDIT

L'ancien président des États-Unis, Franklin Roosevelt, était si superstitieux qu'il évitait toujours de voyager le 13 du mois.

℞ À LA FOURRIÈRE

La Londonienne Ruth Ducker a dû se battre pour ne pas avoir à payer les 2 000 € d'amende que la ville lui réclamait pour récupérer sa voiture. Des employés municipaux l'avaient soulevée pour peindre une double ligne jaune de stationnement interdit en dessous, avant de la replacer, puis de l'emmener à la fourrière.

℞ INCREVABLE

70 % des véhicules tout-terrain Land Rover construits en Angleterre depuis 1948 sont encore en service.

Re-cycliste

Une femme de Shangai transporte des boîtes en polystyrène à recycler à l'arrière de son vélo.

Go, go, gadget au coco

À MYSORE, EN INDE, UN PRODUCTEUR DE NOIX DE COCO
TRANSPORTE SA PRODUCTION VERS LE MARCHÉ LOCAL À L'AIDE
DE SON RICKSHAW À TROIS ROUES.

Voyage en ballon

À Tianjin, en Chine, un cycliste
voyage sous un nuage
de ballons multicolores.

Porc en goguette

Deux hommes de Moung Russey,
au Cambodge, transportent un cochon
à l'arrière de leur moto.

℞ BANNI À VIE

En janvier 2009, un tribunal a interdit de
conduire à l'Australienne Luba
Relic, 84 ans, jusqu'en l'an 3000.

℞ ÉTRANGE HYBRIDE

Nicolo Lamberti et Milko Dalla Costa
ont pris le châssis d'une Ferrari F355
Berlinetta et l'ont installé sur
une camionnette de boulanger Citroën
2CV, créant un véhicule pouvant monter
à 290 km/h. Après avoir trouvé la Citroën
à Turate, en Italie, les deux amis ont passé
5 ans et dépensé plus de 150 000 €
à concevoir leur hybride d'un genre
nouveau.

℞ VÉLO PLIANT

Dominic Hargreaves, diplômé du Royal
College of Art de Londres, a conçu un vélo
qui se plie jusqu'à être plus petit
que ses propres roues. Il pense que
le « contorsionniste » est parfait pour
les gens empruntant les transports.

Brume de vitesse

Cette image étonnante capture le moment où un bombardier B-2 Spirit de l'US Air Force crée son propre nuage en approchant de la vitesse du son près de Los Angeles en 2009. Malgré une envergure de 52 m, les bombardiers, qui coûtaient environ 2 milliards de dollars quand ils ont été construits pour la première fois en 1989, sont conçus pour être difficiles à détecter. Ils peuvent voler à 972 km/h.

LE + DE 𝓡 IPLEY

LE BOMBARDIER B-2 SPIRIT VA TELLEMENT VITE QU'UN NUAGE DE VAPEUR D'EAU PEUT SE FORMER AUTOUR DE SA CARLINGUE. LE PHÉNOMÈNE EST HABITUELLEMENT CAUSÉ PAR LE « BANG » QUI RÉSONNE QUAND UN AVION DÉPASSE LA VITESSE DU SON. OR, LE B-2, BIEN QU'INCROYABLEMENT RAPIDE, EN EST INCAPABLE. LE NUAGE EST PROBABLEMENT CAUSÉ PAR DES CHANGEMENTS RADICAUX DANS LA PRESSION ATMOSPHÉRIQUE QUAND L'AVION APPROCHE DE LA VITESSE DU SON, QUI EST D'À PEU PRÈS 1 223 KM/H AU NIVEAU DE LA MER.

● Le premier avion à avoir dépassé la vitesse du son était un Bell X-1, piloté par le capitaine de l'U.S. Air Force Chuck Yeager, qui atteignit une vitesse de 1 299 km/h en 1947.

● En 1979, Stan Barret brisa le mur du son en voiture. Il atteignit une vitesse de 1 189 km/h à Rogers Dry Lake, en Californie, dans sa voiture Budweiser Rocket à réaction.

𝓡 BÉBÉ BIKER

Un petit garçon indien de 3 ans peut conduire une moto de taille normale. Shantanu Khan, de New Dehli, a agrandi les commandes du véhicule pour que son fils Azeem puisse les atteindre. Les juges en ont été si impressionnés qu'ils ont accordé un permis spécial à l'enfant : il peut conduire uniquement dans son quartier, mais pas sur les routes principales.

𝓡 DÉLINQUANT JUVÉNILE

Un garçon de 7 ans qui voulait éviter d'aller à la messe un dimanche matin a emprunté la voiture de son père pour se balader à Plain City, dans l'Utah. La police pourchassa le véhicule qui roulait à 65 km/h avant que l'enfant ne l'arrête sur une allée de garage.

𝓡 VOL SOLAIRE

La famille Cardozo, de Wiltshire, en Angleterre, a parcouru 2 000 km de Monte-Carlo au Maroc dans un parapente électrique à énergie solaire. L'engin était propulsé par des batteries au lithium polymère, chargées par rotation en utilisant 12 panneaux solaires. Leur voyage au-dessus de la Méditerranée a duré 15 jours, à une altitude de 1 500 m.

Voitures flash

Les photographes anglais Mark Brown et Marc Cameron ont recréé les formes familières de célèbres voitures de sport en utilisant uniquement des flashes de lumière et un appareil photo. Cette Bugatti Veyron fait partie d'une collection inspirée par diverses voitures emblématiques, qui comporte aussi des modèles de Ferrari, Morgan et Aston Martin.

𝓡 LIMOUSINE F1

L'inventeur canadien Michael Petitpas a passé 2 ans à construire une limousine Formule 1 à 7 sièges : 6 pour les passagers et 1 pour le conducteur. La voiture de 9 m de long possède un réservoir de 8 l, peut passer de 0 à 97 km/h en 5 s et atteindre une vitesse de 225 km/h.

𝓡 COMPAGNIE POUR ANIMAUX

Le premier avion d'une compagnie aérienne destinée uniquement aux animaux de compagnie a décollé de Farmingdale, État de New York, en juillet 2009. Avec Pet Airways, basée en Floride et fondée par Alysa Binder et Dan Wiesel, les animaux voyagent dans la cabine principale de l'appareil, mais les propriétaires n'y sont pas autorisés. Pet Airways a été fondée en 2005 et le couple a passé les 5 années suivantes à remplacer les sièges par des paniers pour animaux dans leurs 5 avions. Jusqu'à 50 animaux à la fois sont escortés à bord par des hôtesses qui leur font faire leurs besoins juste avant le décollage, et vérifient qu'ils vont bien toutes les 15 minutes pendant le vol. Dans les 5 aéroports desservis, la compagnie a créé une Pet Lounge pour ses passagers – ou « pattessagers » comme elle les appelle – où ils peuvent attendre et se détendre avant le décollage.

HOMMAGE AU TITANIC

À LONDRES, EN FÉVRIER 2009, LES FANS DE *TITANIC* ONT REVÊTU DES COSTUMES VICTORIENS ET SE SONT ASSIS DANS DES CANOTS DE SAUVETAGE POUR REGARDER LE FILM DANS UNE PISCINE REMPLIE DE GLACE SYNTHÉTIQUE ET D'ICEBERGS MINIATURES.

Quand le *Titanic* a heurté un iceberg en 1912, le cinéma du bord passait un film muet appelé *L'Aventure du Poséidon*, qui, coïncidence incroyable, relatait l'histoire de passagers s'échappant d'un paquebot en train de couler.

ℝ FUNÉRAILLES FERMIÈRES

Le cercueil du fermier Gordon Hale, de Whiltshire, en Angleterre, a été posé sur une remorque et conduit jusqu'à sa tombe par le tracteur Ford 4000 qu'il avait utilisé pendant 38 ans. Les personnes assistant à l'enterrement portaient des rubans de ficelle à emballer les meules, et les poignées du cercueil étaient faites de la même matière.

ℝ VOL ANNIVERSAIRE

Pour son 16e anniversaire, Errick Smith, d'Ocean Spring, dans le Mississippi, a effectué 3 vols en solo, en avion et en hélicoptère. Errick, qui a commencé à prendre des leçons de pilotage à 14 ans, a fait décoller un Cessna 172 et 2 hélicoptères, un R22 et un Schweitzer.

Crash Sur une place de Berlin, les passants ont découvert un matin une voiture apparemment tombée du ciel, plantée droit dans l'asphalte. Il s'agissait en fait d'une sculpture destinée à promouvoir un site Web allemand.

ℝ SALADE ÉCONOMIQUE

American Airlines a économisé environ 40 000 $ en 1987 en enlevant une olive dans chaque salade servie aux passagers de 1re classe.

ℝ SIÈGE SALE

Jack Hyde, 18 ans, d'Oxfordshire, en Angleterre, s'est vu refuser de passer l'examen de conduite en 2009 car l'examinateur avait trouvé des miettes sur son siège.

ℝ MOTO DEBOUT

M. Liu, un fermier de Jiangxi, en Chine, est capable de se tenir debout, allongé, et même de dormir sur une moto lancée à pleine vitesse. Il a déjà conduit debout sur 6 km.

ℝ PLUS-VALUE

Une Mini ayant seulement 238 km au compteur valait plus en 2009 que ce qu'elle avait coûté à son propriétaire en 1989. Ron Frost, du Devon, en Angleterre, a payé environ 5 800 £ pour sa Mini 30 rouge cerise. Pendant 20 ans, il l'a presque tout le temps laissée au garage avec le reste de sa collection privée de voitures. Son huile n'a jamais été changée et elle n'a été lavée que 2 fois. Le British Mini Club pense que la voiture, en parfait état, pourrait rapporter jusqu'à 7 000 £ aux enchères.

ℝ GADGET DE BOND

L'Allemand Hermann Ramke a passé 9 ans à développer un jet-pack semblable à celui de James Bond, propulsé par de l'eau sous pression. Le JetLev-Flyer, vendu environ 140 000 $, peut voler jusqu'à 105 km/h, monter à 10 m et effectuer 320 km avant de devoir être rempli à nouveau.

℞ SAUT DE MOTO

À Chicago, dans l'Illinois, en juillet 2009, Ronnie Renner, la star de motocross freestyle, s'est lancé dans un saut qui l'a amené à plus de 19 m du sol. En se propulsant d'une rampe de 6,7 m, il s'est élevé à 12,6 m à l'envers avant de retomber sur une autre rampe, amenant la hauteur du saut à 19,33 m.

℞ CENTENAIRE EN FORME

Peggy McAlpine, de Stirling, en Écosse, a célébré son centième anniversaire en se lançant en parapente depuis le sommet d'une chaîne de montagnes, à Chypre. Peggy, qui est à moitié aveugle et a survécu au règne de 5 monarques et 25 Premiers ministres, a sauté d'un pic de 760 m au nord de Chypre pour un vol en tandem de 15 min.

℞ VOYAGES VARIÉS

Edwin Shackelton, un ingénieur aéronautique à la retraite de 82 ans, a voyagé via 100 moyens de transport différents en seulement 6 mois. Il a commencé le jour du nouvel an 2009 avec un voyage en voiture et a terminé en juillet 2009 dans une montgolfière. En route vers la centaine, il a voyagé en microlight, camion de pompiers, camion poubelle, rickshaw, voiture de police, chaise à porteur, VTT et luge.

℞ PÉDALE POWER

Le Canadien Sam Wittingham peut rouler jusqu'à 132 km/h... sans moteur. En utilisant uniquement sa force musculaire, il a amené son vélo allongé à cette vitesse sur un tronçon de route à Battle Mountain, dans le Nevada, en 2009.

℞ HAUT HUIT

Branden Moyen, de Shillington, en Pennsylvanie, a construit une maquette de grand huit de 11 m de haut et 15 m de long avec 40 000 pièces du jeu de construction K'NEX. Les rails mesurent environ 122 m de long et le wagon avance à une vitesse allant jusqu'à 115 km/h après avoir été propulsé en haut de la première côte à l'aide de 25 élastiques. Sa maquette est une reproduction au 1/10e de Klinga Da, un grand huit du parc Six Flags Great Adventure, dans le New Jersey.

℞ BAISER PIQUANT

Au XIXe siècle, les femmes voyageant seules en train avaient l'habitude de placer des aiguilles entre leurs lèvres en entrant dans les tunnels, dans le cas où des étrangers essaieraient de les embrasser dans l'obscurité.

LA MOTO DE LA MORT

L'ARTISTE CALIFORNIEN JOHN TOWERS A CRÉÉ RODE KILL, UNE MOTO UNIQUE, FAITE MAIN, APPAREMMENT CONSTITUÉE DE MORCEAUX DE CORPS HUMAIN EN DÉCOMPOSITION. LE VÉHICULE CONTIENT DES DÉTAILS INCROYABLES COMME UN CŒUR SORTANT D'UNE CAGE THORACIQUE ABRITANT LE MOTEUR, ET DES OS TRÈS RÉALISTES QUI SE PLIENT EN MÊME TEMPS QUE LES AMORTISSEURS.

Asticots!

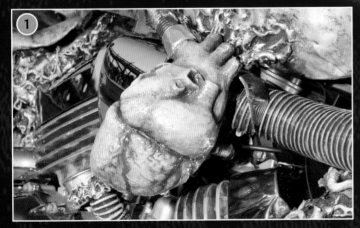

℞ COURRIER SOUS-MARIN

En 2009, un maire norvégien a envoyé une lettre à une ville anglaise à travers un pipeline sous-marin de 1166 km de long sous la mer du Nord. Bernard Riksfjord, maire d'Aukra, à l'ouest de la Norvège, a posté la lettre dans le pipeline Langeled le 19 août 2009. Cinq jours plus tard, propulsée par du gaz pressurisé, elle est ressortie dans la ville d'Easington.

℞ MINI FLOTTE

En 75 ans, Peter Tamm, de Hambourg, a amassé une collection de 36 000 bateaux miniatures (chacun construit à une échelle d'1/1 250), des milliers de photos de bateaux, une librairie maritime de plus de 100 000 volumes et 15 000 menus de restaurants de paquebots, certains datant des années 1890.

℞ PARADE ÉLECTRIQUE

Plus de 200 véhicules électriques ont formé une parade de 3 km à Bay Harbor, dans le Michigan, en 2009. Elle était menée par une Milburn Lite électrique datant des années 1920

℞ VOYAGE DE RÊVE

Graham et Eirene Naismith, de Londres, ont vendu leur maison, donné leurs meubles et sont partis pour l'Australie avant d'en faire le tour, tout ceci avec 3 enfants de moins de 8 ans. Au volant d'un Land Cruiser Toyota, ils ont traversé 19 pays et 3 continents, parcourant 50 076 km en 10 mois.

℞ VÉLO INTELLO

Un vélo conçu pour être aussi intelligent qu'un ordinateur a été dévoilé par l'ancien champion olympique de course cycliste Chris Boardman en 2009. Le vélo du futur ne pourrait pas être volé et serait équipé de pneus increvables et autogonflables, ainsi que d'un mini-ordinateur qui compterait les calories dépensées par le cycliste.

℞ VOL TARDIF

Le 6 mai 2009, Lilian Gardiner de St Marys, au Canada, a effectué son tout premier voyage en avion... à l'âge de 105 ans.

℞ VOYAGE ÉPIQUE

Bien qu'elle soit quadriplégique, l'Anglaise Hilary Lister, 37 ans, du Kent, a navigué en solitaire autour du Royaume-Uni en 2009 sur une distance de 2 415 km. Elle a manœuvré le yacht de course de 6 mètres en soufflant dans des pailles connectées à un ordinateur. Son voyage lui a pris 3 mois, à raison d'environ 96 km par jour. En fauteuil roulant depuis l'âge de 15 ans, Hilary, qui souffre de dystrophie sympathique réflexe, est diplômée en biochimie à l'université d'Oxford, bien qu'elle ait dû dicter ses dissertations sous péridurale.

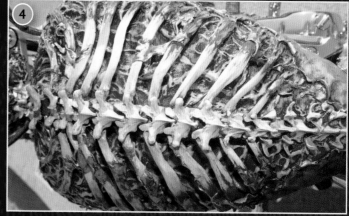

TRAVAIL!

REPOS!

airtran.com

FUN!

La vie en l'air

Pour surpasser sa phobie de l'avion, Mark Malkoff, de New York, a passé un mois entier dans un aéronef en juin 2009. Effectuant jusqu'à 12 vols par jour, soit 135 en tout, il s'est posé dans 38 aéroports américains, a passé 267 heures en l'air et parcouru 180 201 km, soit 4,5 fois la circonférence de la Terre. Les règles du défi stipulant qu'il n'avait pas le droit de poser le pied dans un aéroport, il devait se reposer sur les ailes de l'avion ou prendre une douche sur la piste d'atterrissage grâce à un camion de pompiers!

℞ VOL HISTORIQUE

En 2009, pour marquer le centenaire du premier vol au-dessus de la Manche par le pilote et inventeur français Louis Blériot, un autre Français, Edmond Salis, a répété le vol de 35 km dans le modèle piloté par son prédécesseur en 1909, un Blériot XI restauré.

℞ PASSAGER PILOTE

Le passager Doug White a pris le contrôle et fait atterrir un bimoteur à l'aéroport international de Southwest Florida, en avril 2009, après que le pilote est mort en vol.

℞ RUCHE AÉROPORT

L'aéroport international Hartsfield-Jackson d'Atlanta, en Georgie, reçoit 90 millions de passagers par an : plus que la population entière de l'Allemagne.

℞ RÉPARATION HÉROÏQUE

En juillet 2009, quand un avion devant effectuer la liaison Espagne-Écosse présenta un problème technique, une attente de 8 heures fut épargnée aux vacanciers quand l'un des passagers répara la panne lui-même.

℞ ÉPAVE COMME NEUVE

Le HMS *Ontario*, un bateau de guerre anglais qui avait coulé dans le lac Ontario, sur la côte de l'État de New York, a été retrouvé en excellente condition en 2008, bien qu'il soit resté sous l'eau pendant 228 ans.

℞ IPLEY — L'interview

Avez-vous mangé les repas servis à bord pendant tout le mois?
J'en ai mangé quelques-uns. La plupart de la nourriture venait des aéroports et m'était apportée par l'équipage ou par des gens qui me prenaient en pitié. Parfois, je demandais de la nourriture sur Twitter, ça marchait très bien.

Comment vous laviez-vous?
Il n'y a pas de douche dans un avion, donc tous les matins, je me lavais avec des lingettes pour bébés. Pour les cheveux, j'utilisais la cuvette des toilettes. Une fois, une hôtesse de l'air m'a fait un shampoing en plein vol.

Où avez-vous dormi?
L'avion étant complètement vide, je dormais sur un rang différent chaque nuit. J'avais mon propre oreiller et mon sac de couchage. La plupart du temps, l'équipe d'entretien passait l'aspirateur autour de moi pendant que je dormais.

Est-ce que vous vous êtes ennuyé?
Jamais. Je passais mon temps à rencontrer des gens, faire des vidéos… Pendant les vols, je restais en contact avec l'extérieur en utilisant le Gogo wi-fi.

Et finalement, avez-vous vaincu votre phobie de l'avion?
Au bout d'une semaine, j'ai commencé à avoir moins peur en parlant aux pilotes. Ils m'ont beaucoup aidé à comprendre les turbulences qui me terrorisaient.

℞ RAPPEUR VOLANT

Le steward David Holmes en a eu un jour tellement assez de répéter les consignes de sécurité qu'il s'est mis à les rapper. Pendant sa performance de 80 secondes, il disait notamment : « Avant de partir soyez pratiques, éteignez vos objets électriques. »

℞ RÉCOLTE DE CHEVEUX

Plus de 30 000 femmes et 100 hommes du Myanmar ont fait don de leur chevelure pour payer les travaux sur une route menant à la pagode bouddhiste d'Alaungdaw Kathapha. Presque 800 kg de cheveux ont été collectés, certaines mèches mesurant jusqu'à 1,20 m. Ils ont ensuite été vendus en Chine pour faire des perruques ou des poupées, et l'argent récolté a amélioré l'accès à la pagode.

À -50 °C, si un camion brise la glace et coule dans l'eau glacée, le conducteur a moins d'une minute pour en sortir avant de mourir de froid.

Il faut 1,20 m d'épaisseur de glace pour supporter le passage des 70 tonnes. La vitesse sur les routes de ce type est souvent limitée à 30 km/h pour minimiser les dommages potentiels dus aux déplacements de la banquise.

TOUS LES HIVERS, DES CENTAINES DE ROUTIERS RISQUENT LEUR VIE EN CONDUISANT D'ÉNORMES POIDS LOURDS À 18 ROUES, PESANT PLUS DE 50 TONNES, SUR DES LACS ET DES RIVIÈRES GELÉES, ET MÊME SUR L'OCÉAN ARCTIQUE. ILS CONDUISENT DES CENTAINES DE KILOMÈTRES D'AFFILÉE SUR DE LA GLACE D'À PEINE 70 CM D'ÉPAISSEUR, SANS SOMMEIL, ET REDOUTANT CONSTAMMENT LE BRUIT DE CRAQUEMENTS SOUS LEURS ROUES, QUI POURRAIT LES ENVOYER DROIT À LA MORT. CHAQUE TRAJET (LA « RUÉE VERS L'OR », COMME ILS L'APPELLENT) DURE PLUS DE 20 HEURES, ET ILS EN FONT AUTANT QUE POSSIBLE.

LE + DE ⊗ IPLEY

LES ROUTIERS DE LA ROUTE DE GLACE LIVRENT DU MATÉRIEL VITAL AUX MINES DE DIAMANTS ET AUX USINES À GAZ DES TERRITOIRES DU NORD-OUEST DU CANADA. CES ROUTES S'ÉTENDENT SUR PLUS DE 2 500 KM ET SONT ACCESSIBLES SEULEMENT 60 JOURS PAR AN AVANT DE COMMENCER À FONDRE. AU DÉBUT DE CHAQUE SAISON, UN VÉHICULE SCOUT EST ENVOYÉ POUR TESTER L'ÉPAISSEUR DE LA ROUTE À L'AIDE D'UN RADAR. UNE FOIS QUE LA VOIE EST DÉCLARÉE PRATICABLE, DES CHASSE-NEIGE PASSENT ET LA DÉGAGENT.

CONDUIRE SUR LA GLACE

FREINS DE NEIGE

Le conducteur de l'extrême et surfeur des neiges Ken Block a conduit sa voiture de rallye Subaru à 100 000 € sur les pistes de Snowpark, en Nouvelle-Zélande, en 2007. Après avoir remorqué à grande vitesse plusieurs surfeurs sur le parcours, Block a fait la course avec le surfeur des neiges professionnel Torstein Horgmo sur une rampe de 17 m de haut, s'élevant à 21 m au-dessus de la piste et atterrissant sans problème de l'autre côté.

Vaisseau versatile

Des ingénieurs gallois ont créé un bateau capable de se déplacer sur ou sous l'eau. En surface, le Subacraft est propulsé par un moteur de 160 chevaux. En immersion, des modules de propulsion électriques se mettent en route, lui permettant de descendre jusqu'à 30 m de profondeur. L'engin n'étant pas pressurisé, le passager doit porter une tenue spéciale pour plonger.

℞ PEUR SUR LES RAILS

Le pionnier du chemin de fer George Stephenson (1781-1848) assura aux représentants officiels que les trains ne dépasseraient jamais 19 km/h. Ceux-ci craignaient qu'une vitesse supérieure crée des troubles mentaux chez les passagers.

℞ SAUVETAGE DE BUS

Lorsque le conducteur d'un bus scolaire rempli d'enfants mourut d'une crise cardiaque au volant, Rachel Guzy, 16 ans, prit les choses en main et arrêta le véhicule alors qu'il se dirigeait vers un carrefour très encombré. Le conducteur Ramon Fernandez s'écroula et tomba hors du bus en mouvement. Rachel, qui ne savait pas conduire, sauta dans son siège et tira sur le frein à main, ralentissant le bus jusqu'à ce qu'il heurte doucement un van.

℞ RAILS MANQUANTS

Alors qu'il conduisait son train en Hongrie, dans le comté de Somogy, Farkas Kolos réalisa soudain que les rails devant lui avaient disparu. Il freina à mort et parvint à stopper le train juste avant qu'il ne déraille. La police confirma plus tard que 3,2 km de rails avaient été volés.

℞ VOITURE PRODIGUE

Une voiture qui avait été engloutie il y a 36 ans par des bancs de boue à Brean Beach, en Angleterre, a refait surface en 2009. La Vauxhall Victor de Terry Hart coula dans la boue en 1973 quand son conducteur se retrouva coincé par la marée montante. Des tempêtes à répétition découvrirent les restes rouillés de la voiture des années plus tard.

℞ À VAPEUR

Une voiture à vapeur a atteint par deux fois la vitesse de 225 km/h sur une distance de 2 km à la base d'Edwards Air Force, en Californie, en août 2009, devenant la voiture à vapeur la plus rapide depuis 103 ans ! Le véhicule anglais de 7,6 m, conduit par Charles Burnett III, a même atteint 243 km/h lors de son deuxième parcours et a été baptisé « bouilloire la plus rapide au monde ».

℞ VOITURE VOLANTE

De 1949 à 1960, l'ingénieur Moulton Taylor, de Longview, dans l'État de Washington, a construit 6 voitures qui peuvent également voler. Son prototype d'Aerocar possède des ailes pliables qui lui permettent d'être convertie en avion en 5 min par une seule personne. Elle peut rouler à 96 km/h et voler à 180 km/h.

℞ FUNÉRAILLES EN CORVETTE

En 1994, George Swanson, de Hempfield, en Pennsylvanie, a été enterré dans sa Corvette de 1984. Ses cendres sont toujours sur le siège conducteur du véhicule, enterré dans le cimetière local où il occupe 12 concessions contiguës.

℞ TOUR À VÉLO

Sur une période de 9 ans, Keiichi Iwasaki de Maebashi, au Japon, a parcouru plus de 45 000 km à vélo à travers 37 pays. Parti en 2001 pour faire le tour du Japon sur sa bicyclette Raleigh Shopper, cela lui a tellement plu qu'il a pris un ferry pour la Corée du Sud et n'est plus rentré chez lui.

℞ AUTRE SYDNEY

Quand le Hollandais Joannes Rutten et son petit-fils de 15 ans, Nick, réservèrent un billet pour Sydney, en Australie, en 2009, un malentendu les fit atterrir dans l'ancienne ville minière de Sydney, au Canada. Partis d'Amsterdam pour rendre visite à des parents, ils atterrirent à 16 000 km de leur destination initiale.

℞ LONGUE MOTO

Colin Furze, du Lincolnshire, en Angleterre, a passé deux mois à créer une moto longue de 14 mètres. Il a utilisé pour cela deux Honda 50 rallongées avec des morceaux d'aluminium. La moto peut aller jusqu'à 48 km/h, mais a besoin de la largeur de 6 routes normales pour pouvoir tourner.

VOITURE DE RÊVE

UN COLLECTIF D'ARTISTES BASÉ À BROOKLYN, GHOST OF A DREAM, FORMÉ PAR LAUREN WAS ET ADAM ECKSTROM, A CRÉÉ UN HUMMER H3 GRANDEUR NATURE À PARTIR DE TICKETS DE LOTERIE PERDANTS D'UNE VALEUR TOTALE DE 39 000 $. LEUR ŒUVRE, BAPTISÉE « ARGENT FACILE, VOITURE DE RÊVE », EST ÉQUIPÉE D'ESSUIE-GLACES, DE PNEUS ET DE PARE-CHOCS. LES JANTES SONT DES MOULURES EN PLASTIQUE RÉALISÉES À PARTIR DE VRAIES JANTES ET REMPLIES DE PIÈCES POUR REPRÉSENTER L'OUTIL DONT LES GENS SE SERVENT POUR GRATTER LES TICKETS.

® ASCENSION MASSIVE

En 2009, 326 montgolfières ont décollé simultanément au rallye mondial des montgolfières de Lorraine, dans l'est de la France.

® DOUCHE EN CAMION

Un camionneur chinois a dû payer une amende en 2009 pour avoir pris une douche en conduisant sur l'autoroute de Jinyi. Les policiers ont arrêté le camion après avoir aperçu de l'eau couler de la cabine, et ont découvert, ébahis, le chauffeur trempé jusqu'aux os, sortant d'une douche prise grâce à un système d'arrosage installé au-dessus de lui. Sa femme, assise sur le siège passager, tenait une bâche en plastique pour protéger les commandes du véhicule.

® BATEAU COURRIER

Le bateau postal *J. W. Westcott II*, basé à Detroit, dans le Michigan, livre le courrier à d'autres bateaux passant sur la rivière Detroit et possède son propre code postal, 48222.

® MINI MOTEUR

Perry Watkins, du Buckinghamshire, en Angleterre, a créé une voiture de seulement 1 m de haut et 66 cm de large. En hommage au personnage de dessin animé anglais Postman Pat, et à son camion de livraison, Watkins a acheté un manège d'enfants Postman Pat sur Internet, a renforcé sa coque en fibre de verre avec un cadre en acier et l'a installé sur une minimoto à 4 roues avant d'y ajouter un moteur de 150 chevaux, des rétroviseurs, des essuie-glaces et des phares.

® LA MARCHE DU REPTILE

Un bébé crocodile de 30 cm de long a causé la panique parmi les passagers d'un vol d'Egyptair allant d'Abu Dhabi au Caire, en juillet 2009, quand il a décidé d'aller se promener dans les allées de l'avion.

® EN RETARD

Ayant raté le bus scolaire un matin de janvier 2009, un garçon de 6 ans de Richmond, en Virginie, prit les clés de la Ford Taurus familiale et décida de conduire jusqu'à l'école. Il heurta un poteau sur le chemin mais s'en sortit avec des blessures mineures.

® VOYAGEURS ÉCOLOGIQUES

Les écologistes Tom Fewins et Lara Lockwood d'Oxfordshire, en Angleterre, ont parcouru plus de 70 800 km autour du monde en 297 jours sans jamais mettre le pied dans un avion. Ils ont traversé 19 pays, dont la Russie, la Chine et les États-Unis, en utilisant 78 bus, 61 trains, 34 voitures, 18 bateaux, 6 vélos, 2 vélomoteurs et 1 éléphant. Ils disent avoir généré chacun moins de 3 tonnes de dioxyde de carbone lors de leur voyage, un tiers de ce qu'ils auraient émis en avion.

® VOITURES EN CARTON

La police du comté Sibiu, en Roumanie, place des découpes en carton de voitures de police sur le bord des routes pour faire peur aux automobilistes et les inciter à ralentir.

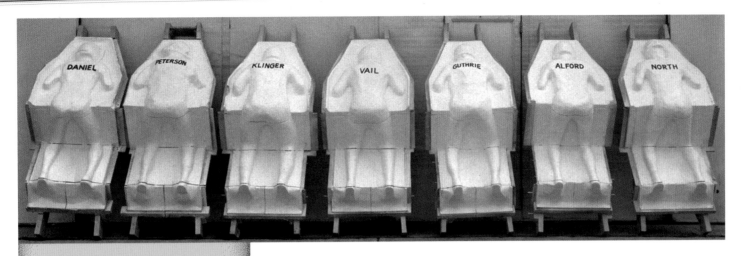

Empreintes de fesses

Au début de la NASA, pour des raisons de confort et de sécurité, les astronautes en mission étaient assis sur des fauteuils moulés individuellement pour s'adapter à la forme de leur corps. Aucun de ceux dont les noms sont sur ces fauteuils test – photographiés en 1959 au centre de recherche de la NASA situé à Hampton, en Virginie – ne se sont retrouvés à bord du vaisseau pionnier *Mercury*: ils étaient de simples employés.

ℝ BLAGUE DE POTACHE

Des blagueurs de l'Institut de technologie du Massachusetts à Cambridge ont placé un camion de pompiers de 7,6 m de long sur le grand dôme de l'école en 2006. La blague était inspirée par une noble tradition. En 1979, une vache en fibre de verre a été placée sur le dôme, une cabine téléphonique en 1982 et, en 2003, une reproduction du biplan des frères Wright longue de 14 m est mystérieusement apparue pour célébrer le centenaire de l'aviation.

ℝ ROUTE ROMANTIQUE

Quand elle a été construite en 2003, la route M6 à côté de Birmingham, en Angleterre, a été pavée avec la pulpe de 2,5 millions de romans d'amour de Mills-and-Boon (Harlequin). Le papier aide à ce que le goudron reste en place et absorbe également le bruit.

ℝ AUDI ÉGARÉE

Une Audi, déclarée volée par une dame âgée de Hildesheim, en Allemagne, a refait surface deux ans plus tard, recouverte d'une couche de poussière, dans le garage de son voisin. Elle avait demandé aux mécaniciens réparant la voiture en 2007 de la rapporter dans son garage, mais ils l'avaient mise par erreur dans le garage inutilisé de son voisin, où elle est restée non détectée jusqu'en 2009.

ℝ HÉLICOPTÈRE FAIT MAIN

Bien qu'il ait très peu fréquenté l'école, Wu Zhongyuan, 20 ans, de la province du Henan, en Chine, a construit son propre hélicoptère en 2009. Il affirme que l'engin peut monter à 800 m d'altitude. Il lui a fallu presque 3 mois pour le construire, avec un moteur de moto et des pals en bois d'orme.

Tous à bord

L'Inde a le plus grand réseau ferré au monde. Plus de 18 millions de gens voyagent dans les trains indiens chaque jour, plus que dans aucun autre pays, ce qui signifie que lesdits trains sont souvent surpeuplés. Les passagers sont assis sur les toits des wagons ou accrochés sur les côtés, certains trains transportant plus de 3000 personnes: deux fois leur capacité normale.

Joe Price, de Gloucester, en Angleterre, était un champion d'épreuves de force dans les années 1920 et 1930. Il pouvait plier une barre de métal entre ses dents. On lui prêtait un tour de poitrine de 147 cm et une poigne herculéenne. Maréchal-ferrant, il s'entraînait avec de gros marteaux de forge plutôt qu'avec des poids. En 1932, Robert Ripley a publié un dessin le représentant en train d'écrire, un poids de 25 kg attaché au petit doigt.

ÇA DÉCHIRE GRAVE

Les Révélations au Triple

JOUER AVEC LE FEU

AVALEURS OU CRACHEURS DE FEU, ILS COURENT DE GRANDS RISQUES DE BRÛLURES AU NIVEAU DE LA BOUCHE, ET MÊME LA MORT. CES DEUX TYPES D'EXPLOIT REQUIÈRENT DES COMPÉTENCES PARTICULIÈRES. LE CRACHEUR DE FEU SE SERT DE SA BOUCHE POUR PULVÉRISER UN LIQUIDE INFLAMMABLE SUR UNE FLAMME, CRÉANT AINSI UNE SPECTACULAIRE BOULE DE FEU. L'AVALEUR DE FEU INTRODUIT DES OBJETS ENFLAMMÉS DANS SA BOUCHE POUR LES ÉTEINDRE.

Les cracheurs doivent éviter les liquides inflammables explosifs, tels l'alcool ou les essences de pétrole, au profit de combustibles plus sûrs, dont le point d'ignition est plus élevé. Leur préférence va en général au pétrole lampant ou kérosène. Les liquides dont ils se servent sont non-toxiques pour la plupart, mais leurs vapeurs peuvent tout de même provoquer des affections mortelles.

Le souffle du dragon

L'effet « souffle du dragon » ou « dragon de napalm », quand l'artiste éloigne sa torche ou son combustible et continue à cracher le feu, se révèle exceptionnellement dangereux, dans la mesure où il faut être capable de contrôler son souffle à la perfection et de ne surtout

LE + DE Ⓡ IPLEY

AVALEUR DE FEU : PRENDRE UNE PROFONDE INSPIRATION PUIS EXHALER LENTEMENT EN ABAISSANT JUSQU'À SA BOUCHE LA TORCHE ALLUMÉE, POUR TENIR LA CHALEUR À DISTANCE DU VISAGE. LANGUE TIRÉE ET BIEN À PLAT, L'AVALEUR DE FEU PLACE SUR CELLE-CI LA MÈCHE DE LA TORCHE (ELLE DOIT SEMBLER FROIDE AU CONTACT) ET FERME PARTIELLEMENT LES LÈVRES, EN FORMANT UN O. POUR ÉTEINDRE LA FLAMME, IL FAUT CLORE ENTIÈREMENT LA BOUCHE, ET COUPER AINSI L'ALIMENTATION EN OXYGÈNE DE LA TORCHE, OU SOUFFLER LA FLAMME D'UNE BRÈVE EXPIRATION.

CRACHEUR DE FEU : ÉVITER LES LIQUIDES INFLAMMABLES HAUTEMENT EXPLOSIFS, TEL L'ALCOOL, ET PRÉFÉRER LE PÉTROLE LAMPANT OU KÉROSÈNE. LE CRACHEUR DE FEU VÉRIFIE TOUJOURS EN PREMIER LIEU LA DIRECTION DU VENT ET IL TIENT À LA MAIN UN TORCHON POUR ESSUYER, ENTRE DEUX SOUFFLES, LE LIQUIDE QUI LUI COULE DE LA BOUCHE, AFIN D'ÉVITER DE PRENDRE FEU. IL EST RECOMMANDÉ AUX BARBUS D'ÊTRE PARTICULIÈREMENT VIGILANTS SUR CE POINT !

IL N'Y A PAS DE RECETTE PARTICULIÈRE, IL FAUT SIMPLEMENT SE SOUVENIR QUE LA CHALEUR SE DIRIGE TOUJOURS VERS LE HAUT ET ÊTRE RÉSISTANT À LA DOULEUR. PASSAGE OBLIGÉ : LES CLOQUES SUR LA LANGUE, LA GORGE OU LES LÈVRES.

Brûle-gueule

Le Dr Mayfield s'est rendu célèbre aux États-Unis à la fin des années 1930 en jouant avec le feu. Il se produisait dans les Odditoriums Ripley et se rasait avec une lampe à souder, qu'il éteignait ensuite en avalant la flamme.

Effet de souffle

Voici quelques tours inventés au fil des ans par plusieurs générations d'allumés.

La torche à 45 degrés d'angle : l'un des tours de base dans le répertoire du cracheur de feu.

Le feu de camp : consiste à faire rebondir la flamme sur le sol.

Le feu de l'enfer : l'artiste souffle sa boule de feu vers le bas puis se redresse, enveloppé de flammes.

Le carrousel : tout en décrivant un cercle, on souffle une longue flamme droit devant soi.

Le pop-corn : trois souffles successifs ou plus, sans reprendre de combustible.

Le serpent : l'artiste souffle alternativement vers le haut et vers le bas tout en marchant.

Le feu mouvant : allumer une torche à 1 m de distance en soufflant de façon soutenue sur celle que l'on tient près de sa bouche.

BOUCHE DE FEU

Robert Powell fut l'un des premiers cracheurs de feu, célèbre à Londres au XVIIIᵉ siècle. Il faisait payer 1 shilling l'entrée à son spectacle, durant lequel il avalait du charbon incandescent et de la cire à cacheter chaude, il léchait des flammes... Il aimait également tenir une grosse poignée d'allumettes enflammées dans sa bouche jusqu'à ce qu'elles s'éteignent.

LUTTE À MORT

CRAIG CLASEN, DU MISSISSIPPI, A LUTTÉ PENDANT PLUS DE 2 HEURES CONTRE UN REQUIN-TIGRE. ADEPTE DE LA PÊCHE AU FUSIL HARPON, IL TRAQUAIT LE THON ROUGE DANS LES EAUX DU GOLFE DU MEXIQUE AVEC UN PETIT GROUPE DE PÊCHEURS LORSQU'UN REQUIN DE 4 M S'EST APPROCHÉ. DANS UN GESTE RÉFLEXE, CRAIG A HARPONNÉ LE SQUALE, QUI S'APPROCHAIT D'UN PEU TROP PRÈS. UNE FOIS LE MONSTRE BLESSÉ, CRAIG S'EST SENTI L'OBLIGATION MORALE DE FINIR LE TRAVAIL ET DE LE TUER, AUSSI PROPREMENT QUE POSSIBLE. IL LUI A TIRÉ 6 FOIS DANS LA TÊTE, MAIS LES REQUINS SONT TRÈS RÉSISTANTS ET IL A ÉTÉ OBLIGÉ DE L'ACHEVER EN LUI PLANTANT SON COUTEAU DANS LE CRÂNE. PLONGEUR ET PÊCHEUR EXPÉRIMENTÉ, CRAIG A CROISÉ DES MILLIERS DE REQUINS SUR SA ROUTE. C'EST L'UN DES RARES CAS OÙ IL A DÛ PRENDRE DES MESURES EXTRÊMES POUR SE PROTÉGER.

ⓡ CHAUDE VIRÉE

À l'été 2009, par des températures pouvant atteindre 48 °C, Omar Al Mamari, président et fondateur du Club motocycliste d'Oman, a parcouru les 2 062 km qui séparent Muscat de Salala, aller et retour, en 24 heures.

ⓡ MUR DE FEU

En mars 2009, la Marine Corps Air Station de Yuma, en Arizona, a créé un mur de flammes de 15 étages s'étendant sur près de 3 200 m. Il a nécessité de la dynamite, des détonateurs électriques et 6,1 km de cordeau détonant.

ⓡ ÉLÉGANT CASSE-COU

Portant veste de tweed, chemise et cravate, Les Pugh, un Anglais du Gloucestershire, est un élégant casse-cou. C'est dans cette tenue qu'il a descendu en rappel un immeuble de bureaux de 49 m, à Cheltenham, en avril 2009. Il avait 93 ans !

ⓡ HARRIS-QUE

En avril 2009, Duncan Harris, 15 ans, de Normal, dans l'Illinois, a effectué en monocycle un périlleux circuit de 19 km au-dessus des falaises de Moab, dans l'Utah. Il n'avait pas d'autres freins que ses jambes, pas de guidon, et un gouffre de plusieurs centaines de mètres sous ses pieds.

ⓡ SPRINT CABRÉ

Jake Drummond, un cycliste de 15 ans, a fait une roue arrière sur 100 m à Oshkosh, dans le Wisconsin, en juillet 2009, couvrant la distance en un peu plus de 15 s.

ⓡ COURSE DE LA MORT

Lors de la Course de la mort – 125 km à travers les montagnes de Grand Cache, au Canada –, les concurrents emportent leur propre ravitaillement. La course commence et s'achève sur un plateau situé à 1 280 m d'altitude, comporte trois sommets, des tourbières, des forêts et une rivière, et totalise 5 180 m de dénivelé. Parmi les concurrents de l'édition 2 009 se trouvait une femme aveugle, Lorraine Pitt, 57 ans, de Peterborough.

Yoga tout-terrain

Khiv Raj Gurjar, de Jodhpur, en Inde, pratique le yoga dans des conditions extrêmes, se tenant en équilibre sur son vélo à quelques centimètres du bord d'escarpements rocheux hauts d'une centaine de mètres. Khiv, qui étudie et pratique cette discipline depuis l'âge de 13 ans, a décidé de combiner ses deux passions – vélo et yoga – en 2006. Aujourd'hui, à la soixantaine, il s'entraîne une heure par jour et peut effectuer jusqu'à 36 postures en équilibre sur son BMX.

ⓡ SARAH, ELLE RAME !

Sarah Outen, du Rutland, en Angleterre, a ramé en solo à travers l'océan Indien en 2009, parcourant 6 400 km en 124 jours entre Perth, en Australie, et l'île Maurice, au large de la côte est de l'Afrique. Elle a passé jusqu'à 12 heures par jour à ramer, souvent sous un soleil brûlant, et elle a chevauché des vagues de 30 m.

℞ TOURNEBOULANT

À Erevan, en Arménie, en juillet 2009, le gymnaste arménien Davit Fahradyan a effectué pas moins de 354 rotations sur une barre horizontale.

℞ RASE-MOQUETTE

En juillet 2009, Abbishek Navale, 7 ans, de Belgaum, en Inde, a fait du *limbo skate* en marche arrière sous une série de 10 jeeps Tata Sumo. Le *limbo skate* se pratique avec des rollers, les jambes formant un grand écart, le buste en avant, à l'horizontale, face contre terre, pour être le plus près possible du sol. Quelques jours plus tard, Abbishek a parcouru 18,8 m sous une série de barres positionnées à 22 cm du sol, dans la même position. Il s'entraîne 2 à 3 heures par jour.

℞ VÉLO VÉLOCE

En juillet 2009, Corneliu Dobrin, d'Abbotsford, au Canada, a couvert 4 475 km à vélo à travers le pays en un peu plus de 24 jours, à raison de 300 km par jour. Parti de Vancouver, il a terminé sa course à Saint John's, en Terre-Neuve.

℞ GROS PLOUF

Le kayakiste Tyler Bradt, de Missoula, dans le Montana, a descendu en 4 s les 57 m de la cascade de Palouse Falls, dans l'État de Washington, en 2009. Il s'en est tiré avec une entorse au poignet et une pagaie cassée. Il lui a fallu 4 approches avant de rassembler assez de courage pour s'attaquer à la cascade, si haute que ses brumes créent un arc-en-ciel permanent.

℞ FUNAMBULE EXTRÊME

Sans aucun harnais alors qu'il se trouvait à plusieurs centaines de mètres du sol, Samat Hasan, 24 ans, un funambule du Xinjiang, en Chine, a parcouru 700 m le long d'un câble tendu au-dessus d'une vallée du Hunan, en avril 2009. Le câble ne faisait que 3 cm de diamètre et était incliné à 39 degrés.

℞ FILLE CONTRE ALLIGATOR

En septembre 2009, la jeune Cammie Colin, 16 ans, de Pelion, en Caroline du Sud, a inscrit à son tableau de chasse un alligator de 3,2 m pesant 160 kg. Elle avait remporté au tirage au sort annuel une bague autorisant la chasse d'un alligator et l'a tué alors qu'elle se promenait en bateau avec sa famille sur le lac Marion, au milieu de la nuit, et avec une arbalète!

℞ HOCKEY PAPI

Deux équipes de joueurs de hockey, tous âgés de plus de 80 ans, se sont lancées sur la glace lors d'un tournoi senior à Burnaby, au Canada, en 2009. Le plus vieil hockeyeur était l'un des deux gardiens, Jim Martin, 87 ans.

℞ KUNG FOU-FOU

Ho Eng Hui, maître dans l'art du kung-fu, a percé 4 noix de coco en 30 s avec son seul index à Malacca, en Malaisie, en juin 2009.

℞ SANS JAMBES

Phil Packer, de la police royale militaire britannique, fut si grièvement blessé lors d'une attaque à la roquette à Bassorah, en Irak, en février 2008, qu'il ne devait jamais plus marcher, d'après ses médecins. Un an plus tard, il courait le marathon de Londres sur des béquilles.

℞ SANS BOMBE

L'ingénieur Takuo Toda, président de l'Association japonaise des origamis d'avions, a maintenu en vol son avion en papier de 10 cm pendant 27,9 s lors d'une compétition dans la préfecture d'Hiroshima, en avril 2009.

℞ SANS COLLE

En 2008, Alexander Bendikov, du Bélarus, a maintenu 18 000 allumettes en équilibre horizontal sur le goulot d'une bouteille, sans utiliser de colle.

Plongeon en terre

Sur l'île de la Pentecôte, dans le Pacifique sud, les garçons testent leur courage en faisant un saut d'une plate-forme à 25 m du sol, tête la première, atterrissant sur une aire de terre battue. Ce rituel, connu sous le nom de *Naghol* («plongée vers la terre»), implique jusqu'à 25 participants par jour. Ils s'élancent d'une tour de bois branlante, les pieds attachés par des lianes. Autrefois, en avril et mai, on sautait vers la terre pour obtenir une bonne récolte d'ignames. Aujourd'hui, le rituel permet aux jeunes garçons, certains âgés de 7 ou 8 ans seulement, de prouver leur bravoure. Leurs aînés leur attachent une liane à chaque pied, tandis que les femmes dansent et psalmodient, priant pour qu'ils survivent.

Mike comme son bateau étaient dotés des derniers équipements high-tech pour résister aux pires conditions.

Mike dans sa cabine avec couchette, coin cuisine, provisions et équipements de navigation. On le voit ici occupé à potasser son permis de conduire !

Lorsque Mike a fait escale en Afrique du Sud pour réparer, il a croisé Minoru Saito, un marin japonais de 75 ans effectuant son 8e tour du monde en bateau. Au cours de sa vie, Minoru a parcouru plus de 500 000 km sur les mers, l'équivalent de la distance Terre-Lune !

Mike allume des feux à main pour fêter son retour en Angleterre après 9 mois passés en mer.

Au mois d'août 2009, à 17 ans à peine, Mike Perham, du Hertfordshire, en Angleterre, a achevé un tour du monde à la voile en solitaire. L'intrépide adolescent est parti de Portsmouth en novembre 2008, alors qu'il n'avait que 16 ans, à bord d'un yacht de compétition de 15 m spécialement loué pour ce défi. Son périple l'a conduit jusqu'au bas des côtes de l'Afrique, puis au sud de l'Australie, où il lui a fallu faire réparer son gouvernail avant de se lancer dans les mers du Sud. Là, il a dû lutter contre les glaces et des creux de 15 m. Un vent de 50 nœuds a couché le bateau sur les vagues avant que sa lourde quille ne lui permette de se redresser. En pleine tempête, Mike a été forcé de monter en haut de son mât de 21 m pour réparer le gréement et de plonger sous le bateau pour couper des cordages qui s'y étaient accrochés. Il a ensuite remonté la côte de l'Amérique du Sud jusqu'au canal de Panama, avant une dernière étape à travers l'Atlantique, pour accoster enfin à Portsmouth au bout de 9 mois de mer et 39 000 km. Taillé pour la course, le bateau était étroit, bruyant et inconfortable, ce qui rendait le repos à bord très difficile. Mike a dormi environ 5 heures par jour, arrachant quelques minutes de sommeil quand il pouvait enclencher le pilote automatique. Mais il courait toujours le risque d'une collision avec un autre navire, la nuit, et de percuter des containers flottants ou autres débris. Il était attaché au bateau en permanence, au cas où il aurait été emporté par une vague. Sa nourriture était lyophilisée et rationnée.

Le bateau chevauchait parfois des vagues hautes comme un immeuble de 5 étages.

MIKE LE MARIN

En pleine mer, Mike a dû grimper sur le mât, haut de 21 m, pour effectuer des réparations.

 IPLEY

Qu'est-ce qui vous a poussé à relever ce défi ?

À 14 ans, je suis devenu le plus jeune navigateur à traverser l'Atlantique en solitaire. Après cela, je savais que la prochaine étape serait un tour du monde en solitaire.

Votre bateau était-il inconfortable ? Comment avez-vous dormi ?

Totallymoney.com est un yacht de compétition de la classe des monocoques de 15,20 mètres. Il est rapide, fonctionnel, comme une voiture de course. Mais à l'intérieur, c'est très basique. J'avais une couchette, un petit évier, un réchaud. Il fallait que je sois sans arrêt sur le qui-vive, même quand je dormais ! Je me suis mis à faire des sommes de 20 min, après quoi je vérifiais si tout allait bien, j'ajustais les voiles, ou ma route.

Si la trajectoire du bateau se modifiait, mon subconscient le détectait et je m'éveillais aussitôt. J'avais aussi une alarme radar, un sondeur, un système de cartes électroniques pour m'avertir, même si rien de tout cela n'est en mesure de détecter un iceberg.

Qu'est-ce qui a été le plus dur ?

Être séparé de mes amis et de ma famille. Et puis, j'ai dû grimper 3 fois sur le mât et je n'aime pas trop l'altitude.

Quelle a été la partie du voyage la plus mémorable ?

Les mers du Sud. Il y fait froid et humide, mais c'était vraiment très excitant. Je surfais à des vitesses de 30 nœuds et ça a été la plus belle expérience, de loin. Je n'arrêtais pas de sourire.

Étiez-vous content de retrouver la terre ferme ?

C'était fantastique de rentrer en ayant accompli mon rêve, celui de devenir le plus jeune navigateur autour du monde. Recevoir un accueil aussi chaleureux et découvrir ma famille et mes amis qui m'attendaient sur le quai, ça a été la cerise sur le gâteau. Il m'a fallu quelques jours avant de retrouver un sommeil normal, mais je m'y suis fait plus vite que prévu. C'est génial d'être de retour, au milieu de mes amis.

Quels sont vos prochains projets de navigation ?

L'expédition du Bounty. En résumé, on va tenter de refaire à 4 l'exploit du capitaine William Bligh, qui suite à la mutinerie de son équipage, avait parcouru 6 450 km en canot sur l'océan Pacifique, de Tonga à Timor !

® VAS-Y POUPON!

La ville de Vilnius, en Lituanie, organise un concours annuel réservé aux bébés. Les tout-petits doivent ramper sur une piste de 5 m en moquette, encouragés par leurs parents, qui agitent des jouets. Le lauréat 2009, Kajus Aukscionis, âgé de 8 mois, a terminé le parcours en 18 secondes.

Doigts de fée

INSPIRÉ PAR *EDWARD AUX MAINS D'ARGENT*, VALENTINO LOSAURO A CRÉÉ DES CISEAUX SE FIXANT AU BOUT DES DOIGTS, COMPOSÉS DE PETITES LAMES D'ACIER TRANCHANT ACTIONNÉES PAR DES ÉLASTIQUES. ILS COUPENT LES CHEVEUX DEUX FOIS PLUS VITE QUE LES CISEAUX TRADITIONNELS, PRÉTEND LOSAURO, QUI EST PIANISTE ET VOULAIT APPLIQUER SON TOUCHER DÉLICAT À L'ART CAPILLAIRE. « LORSQUE JE FAIS UNE COUPE, J'UTILISE UNE TECHNIQUE QUE J'AI BAPTISÉE *LE VOL DU BOURDON* », EN RÉFÉRENCE, EXPLIQUE-T-IL, À LA RAPIDITÉ AVEC LAQUELLE SES DOIGTS S'ACTIVENT.

Tu piques!

90 minutes! George Gaspar, de Sherman Oaks, en Californie, n'a pas eu besoin d'une seconde de plus pour planter ces 2 222 cure-dents dans sa barbe.

® COUVERT DE BISOUS

20 jeunes femmes se sont alignées à Blackburn, en Angleterre, en 2009, pour couvrir Paul Winstanley, un D.J. de 28 ans, de 110 baisers en 1 minute, soit près de 2 à la seconde.

® INVINCIBLE ARMADA

205 000 canards en plastique ont flotté sur 1 km de Tamise en 2009, près de Londres, à l'occasion de la Great British Duck Race.

® CASSE-BRIQUES

Il n'a fallu que 8 secondes à Bernd Hoehle, expert allemand ès arts martiaux, pour briser 12 briques en combinant vitesse et puissance, à Hanovre, en 2009.

® TRÈS ORIGIGNAL!

Al Goddard, de Takoma Park, au Maryland, a rassemblé plus de 1 000 objets autour d'un thème unique : l'orignal. Sa collection a commencé en 1975, quand il enseignait dans une école d'Oakton, en Virginie, et qu'une de ses élèves lui a offert un orignal en peluche.

® IL SENT LE SAPIN

En plus de 30 ans de carrière, Herbert Weber, menuisier dans la province de Salzbourg, en Autriche, a construit plus de 700 000 cercueils.

® HALLOWEEN

En octobre 2008, Stephen Clarke, de Havertown, en Pennsylvanie, a sculpté les traits de Jack O'Lantern sur 1 t de citrouilles, en 3 h 33 min 49 s, à Atlantic City, dans le New Jersey.

® PETIT OISEAU

Luan Da Silva, de Florianopolis, au Brésil, est déjà un parapentiste confirmé alors qu'il n'a que 6 ans. Ses parents étant moniteurs de parapente, il a volé pour la 1re fois avec son père à l'âge de 2 ans, et en solo l'année suivante. Muni d'un harnais spécialement lesté, Luan saute du haut d'une dune de sable et plane à 20 mètres de hauteur.

® VIEILLE BIQUE

À 102 ans, Margaret Caldwell, ex-pin-up des années 1940, écrivait encore une chronique hebdomadaire, « Mémoires d'une vieille bique », pour le *Desert Valley Times* de Mesquite, au Nevada.

® REINE DU TEXT

Reina Hardesty, 13 ans, d'Orange County, en Californie, a envoyé 14 528 textos avec son portable au cours du mois de décembre 2008. Soit 484 SMS par jour, une moyenne d'un toutes les 2 minutes, en déduisant ses heures de sommeil. La facture de son opérateur téléphonique occupait 440 pages.

® CASSE-TÊTE GÉANT

En Inde, en 2009, des passionnés ont créé un puzzle de 25 000 pièces qu'ils ont proposé de résoudre sur Internet. Le défi a attiré plus de 180 000 participants, chacun travaillant avec 1 000 lots de 25 pièces pour reconstituer la grande image de 11 mètres sur 5 conçue par le Néo-Zélandais Royce B. McClure.

® FÊTE DES MORTS

En juillet 2009, 3 894 personnes se sont déguisées en zombies pour la Red, White and Dead Zombie Party de Seattle, dans l'État de Washington.

® EN FAMILLE

16 frères et sœurs de la famille Kapral, d'Oshkosh, dans le Wisconsin, ont tous terminé l'édition 2009 du Fox Cities Marathon en moins de 6 heures. Seuls 2 d'entre eux, Vince et Stephen, avaient déjà couru un marathon entier.

® À L'AIR LIBRE

4 000 enfants palestiniens ont fait voler simultanément leurs cerfs-volants pendant 30 secondes sur les plages de la bande de Gaza en juillet 2009.

® GROSSE POINTURE

Sans aucun harnais de sécurité, l'Américain Dean Potter a progressé sur une *slackline* (sangle ou câble légèrement élastique) à 960 m au-dessus de la vallée de Yosemite, en Californie. Seuls ses pieds pointure 50 étaient en contact avec le câble de 30 m de long.

® TIENS, PRENDS ÇA!

Plus de 200 personnes ont participé à une bataille de tartes dans une ferme de Genoa, dans l'Illinois, en 2009. Organisée par la propriétaire, Molly Holbrook, la bataille a vu s'affronter des participants armés de tartes au chocolat, à la meringue, à la citrouille et à la crème.

® LAIT DE PÈRE EN FILS

Pendant presque 100 ans, 3 générations de la famille Hall ont livré le lait dans le village de Gunnislake, en Angleterre, déposant ainsi aux portes plus de 11 millions de bouteilles. Dernière de la lignée, Jo Hall est partie à la retraite en 2009, après 55 ans d'une carrière durant laquelle elle a effectué 285 000 km à l'occasion de ses tournées matinales.

® ENGUIRLANDÉS

En mai 2009, les habitants de San Pedro, aux Philippines, ont confectionné une *sampaguita lei* (guirlande de fleurs) mesurant plus de 2 km de long.

Com-pressés

Willi Dorner, artiste autrichien, s'est fait connaître sur tout le continent européen en compressant des corps. Ses danseurs, grimpeurs et artistes surgissent dans des centres commerciaux ou des rues passantes, vêtus de couleurs vives, et se précipitent dans n'importe quel recoin pour s'y entasser.

Les Révélations du Ripley

AVALEURS
DE SABRES

EN DÉPIT DE DANGERS BIENS RÉELS, L'ART DES AVALEURS DE SABRES SUBSISTE. UN GROUPE D'IRRÉDUCTIBLES CONTINUE DE FAIRE FRISSONNER LES FOULES EN AVALANT SOUS LEURS YEUX ÉBAHIS DES DÉCIMÈTRES D'ACIER MASSIF. L'ART MORTEL DES AVALEURS DE SABRES, QUI SERAIT NÉ EN INDE VOICI 4 000 ANS, ÉTAIT ÉVOQUÉ DANS LA TOUTE PREMIÈRE ÉDITION AMÉRICAINE DU *BIG LIVRE DE L'INCROYABLE*, PUBLIÉE À CHICAGO EN 1933. ON NE DÉNOMBRE PLUS AUJOURD'HUI QU'UNE CENTAINE D'AVALEURS DE SABRES DANS LE MONDE.

Space Cowboy

Chayne « Space Cowboy » Hultgren, un artiste de rue australien, fait partie des avaleurs de sabres les plus excessifs au monde. Il a avalé une lame à laquelle on avait suspendu un poids de 22,4 kg et est devenu le tout premier homme à avaler un sabre sous l'eau, dans un bassin grouillant de requins. Chayne est né avec une malformation du système digestif : son estomac est situé plus bas que la normale. Cela lui permet d'avaler un sabre de 72 cm – il est le seul à pouvoir le faire – dont l'extrémité s'enfonce jusqu'à 3 cm sous son nombril. Pour y parvenir, Chayne arrive à déplacer ses organes internes, à étirer son corps et à contrôler la forme de son estomac.

En 2008, Chayne Hultgren a avalé 27 sabres à la fois, exploit jamais réalisé auparavant.

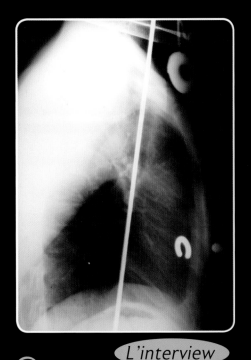

Des radiographies réalisées alors que Chayne Hultgren avalait un sabre ont prouvé qu'il ne s'agissait pas d'une illusion d'optique. Lors de la même séance, l'homme s'est planté un clou de 12,7 cm dans le nez. L'objet est visible sur la radiographie.

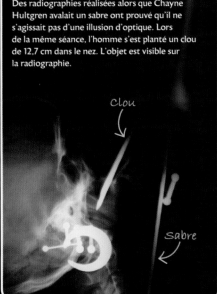

Clou

Sabre

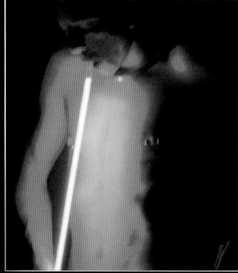

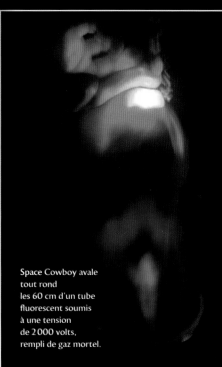

Space Cowboy avale tout rond les 60 cm d'un tube fluorescent soumis à une tension de 2 000 volts, rempli de gaz mortel.

℞ IPLEY *L'interview*

Comment êtes-vous devenu avaleur de sabres ? J'ai commencé à pratiquer les arts de la rue à l'âge de 8 ans. À l'adolescence, les vieux trucs de cirque ont commencé à me fatiguer. J'ai voulu pratiquer une technique plus bizarre, plus unique, plus extrême. L'art des avaleurs de sabres me semblait le plus hasardeux qui se puisse apprendre, mais je ne me rendais pas compte du niveau réel de danger qu'il représentait.

L'apprentissage n'a-t-il pas été difficile ? Si. C'est très ardu à apprendre. Par chance, j'ai commencé très jeune à m'enfoncer des tuyaux et des tas de trucs dans la gorge. Il faut savoir contrôler ses réflexes, cela peut prendre des années. J'ai commencé avec les sabres à l'âge de 16 ans.
J'ai d'abord avalé des ficelles au bout desquelles j'attachais de petits morceaux de nourriture. Ensuite, je me suis enfoncé des tuyaux d'arrosage dans la gorge, pour entraîner les muscles de mon œsophage. Lorsqu'on avale, des muscles en forme d'anneau se resserrent dans notre gorge. Il faut les contrôler pour qu'ils restent dilatés au moment où on avale un sabre, sans quoi ils sont coupés par la lame.

Est-ce que ça fait mal ? Non. Mais ce n'est pas non plus très confortable. La présence d'un corps étranger dans la gorge donne des haut-le-cœur, pousse à vomir, et ce n'est que le tout premier obstacle qu'il faut surmonter avant d'avaler un sabre. Je tente constamment de réaliser l'impossible, et, pour atteindre cet objectif, je dois dépasser ma douleur. Lorsqu'on désire vraiment une chose, on parvient à oublier la douleur.

Est-il arrivé que ça ne se passe pas bien ? Je suis né avec une déformation du système digestif qui me permet d'avaler des épées plus profondément que tout autre avaleur de sabres dans l'histoire humaine. À l'âge de 20 ans, en avalant une épée, j'ai été distrait un instant et j'ai tranché la paroi de mon estomac en plein spectacle. Je me suis mis à vomir du sang en coulisses et on m'a expédié à l'hôpital. Les médecins ont été épatés de me voir avaler un endoscope sans anesthésie ! On m'a prescrit de lourds médicaments contre l'infection. Je m'en suis tiré à bon compte. J'ai attendu 10 ans avant de tenter ce truc à nouveau.

Vous entraînez-vous beaucoup ? Les jours où je ne donne pas de spectacle, je me dois de conserver mes muscles internes en parfait état. J'emploie des techniques de méditation et de recueillement qui me permettent de garder la forme. Dans mon métier, la moindre erreur peut être fatale !

Quelles sont vos projets d'avenir ? J'aime abattre les limites du possible. Je réalise régulièrement ce que beaucoup croient impossible, dans l'espoir qu'à la simple vue de pareils exploits, certains prennent conscience des infinies possibilités du corps humain.

▶

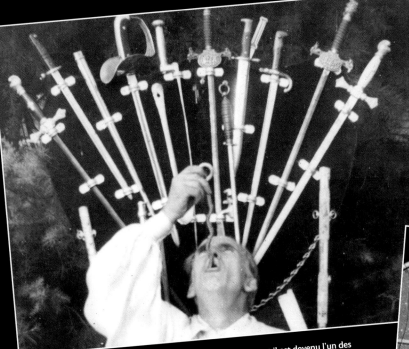

John « Lucky » Ball a appris à avaler les sabres dès l'âge de 12 ans et il est devenu l'un des artistes les plus accomplis de sa génération en la matière. On le voit ici avaler un tire-bouchon, ce qui est encore plus difficile que d'avaler un sabre. « Lucky » Ball pouvait enfoncer dans sa gorge plus de lames simultanément que n'importe qui. Une fois, il en a englouti 16 !

Un accident est si vite arrivé

Il n'est pas rare que les avaleurs de sabres tentent d'avaler autre chose que des épées, mais ça n'est pas toujours une bonne idée. En 1891, Patrick Mulraney a tenté d'avaler l'archet d'un violon, s'est mis à vomir du sang sur scène et est décédé peu après. En 1932, après avoir avalé une montre à gousset et sa chaîne avant de la rendre à son propriétaire, Fred Lowe a avalé une fourchette qui s'est malheureusement coincée dans sa gorge avant de se loger dans son estomac. Une opération a permis de la retirer et Lowe a pu se rétablir parfaitement. En 1936, le *Chicago Daily Tribune* rapporta que Bob Roberts, avaleur de sabres expérimenté, avait péri en avalant un fusil de chasse allumé par mèche qui s'était déclenché dans son corps. En 1947, Tony Marnio est parvenu à avaler des tubes fluorescents de 60 cm et à les allumer. Mais le verre s'est cassé lorsqu'il s'est incliné pour saluer la foule, et il a fallu l'emmener aux urgences. Francis F. Doran comptait 30 années d'expérience lorsqu'en 1969, un tube fluorescent de 91 cm a explosé dans sa gorge. Une intervention chirurgicale a été nécessaire pour retirer les débris. En 1999, à Bonn, un Allemand est mort après avoir avalé un parapluie. Il a par inadvertance appuyé sur le bouton d'ouverture automatique alors que l'objet se trouvait toujours dans sa gorge.

Escrime passionnelle

Les avaleurs de sabres se produisent dans les musées Ripley depuis 1933, année de lancement du tout premier Odditorium (Musée de l'étrange), à la Foire mondiale de Chicago. En 1939, Edna Price, une artiste de la compagnie Ripley, a été la première femme à avaler des tubes fluorescents sous tension, tandis que d'autres artistes éblouissaient les foules avec leurs exploits d'avaleurs de lames.

Edna Price, photographiée ici en pleine action, était issue d'une famille d'avaleurs de sabres. Sa tante Maude est morte en 1920 après avoir avalé un sabre devant le roi et la reine d'Angleterre. Edna pouvait avaler jusqu'à 12 lames en même temps et les retirer une à une. Elle les faisait chromer une fois par an pour les protéger de la corrosion.

Ripley présente : Le Jour du sabre

Un événement transatlantique riche en numéros dangereux s'est déroulé le 28 février 2009. À 14 h 28 précises, 24 avaleurs de sabres ont englouti plus de 30 mètres d'acier massif dans les musées Ripley, des chutes du Niagara à Londres, pour célébrer la Journée internationale de sensibilisation à l'art des avaleurs de sabres.

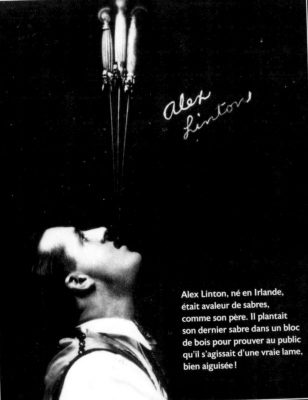

Joseph Grendol a avalé 7 sabres simultanément au Musée de l'étrange en 1934. Il savait également avaler des montres, des balles de golf et des pièces de monnaie avant de les régurgiter. Son numéro le plus étonnant consistait à fixer une baïonnette à la crosse d'un fusil, avaler celle-ci et faire feu, ce qui enfonçait un peu plus la baïonnette dans sa gorge.

Alex Linton, né en Irlande, était avaleur de sabres, comme son père. Il plantait son dernier sabre dans un bloc de bois pour prouver au public qu'il s'agissait d'une vraie lame, bien aiguisée !

LE + DE RIPLEY
NE FAITES PAS ÇA CHEZ VOUS !

IL FAUT DES ANNÉES POUR APPRENDRE À AVALER DES SABRES DE TAILLE NORMALE, SOIT PLUS DE 38 CM. LES AVALEURS EN HERBE COMMENCENT SOUVENT PAR AVALER LEURS DOIGTS OU DES OBJETS MÉNAGERS, TELS DES CUILLERS ET DES AIGUILLES À TRICOTER, POUR APPRENDRE À CONTRÔLER LES RÉFLEXES NAUSÉEUX QUI EMPÊCHENT D'AVALER DE GRANDS OBJETS DANGEREUX TELS QUE... DES SABRES ! L'ART DE L'AVALEUR DE SABRES NÉCESSITE UN GRAND CONTRÔLE DE SOI, MAIS LES ARTISTES DOIVENT ÉGALEMENT ÊTRE PARFAITEMENT DÉTENDUS ; PAS ÉVIDENT, PUISQUE LES MUSCLES CONSTRICTEURS QUI SERVENT À ACHEMINER LES ALIMENTS VERS L'ESTOMAC RÉPONDENT DE MANIÈRE RÉFLEXE. IL EST EXTRÊMEMENT DANGEREUX DE DÉRANGER UN AVALEUR DE SABRES EN COURS DE PERFORMANCE. TOUTE DISTRACTION PEUT LUI ÊTRE FATALE, PUISQUE LA LAME CÔTOIE DES ORGANES CRITIQUES : LA TRACHÉE, LES ARTÈRES VITALES ET LE CŒUR. AVALER PLUSIEURS SABRES PEUT AUSSI ENTRAÎNER UN EFFET DE CISAILLE QUI AUGMENTE LE DANGER DE COUPURES DANS LA GORGE.

L'ŒSOPHAGE PRÉSENTE DES COURBES ET ENTORTILLEMENTS, INFLUENCÉS PAR LA POSITION DU CORPS, DANS LESQUELS LE SABRE DOIT SE FRAYER UN CHEMIN. SI LA LAME EST TROP LONGUE OU QUE L'ARTISTE PERD LE CONTRÔLE, LE SABRE PEUT ATTEINDRE L'ESTOMAC ET CAUSER DES LÉSIONS ; UN INCIDENT QUI A CAUSÉ LA MORT DE TRÈS NOMBREUX AVALEURS DE SABRES PAR LE PASSÉ.

Révélation...

Plutôt gonflé !

Jemal Tkeshelashvili est originaire de Géorgie, une ancienne province de l'Union soviétique. Il parvient à faire éclater une bouteille d'eau chaude en un clin d'œil, en soufflant dedans par le nez. Lors d'un étrange concours, à Tbilissi, il a réussi à faire exploser l'un de ces récipients en 13 secondes. Jemal participe également aux épreuves de force et peut traîner un Boeing à mains nues.

℞ DALIRANT!

En janvier 2009, à la gare de Perpignan, Lluis Colet, fonctionnaire local de 62 ans, a discouru sans arrêt pendant 5 jours et 4 nuits – un total de 124 heures. Sujet ? Salvador Dalí et la culture catalane (voir p. 248).

℞ PILE POIS

Jim Collins, 34 ans, du Cambridgeshire, en Angleterre, a battu les favoris d'une épreuve, venus des États-Unis, d'Australie et de Nouvelle-Zélande pour devenir champion du monde du lancer du petit pois 2009. Cette épreuve a été fondée en 1971 par un directeur d'école du Cambridgeshire, après qu'il eut confisqué la sarbacane d'un élève. L'épreuve consiste à viser une cible de 30 cm située à une distance de 3,6 m. Certains concurrents emploient des systèmes de viseurs assistés au laser.

℞ CIGARE GÉANT

José Castelar, Cubain de 65 ans, fabrique des cigares depuis sa quatorzième année. En 2009, il en a roulé un monstrueux de 43,3 m, soit 10 fois la hauteur d'un bus à impériale.

℞ PAPI FAIT LA MANCHE

En juillet 2009, Tom Lackey, 89 ans, des West Midlands, en Angleterre, a entrepris de traverser la Manche à une altitude de 305 m et à une vitesse 160 km/h, attaché à l'aile d'un avion. Le papi casse-cou a accompli son exploit au-dessus de la mer sur un aéroplane qui n'avait que 20 ans de moins que lui.

℞ SCOOTAIR

En mai 2009, aux commandes d'un scooter volant alimenté au peroxyde d'hydrogène, Eric Scott, de Denver, dans le Colorado, a atteint la vitesse de 109 km/h sur le circuit de course automobile de Knockhill, en Écosse. Le scooter de Scott ne peut emporter du carburant que pour un vol de 30 s, mais ce fut suffisant pour lui permettre de battre une Ford Focus RS pilotée par le champion britannique de rallye Gordon Shedden.

℞IPLEY
L'interview

Que mangiez-vous durant votre séjour sous l'eau ? *Au petit déjeuner, des saucisses et du fromage. Au déjeuner, je prenais une soupe aux lentilles, des boulettes de viande, du poulet et une banane. Pour dîner, j'engloutissais encore de la soupe aux lentilles, de la saucisse, du poulet grillé et des pêches. En plus, une fois par jour, je devais avaler des aliments pour sportifs.*

Comment faisiez-vous pour prendre vos repas ? *Le plus important, quand on se nourrit immergé, est d'éviter d'avaler de l'eau. L'idéal est d'expirer lentement avant de pousser un aliment dans sa bouche. Cela requiert talent et expérience.*

Comment avez-vous fait pour dormir ? *Entre 1 heure et 5 heures du matin, je dormais tourné vers le fond. Le jour, je faisais des siestes.*

Quelles étaient les conditions dans le bassin ? *Les deux premiers jours, j'avais très froid. Tout en demeurant sous l'eau, j'ai changé ma combinaison étanche pour une combinaison humide, et ça a fonctionné.*

Étiez-vous en mesure de communiquer avec le monde extérieur ? *J'ai improvisé un langage des signes qui m'a permis de communiquer avec mes amis. Je portais également un masque intégral Ocean Reef, doté d'un appareil de communication.*

℞ MONSIEUR MUSCLE

Abdurakhman Abdulazizov, 80 ans, de la république russe du Dagestan, est en mesure de tirer un wagon de train attaché au bout d'une corde. Il arrive également à soulever avec ses dents une ceinture de fer pesant plus de 100 kg.

℞ LA LOI DE LA JONGLE

En juillet 2009, le Tchèque Zdenek Bradák a jonglé avec trois balles, accomplissant 339 attrapés en 60 secondes.

℞ MARIAGES ROUMAINS

Parés de leurs plus beaux atours de mariage, 110 époux et fiancés ont paradé dans les rues de Bucarest en juin 2009, pour faire la promotion du mariage en Roumanie.

La maison est à l'eau

Cem Karabay, un plongeur turc, a passé 5 jours et 5 nuits en immersion constante dans un bassin. Il s'est nourri de repas élaborés par un diététicien expert et de beaucoup de liquides. Il a réussi à manger, dormir, boire et s'entraîner dans un espace ne mesurant que 5 x 3 x 3 mètres, à proximité d'un centre commercial d'Istanbul. Namik Ekin, son professeur de plongée, avait auparavant vécu sous l'eau pendant 124 heures, mais Cem a battu son record : 135 heures et 2 minutes ! Après presque une semaine sous l'eau, Cem souffrait d'hypertension et d'une infection oculaire, mais il est remonté à la surface animé d'une grande envie de tenter à nouveau l'aventure, cette fois pour 10 jours !

℞ REPASSAGE EN PROFONDEUR

Le 10 janvier 2009, dans le Monmouthshire, au pays de Galles, 86 plongeurs en scaphandres autonomes se sont jetés dans une carrière inondée profonde de 52,7 m, au fond de laquelle ils ont repassé des vêtements sur des planches conçues à cet effet.

℞ SAUT DU LIT

En mai 2009, environ 20 000 personnes, dans 4 villes différentes – New York, Londres, Paris et Shanghai –, ont sauté pendant 16 heures dans des lits géants. Ceux-ci avaient requis 200 000 vis et écrous, plus de 6 t d'acier. Ils mesuraient 15 m sur 10, et tous étaient surmontés de 30 matelas doubles et d'une couette assez gigantesque pour recouvrir 65 lits doubles de taille normale.

Selon Jyothi Raj, Dieu lui a fait cadeau du don de l'escalade. Il se fait une joie de partager son savoir-faire avec qui le désire, pour autant qu'on se munisse d'un harnais.

L'homme
ARAIGNÉE EXISTE !

JYOTHI RAJ EST DOUÉ D'UN TALENT DE GRIMPEUR INOUÏ QUI LUI PERMET APPAREMMENT DE SE COLLER AUX MURS SANS HARNAIS NI ASSISTANCE. IL ARRIVE MÊME À SE SUSPENDRE PAR LES PIEDS ! OUVRIER DU BÂTIMENT À KARNATAKA, EN INDE, JYOTHI PASSE SES JOURNÉES À ESCALADER LES PÉRILLEUX ÉCHAFAUDAGES DE BAMBOU DES CHANTIERS DE CONSTRUCTION. IL S'EST ENTRAÎNÉ CHAQUE JOUR À S'AGRIPPER AUX MURS EN NE SE SERVANT QUE DE SES MAINS. IL MONTE À ANGLE DROIT, ET MÊME PARFOIS LA TÊTE EN BAS. IL PRÉTEND NE S'ÊTRE JAMAIS SERVI D'ÉQUIPEMENT DE SÉCURITÉ POUR GRIMPER ET NE PAS CRAINDRE LES CHUTES. JYOTHI SE REND CHAQUE DIMANCHE À CHITRADURGA POUR RÉGALER SES FANS. IL A DÉJÀ ESCALADÉ TOUS LES MURS DU FORT, DONT CERTAINS DE 90 M, ET SE SENT PRÊT À AFFRONTER DES MONTAGNES OU DES BÂTIMENTS PLUS IMPOSANTS. IL AFFIRME N'AVOIR JAMAIS SUBI D'ACCIDENT EN 4 ANS. SON BUT ULTIME SERAIT D'IMITER ALAIN ROBERT, LE CÉLÈBRE LIBRE-GRIMPEUR FRANÇAIS CONNU SOUS LE PSEUDONYME DE FRENCH SPIDER-MAN, QUI A ESCALADÉ DE NOMBREUSES STRUCTURES PARMI LES PLUS ÉLEVÉES AU MONDE, DONT CERTAINES S'ÉTIRAIENT JUSQU'À 200 M DE HAUT.

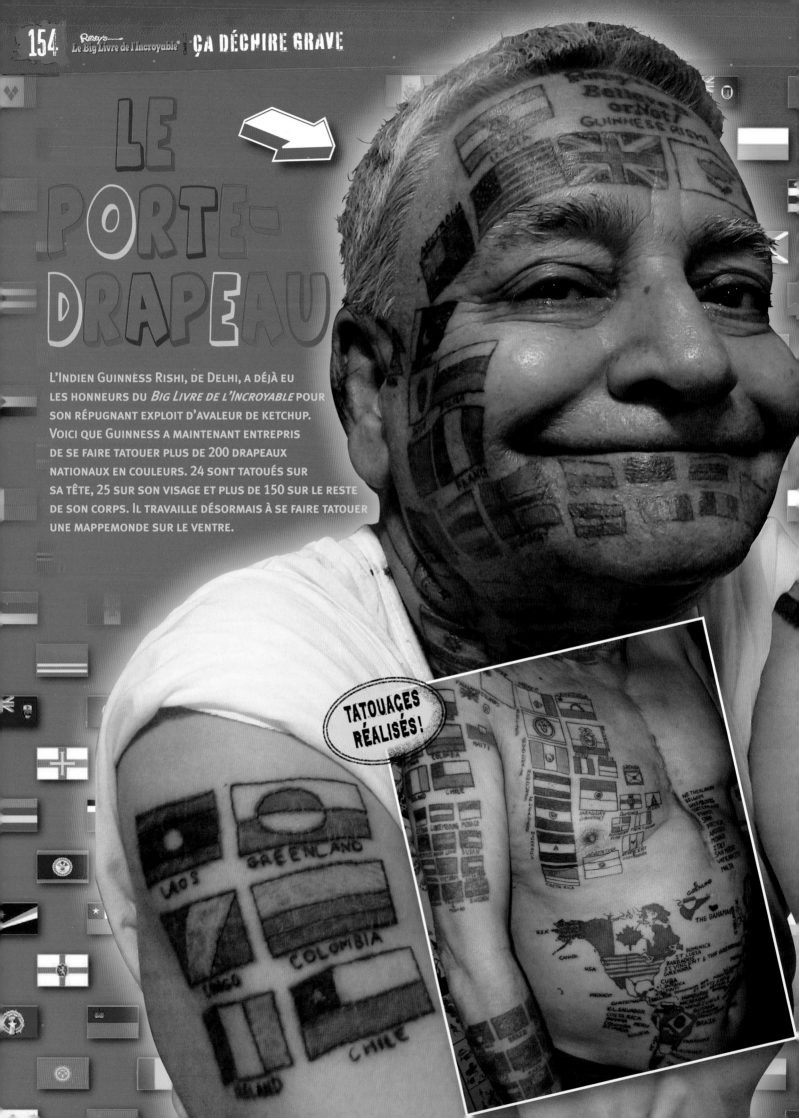

LE PORTE-DRAPEAU

L'INDIEN GUINNESS RISHI, DE DELHI, A DÉJÀ EU LES HONNEURS DU *BIG LIVRE DE L'INCROYABLE* POUR SON RÉPUGNANT EXPLOIT D'AVALEUR DE KETCHUP. VOICI QUE GUINNESS A MAINTENANT ENTREPRIS DE SE FAIRE TATOUER PLUS DE 200 DRAPEAUX NATIONAUX EN COULEURS. 24 SONT TATOUÉS SUR SA TÊTE, 25 SUR SON VISAGE ET PLUS DE 150 SUR LE RESTE DE SON CORPS. IL TRAVAILLE DÉSORMAIS À SE FAIRE TATOUER UNE MAPPEMONDE SUR LE VENTRE.

TATOUAGES RÉALISÉS !

ℝ MAMAN, J'AI RÉPARÉ L'AVION

Née en 2006, Karina Oakley, du Surrey, en Angleterre, possède à l'âge de 2 ans un QI de 160, ce qui en fait l'égale du fameux scientifique Stephen Hawking et de Bill Gates, fondateur de Microsoft. Karina, dont le quotient dépasse de 60 points la moyenne britannique, a passé avec succès un examen de 45 min portant sur des matières aussi diverses que la rhétorique, la mémoire, les nombres et la géométrie.

ℝ IVONETE A DU COFFRE

Un voleur a fait feu sur la Brésilienne Ivonete Pereira, mais le projectile a été stoppé net par une liasse de billets de banque enfoncés dans son soutien-gorge. La dame, âgée de 58 ans, cachait là sa fortune en raison de la recrudescence des vols dans le quartier.

ℝ RÉGIME À LA TRONÇONNEUSE

Lors d'une opération chirurgicale, on a retiré 32 kg de graisse à Billy Robbins. Le garçon, qui avait atteint les 380 kg, s'est soumis à l'intervention dans l'espoir d'empêcher son cœur de flancher.

ℝ IMPOSSIBLE DE S'ASSEOIR

Des médecins chinois ont retiré l'aiguille d'une seringue laissée 31 ans plus tôt dans la fesse de Lao Du, 55 ans, par un autre praticien qui y avait brisé son instrument.

ℝ MAIS QU'AVAIT-IL EN TÊTE ?

En mars 2009, le Brésilien Emerson de Oliveira Abru s'est accidentellement planté un trait d'arbalète dans la tête. Bien que le projectile se soit enfoncé de 15 cm dans son crâne, il a survécu.

ℝ UN NOUVEAU VISAGE

Des chirurgiens sont parvenus à remplacer 80 % du visage de Connie Culp, de Unionport, dans l'Ohio. L'opération a eu lieu en 2008 et consistait à transplanter os, muscles, nerfs, peau et vaisseaux sanguins prélevés chez un donneur : la plus radicale transplantation de visage de l'histoire.

ℝ SYNDROME DE COTARD

Cette rare maladie porte le nom du neurologue Jules Cotard. Il s'agit d'un trouble psychologique qui pousse le sujet à se croire mort, inexistant, en état de putréfaction, ou privé de son sang et de ses organes internes.

ℝ AH, LA BARBE

Le multiple champion du monde des barbus Elmar Weisser, de Baden, en Allemagne, a déjà taillé sa barbe pour lui donner l'apparence de la porte de Brandebourg, du Pont de Londres et, en 2009, d'une bicyclette. Il met jusqu'à 5 heures à la façonner avant chaque compétition.

ℝ À PLEINS PANIERS

Le Chinois du Henan Zhao Liang mesure 2,45 m. Ancien basketteur devenu artiste de rue, il se gave à chaque repas de 8 pains à la vapeur et de 3 assiettes de nourriture.

L'homme-mouton

Rham Sam était un artiste de cirque actif en Europe au XIXe siècle. Son corps était couvert d'une masse capillaire rappelant la laine des moutons. On le découvre ici à Londres en 1890, accompagné du professeur Langdon.

ℝ ÇA PIQUE !

Thomas Entwistle, de Manchester, en Angleterre, a découvert un tesson de verre dans sa peau en se rasant. Il s'agissait d'une parcelle de pare-brise demeurée coincée dans son menton depuis un accident survenu 30 ans plus tôt.

ℝ À UN CHEVEU

En février 2009, à Kansas City, au Missouri, une balle tirée en direction de la tête de Briana Bonds s'est arrêtée dans les boucles très serrées de sa perruque, ce qui lui a sauvé la vie.

ℝ SÉLECTION NATURELLE

Afin de marquer le 200e anniversaire de la naissance du biologiste Charles Darwin, père de la théorie de l'évolution, né le 12 février 1809, le zoo de Bristol, en Angleterre, a laissé entrer gratuitement toute personne portant la barbe, véritable ou postiche.

ℝ EN AVOIR LE CŒUR NET !

Le médecin d'April Pinkard, de Live Oak, en Floride, n'arrivait pas à localiser les battements de son cœur. L'organe avait glissé vers la droite pour aller se loger dans une cavité laissée par l'amputation d'un poumon endommagé.

ℝ L'HEURE A SONNÉ

Les jumeaux Tarrance et Tariq Griffin sont nés à Pontiac, au Michigan, à 30 min d'intervalle : l'un le 31 décembre 2008 à 23 h 51 et l'autre le 1er janvier 2009 à 00 h 17. Du coup, ils ne partagent ni le jour, ni le mois, ni la même année de naissance !

ℝ À PIED LEVÉ

Jana Blazova, de Presov, en Slovaquie, a appris à écrire et à broder avec ses pieds, malgré la paralysie cérébrale qui l'a frappée dans son enfance.

ℝ MORT LENTE

Craig Buford, de Fort Worth, au Texas, est décédé le 29 décembre 2008 des complications d'une blessure par balle reçue 35 ans auparavant.

ℝ MIRACLE GÉNÉTIQUE

Ce phénomène rare a moins d'une chance sur 500 000 de se produire. Un couple de Britanniques a donné naissance pour la seconde fois à des jumelles dont l'une a la peau blanche et l'autre noire. En 2001, Dean Durrant et Alison Spooner, du Hampshire, ont été stupéfaits de découvrir que leur fille Lauren tenait de sa maman, avec ses yeux bleus et ses cheveux roux, alors que sa sœur Hayleigh ressemblait à son papa antillais. L'histoire se répéta en 2008, quand Leah vint au monde toute blanche, alors que sa jumelle Miya avait la peau noire.

ℝ LA FEMME SERPENT

En 2009, à Linxi, en Chine, des chirurgiens ont retiré une tumeur de la jambe de Wang Houju qui pesait trois fois plus lourd qu'elle. Non cancéreuse, elle avait commencé comme un simple grain de beauté avant de s'enrouler graduellement autour de sa jambe et de sa taille, ce qui lui valait le surnom de « femme serpent ». La protubérance finit par peser 100 kg !

Chad a réussi à retenir deux avions de 300 CV au sol pendant plus d'une minute, à la seule force de ses bras.

N393DW

HOMME FORT

CHAD DÉCHIRE LES PLAQUES MINÉRALOGIQUES

WISCONSIN
A 517 394
OCT TRUCK 06

Chad n'a souffert d'aucune séquelle après s'être étendu sur un lit de clous de 30 cm, coincé sous une charge de 385 kg de ciment dont chaque bloc a été pulvérisé à coups de massue. Cela s'est passé sur la 6e Avenue, à New York.

... ET UN JEU DE CARTES!

L'interview

RIPLEY

Comment en êtes-vous venu à briser de la glace?

J'ai passé ma vie à m'entraîner aux arts martiaux. Tout a commencé lorsque ma mère a eu ses premières contractions alors qu'elle se trouvait dans une des écoles d'arts martiaux de mon père. Après des années d'entraînement, et de conditionnement physique et mental, je suis arrivé à casser des trucs étonnants et à accomplir des exploits grâce à ma force physique.

Vous entraînez-vous beaucoup?

Mon niveau d'entraînement est déterminé par le prochain exploit que je compte réaliser mais, en moyenne, je fais 5 km de jogging par jour et de la musculation 4 ou 5 fois par semaine.

Comment faites-vous pour fracasser 16 blocs de glace d'un seul coup?

Un pareil exploit nécessite beaucoup de préparation. Contrairement au béton, la glace se met à suinter et peut glisser d'un côté ou l'autre lorsqu'on la frappe. Tout doit être parfait, y compris le coup, pour réussir.

Cela fait-il mal?

Lorsque je tente un nouveau record de cassage de glace, je sais que ça me fera mal. Mais, au moins, je suis sûr d'avoir à portée de main suffisamment de glace à appliquer sur mon poignet endolori!

Comment évitez-vous les blessures?

Je ne me suis jamais blessé sérieusement au cours de mes cascades. Ce que je fais nécessite beaucoup de conditionnement, d'installation et de préparation, afin de réduire les risques.

Quels conseils donneriez-vous aux jeunes attirés par les sports de force?

Je dis ceci à quiconque désire accomplir quelque chose d'extraordinaire: la plupart des gens n'atteignent jamais leurs objectifs dans la vie, parce qu'ils ont peur de rater leur coup et permettent à leurs peurs de détruire leur potentiel de réussite. Tout est possible. Vivez sans peur. Vivez sans limite.

Quels nouveaux exploits planifiez-vous?

Je m'entraîne actuellement en prévision de l'une de mes cascades les plus extrêmes. Je vais tenter de retenir à mains nues une Lamborghini dont on maintiendra l'accélérateur à fond pendant 8 s.

BRISE GLACE

CHAD NETHERLAND EST CEINTURE NOIRE EN ARTS MARTIAUX ET SE SPÉCIALISE DANS LA DESTRUCTION D'OBJETS DURS À MAINS NUES. EN 2009, IL A DÉTRUIT D'UN SEUL COUP 16 BLOCS DE GLACE DE 34 KG, ÉPAIS DE 15 CM, POUR UN TOTAL DE 544 KG DE GLACE – DE QUOI SUPPORTER LE POIDS D'UN GROUPE D'ADULTES. CHAD, ORIGINAIRE DE MYRTLE BEACH, EN CAROLINE DU SUD, A TOUT APPRIS DE SON PÈRE, QUI ÉTAIT LUI AUSSI UN EXPERT DES ARTS MARTIAUX DE NIVEAU INTERNATIONAL. CHAD A DÉJÀ FRACASSÉ 50 BLOCS DE GLACE EN 19 SECONDES EN DIRECT À LA TÉLÉVISION, EMPÊCHÉ DEUX PETITS AVIONS DE DÉCOLLER EN LES RETENANT AVEC LES BRAS ET S'EST ÉTENDU SUR UN LIT DE CLOUS DE 30 CM ALORS QU'ON FRACASSAIT À COUPS DE MASSUE LES 385 KG DE BLOCS DE CIMENT POSÉS SUR SA POITRINE !

La plénitude en altitude

Heinz Zak n'est pas un amateur de sensations ou un accro à l'adrénaline comme les autres. Bien qu'il risque régulièrement sa vie à plusieurs dizaines ou centaines de mètres du sol, il dit réaliser ces dangereux exploits pour atteindre un état de paix intérieure. Le *highlining* est une forme extrême de funambulisme qui consiste à marcher sur une sangle en nylon de 2,5 cm de large, tendue de façon relativement lâche au-dessus d'un cours d'eau ou d'un relief accidenté, qui de fait fléchit et rebondit. Une concentration intense permet à Heinz de rester calmement en équilibre. Depuis les années 1980, il parcourt le monde à la recherche du lieu parfait pour pratiquer cet exercice périlleux.

Un assemblée bourdonnante

Quand Li Wenhua et Yan Hongxia, deux employés de l'office des forêts de Nanhu, en Chine, ont décidé de se marier, ils ont tenu à inviter certains de leurs collaborateurs… soit des dizaines de milliers d'abeilles. Une reine soigneusement placée a attiré tout l'essaim qui a recouvert les mariés tel un deuxième costume. Reste à savoir combien de convives ont été piqués !

® MARATHON ARCTIQUE

Vêtu seulement d'un short et de sandales, le Hollandais Wim Hof a réalisé en 2009 un marathon à 322 km au nord du cercle polaire arctique. Son corps était exposé à une température de – 25 °C quand il a achevé cette course de 42 km en 5 heures et 25 min.

® TOUR DE GRANDE-BRETAGNE

L'humoriste anglais Eddie Izzard a fait le tour de la Grande-Bretagne au départ de Londres en courant, parcourant 1 778 km, entre le 26 juillet et le 15 septembre 2009 – l'équivalent de 43 marathons en 51 jours.

® CHARMEURS DE VERS

Sophie Smith, 10 ans, originaire du Cheshire, en Angleterre, a remporté le championnat du monde 2009 de charmeur de vers, organisé en Grande-Bretagne, en faisant sortir du sol 567 vers de terre en 30 min. Entre autres techniques employées pour attirer les asticots vers la surface, un homme a joué du xylophone avec des bouteilles, et une femme a fait des claquettes sur la musique de *Star Wars*.

® NAGEUSE DES LACS

En 2009, après avoir parcouru 55 km en 26 heures d'une rive à l'autre du lac Michigan, Paula Stephanson, une Canadienne originaire de Belleville, dans l'Ontario, est devenue la seconde personne à avoir traversé les cinq Grand Lacs à la nage. Elle a commencé sa série par le lac Ontario en 1996, à l'âge de 17 ans.

® IRON MAN

L'athlète japonais Keizo Yamada, surnommé Iron Man, a réalisé 3 marathons en 2009, à l'âge de 81 ans, terminant celui de Tokyo en 5 heures 34 min 50 secondes. Il garde la forme en courant 20 km chaque jour.

® SAUT PÉRILLEUX

En juillet 2009, le cascadeur australien Robbie Maddison a réalisé sur sa moto un saut périlleux arrière entre les travées levées du Tower Bridge de Londres, espacées de 7,6 m. Il a remonté à toute allure un côté du pont levé, s'est envolé dans les airs à 30 m au-dessus de l'eau et a réalisé son *backflip* avant d'atterrir de l'autre côté.

® TOURNOI DE TOURNOIEMENT

Les Cheshire Jets, une équipe de basket de Chester, en Angleterre, ont réuni en juillet 2009 plus de 100 personnes qui ont fait tourner simultanément un ballon sur leur doigt.

® PANOPLIE D'ELVIS

Vince Everett, un habitant de Londres, possédait plus de 3 000 souvenirs d'Elvis Presley, dont 14 vestes du chanteur.

® TRAVERSÉE DE KITESURF

En septembre 2009, Ben Morrison-Jack et James Weight ont traversé en kitesurf le détroit de Bass, de la Tasmanie à l'île principale de l'Australie, soit 250 km.

® FUNAMBULISME

Damian Cooksey, un habitant d'East Bay, en Californie, a réalisé un saut périlleux avant sur une *slackline* (corde lâche) de 2,5 cm d'épaisseur. En 2007, à Munich, en Allemagne, il avait marché sur 154 m de ce type de corde sans tomber.

® FORMATION FÉMININE

En septembre 2009, après avoir sauté de 9 avions à 5 180 m d'altitude, 181 femmes parachutistes de 31 pays se sont rejointes en formation dans les airs au-dessus de la ville de Perris, en Californie.

® BATAILLE DE TARTES

Plus de 250 personnes sont venues participer à une bataille géante de tartes à la crème à Colchester, en Angleterre, en 2009. Environ 650 tartes, garnies de 200 litres de crème, ont été lancées au cours de cette bataille.

® DOUCHE EN GROUPE

En 2009, 150 personnes en maillot de bain se sont douchées ensemble dans une structure spécialement construite de 3 716 m² à Gurnee, dans l'Illinois. Il a fallu 7 heures et demie pour construire cette gigantesque douche équipée de 40 jets pouvant contenir environ 600 personnes au coude à coude.

Amateur de chaleur

Dans la catégorie loisirs insolites, en voici un bien dangereux ! Keith Malcolm, qui habite Aberdeen, en Écosse, enfile plusieurs couches de vêtements ignifuges avant de se faire asperger d'essence et incendier comme une torche humaine. Puis il court aussi vite qu'il le peut jusqu'à ce que les flammes le recouvrent et que des pompiers les éteignent. En 2009, il a parcouru 79 m à toute allure pour une œuvre de bienfaisance.

Galerie

SANDOW

Eugene Sandow, de son vrai nom Friedrich Muller, né en 1867 à Königsberg, en Prusse, a été le premier hercule mondialement connu. Exécutant ses numéros principalement dans des cirques et des foires, il était célèbre pour ses muscles saillants, sa capacité à briser des chaînes autour de son torse, et pour son « costume » minimaliste. Il mourut en 1925.

SANDWINA

Sandwina était appelée « la femme la plus forte et la plus belle du monde ». Elle tordait des tiges en métal et redressait des fers à cheval devant un public nombreux au sein du Ringling Bros and Barnum & Bailey Circus, au début du xxe siècle. Née Katie Brumbach, issue d'une famille de 14 enfants, elle se produisait avec ses parents, Philippe et Johanna. Son père offrait 100 DM à quiconque la vaincrait au catch, mais personne n'a jamais gagné ce prix ! Sandwina a battu le culturiste Eugene Sandow (ci-contre) en soulevant un poids de 135 kg au-dessus de sa tête, Sandow n'ayant réussi à le monter que jusqu'à sa poitrine. C'est après cette victoire que Katie a adopté le nom de scène « Sandwina ».

À PARTIR DU MILIEU DU XIXᴱ SIÈCLE, DEVENIR UN HERCULE PROFESSIONNEL ÉTAIT CONSIDÉRÉ COMME UN BON MÉTIER. CES HOMMES, ET PARFOIS CES FEMMES, COMMENÇAIENT GÉNÉRALEMENT PAR MONTRER LEUR FORCE DANS DES FOIRES ET DES THÉÂTRES LOCAUX EN SOULEVANT DES POIDS EXTRÊMEMENT LOURDS ET EN TIRANT DES OBJETS TELS QUE DES AVIONS ET DES BUS. CERTAINS UTILISAIENT MÊME D'AUTRES PARTIES DU CORPS QUE LES BRAS, COMME LA LANGUE, LES DENTS OU LES OREILLES, POUR PROUVER LEUR PUISSANCE.

AS DES POMPES

Mick Gooch doit avoir les doigts les plus forts au monde. Inspiré par les pompes sur 2 doigts réalisées par la star du kung-fu Bruce Lee, il a décidé d'aller encore plus loin. Cet expert en arts martiaux du Kent, en Angleterre, est capable d'enchaîner 17 pompes avec un doigt sur un seul bras sur la tête d'un clou. Un exploit qui a nécessité plusieurs années d'entraînement et lui a valu diverses fractures.

MAL AUX OREILLES

On voit ici Rakesh Sharma soulever douloureusement 48 kg avec ses oreilles à l'aide de sangles et de pinces en bois dans l'État indien du Pendjab, en octobre 2009.

PUISSANCE DIVINE

En 2009, Kevin Fast, un pasteur de Cobourg, dans l'Ontario, a réussi à tirer un avion géant Globemaster pesant 188 694 kg – le poids de plus 50 éléphants d'Afrique – sur 8,80 m sur la piste d'une base aérienne à Trenton, au Canada.

TOUR DE FORCE

CHEVEUX FORTS

En 2009, à Pékin, la Chinoise Zhang Tingting a tiré six voitures sur 50 m avec ses cheveux.

PLEIN LES YEUX

Yang Guanghe possède le don incroyable de déplacer des objets lourds à l'aide de ses paupières. À Canton, en Chine, en 2009, il a tiré une voiture avec des cordes attachées à ses paupières inférieures.

LANGUE PUISSANTE

Habu, surnommé « l'homme à la langue de fer », était un hercule indien des années 1930 qui pouvait soulever jusqu'à 48 kg en accrochant à sa langue un poids posé sur le sol avant de se redresser.

DENTS SOLIDES

Sur cette photo prise en 1939, on voit l'hercule new-yorkais Al Fraser soulever entre ses dents trois tables et une chaise empilées les unes sur les autres et pesant 68 kg au total.

TROP DE LA BALLE!

RIPLEY'S AIMAIT TELLEMENT LA BALLE D'ÉLASTIQUES GÉANTE RÉALISÉE PAR JOEL WAUL QU'IL L'A ACHETÉE. PESANT 4 264 KG ET HAUTE DE 2,10 M, CETTE BALLE N'EST PAS FACILE À MANŒUVRER ET PEUT MÊME ÊTRE DANGEREUSE. LORSQU'ELLE NE FAISAIT « QUE » 181 KG, ELLE A ROULÉ ET TORDU LE POIGNET DE SON CRÉATEUR. EN OCTOBRE 2009, UNE ÉQUIPE DE RIPLEY'S EST ARRIVÉE CHEZ JOEL WAUL À LAUDERHILL, EN FLORIDE, AVEC UN CAMION REMORQUEUR ET UNE GRUE POUR TRANSPORTER L'OBJET JUSQU'À L'ENTREPÔT DE RIPLEY, À ORLANDO. LA BALLE A ÉTÉ HISSÉE AVEC PRÉCAUTION DEPUIS L'ALLÉE DE LA MAISON ET CHARGÉE SUR LE CAMION AVANT DE FAIRE LENTEMENT LE TRAJET JUSQU'À L'ENTREPÔT. ELLE SERA EXPOSÉE AU MUSÉE RIPLEY'S DE HOLLYWOOD, EN CALIFORNIE, TEMPORAIREMENT À CIEL OUVERT. DE CE FAIT, ELLE POURRA Y ÊTRE INTRODUITE PAR EN HAUT. HEUREUSEMENT, CAR ELLE EST TOUT JUSTE ENTRÉE DANS L'ENTREPÔT !

PHOTO SOUVENIR

Embrasement collectif

En 2009, 17 personnes menées par Ted Batchelor ont déambulé dans une rue de South Russell, dans l'Ohio, le corps en flammes pendant 43,9 secondes. Elles s'étaient entraînées pendant 8 mois dans leurs tenues ignifugées.

Dans l'entrepôt

℞ LA QUEUE AUX TOILETTES

Lors d'une action organisée par l'Unicef pour sensibiliser le public au manque d'eau potable, 756 personnes ont fait la queue, en mars 2009, pour visiter des toilettes à Bruxelles.

℞ TOUR DE LIVRES

En juin 2009, John Evans, un habitant du Derbyshire, en Angleterre, a tenu en équilibre sur sa tête 204 livres empilés en une tour pyramidale de 1,20 m pesant 129 kg. Le contenu d'une bombe de laque a été utilisé pour empêcher les livres de glisser de sa tête.

℞ PARACHUTISTE NONAGÉNAIRE

En avril 2009, George Moyse, originaire du Dorset, en Angleterre, a fait son premier saut en parachute à l'âge de 97 ans. Attaché à un moniteur, il a sauté d'un avion à 3 048 m au-dessus de Salisbury Plain, dans le Wiltshire, et a fait une chute libre de 1 525 m à 193 km/h.

℞ BROUETTES HUMAINES

À Singapour, en avril 2009, 1 378 étudiants de Temasek Polytechnic ont participé à une immense course de brouettes humaines. À cette occasion a également été formée une brouette humaine composée de 74 personnes.

℞ BOULE DE PAPIER

Pour illustrer l'importance du recyclage et l'énormité des déchets, Enrique Miramontes et Ricardo Granados, deux amis de San Diego, en Californie, ont passé plus de 6 ans à créer une boule géante de papier jeté qui pèse 91 kg et mesure 1 m de haut. Durant cette période, Enrique a dépensé plus de 3 000 $ en ruban de masquage et passé plus de 2 000 heures à superposer les morceaux de papier. Cette idée lui est venue au lycée, à 16 ans, quand un ami lui a lancé une boule de papier en cours de biologie.

℞ MASSACRE À LA PASTÈQUE

Lors du Chinchilla Melon Festival 2009, organisé dans le Queensland, en Australie, le cueilleur de melons John Allwood a éclaté 47 pastèques avec sa tête en une minute.

℞ PLANTEUR D'ARBRES

En une seule journée de juillet 2009, une équipe de 300 bénévoles a planté plus d'un demi-million de palétuviers dans la région du delta du fleuve Indus, dans la province du Sind, au sud du Pakistan.

℞ BAISERS EN MASSE

À la Saint-Valentin 2009, près de 20 000 couples se sont réunis sur la place principale de Mexico et se sont embrassés pendant 10 s.

℞ MARCHE ARRIÈRE

En 2008, Bill Kathan, un habitant de Vernon, dans le Vermont, a marché pendant quinze heures en arrière, en descendant d'un bord du Grand Canyon jusqu'au fleuve Colorado, puis en remontant l'autre rive.

℞ JEUNE GRIMPEUR

Tom Fryers, un petit garçon de 6 ans du sud du Yorkshire, en Angleterre, a déjà escaladé 214 pics dans la région anglaise du Lake District, l'équivalent de 5 fois le mont Everest. Il a réalisé l'ascension de son premier pic à l'âge de 3 ans. Depuis, il a parcouru 772 km et gravi plus de 45 720 m, notamment sur les deux plus hautes montagnes de son pays : Scafell Pike (978 m) et Sca Fell (964 m).

En 1917, Elsie Wright, une jeune fille de 16 ans originaire de Bradford, en Angleterre, a photographié de minuscules « fées » dansant pour sa cousine, Frances Griffiths. Ces clichés ont retenu l'attention de sir Arthur Conan Doyle, auteur des aventures de Sherlock Holmes, qui les a publiés dans un article sur les fées. Ces images sont devenues célèbres, laissant penser à de nombreuses personnes que ces créatures existaient. Ce n'est qu'en 1982 qu'Elsie et Frances ont avoué les avoir fabriquées avec du carton.

VISAGE SANS TRAITS

Si les visiteurs de l'église Chiesa della Santa de Bologne, en Italie, regardent assez longtemps à travers la grille d'une ouverture dans le mur, ils verront un visage étrange, sombre, presque sans traits, les fixer. Cette apparition qui fait froid dans le dos est la relique momifiée de Sainte Catherine de Bologne, morte en 1475. Après une série de miracles, son corps, inexplicablement très peu décomposé, a été exhumé par des religieuses. Quelques années après, elle est apparue à l'une d'elles, demandant à être placée dans la petite chapelle, assise bien droite. Elles l'ont donc revêtue d'habits de nonne, lui ont mis une croix en or dans la main et l'ont assise sur un trône en or, où elle demeure depuis plus de 500 ans.

® TRÉSOR CACHÉ

Depuis plus de 200 ans, des chasseurs de trésor tentent d'atteindre le fond du « puits d'argent » d'Oak Island, au Canada. Ce trou de 60 m de profondeur a été découvert par Daniel McGinnis en 1795, mais des inondations, des effondrements et une série d'objets piégés l'ont depuis rendu impénétrable. Six chasseurs de trésor ont péri dans cette quête, convaincus que le puits contenait un butin de grande valeur. Parmi les hypothèses de la nature exacte du trésor figurent un butin de pirates, les joyaux de la couronne française, les trésors du temple du roi Salomon et même le Saint-Graal.

® LIGNE DE NAZCA

Sur une plaine de 80 km de long et 24 km de large dans le désert aride de Nazca, au Pérou, se trouve une série de quelque 900 formes géométriques gigantesques, allant de simples lignes à des dessins complexes représentant des animaux, des plantes et des oiseaux. On peut notamment y distinguer une araignée, un colibri, une baleine et un pélican de 15 km de long. C'est pour cette raison qu'elles n'ont été découvertes que dans les années 1930, lorsqu'un avion a survolé le plateau.

® JACK TALONS-À-RESSORT

En 1837, un homme apparemment respectable est entré dans un poste de police, à Londres. Il a raconté que sa fille avait été attaquée par une silhouette revêtue d'une cape qui crachait des flammes bleues et blanches, et avait des griffes métalliques. Renommé pour sa capacité à faire des bonds extrêmement hauts, ce mystérieux personnage surnommé Jack Talons-à-ressort a continué de fasciner et de terrifier le Londres victorien pendant des années, et aurait même été vu jusqu'à Liverpool et en Écosse.

® MARY CELESTE

Construit en Nouvelle-Écosse, au Canada, le navire marchand de 282 t *Mary Celeste* est parti de New York en novembre 1872 pour Gênes, en Italie, avec une cargaison de 1701 fûts d'alcool. Quand il a été retrouvé au large du Portugal, le 4 décembre, les 10 personnes à son bord avaient disparu et n'ont jamais été retrouvées. Il n'y avait aucune trace de lutte, la cargaison était pratiquement intacte, le bateau en parfait état, le temps calme. Même si le canot de sauvetage manquait, toutes les affaires de l'équipage et des passagers avaient été laissées à bord.

Les visages de Belmez

En 1971 à Belmez, en Espagne, Maria Gomez Pereira a été très surprise de voir soudain apparaître un visage d'homme sur le sol de sa cuisine. Elle a fait arracher et reposer le plancher, mais le visage est réapparu au même endroit en moins d'une semaine. On a découvert que la maison avait été construite sur un cimetière, et des fouilles ont révélé des restes humains, qui ont été enlevés. Après la pose d'un nouveau plancher, une série de visages a de nouveau commencé à apparaître au bout de deux semaines.

℞ LUMIÈRE SUR LA MONTAGNE

Depuis plus de 800 ans, de mystérieuses lumières sont observées sur Brown Mountain, en Caroline du Nord. Généralement blanches, elles sont parfois devenues rouges, bleues ou jaunes. L'une des hypothèses est qu'elles résulteraient du gaz des marais dégagé par des matières animales et végétales en décomposition, mais il n'y a pas de marais dans les environs. Selon une autre théorie, il pourrait s'agir d'éclairs en boule.

Homme masqué ○────────────●

Pendant un siècle, on a cru que l'aventurier Harry Bensley était parti de Londres en 1908 pour un tour du monde à pied de 6 ans, portant un masque de fer et poussant un landau pour gagner un pari de 100 000 $ avec le millionnaire américain excentrique J. Pierpont Morgan. Cependant, loin d'avoir atteint la Chine et le Japon comme il le prétendait, on doute aujourd'hui qu'il ait jamais quitté la Grande-Bretagne. Sa famille ne trouve aucune preuve qu'il se soit aventuré à l'étranger. Quand il a refait surface, il n'a montré aucun signe de richesse, alors que ses gains supposés équivalaient à 2 millions de dollars actuels. Le cas mystérieux d'Harry Bensley demeure à ce jour non élucidé.

℞ LE MONSTRE DE LA RIVIÈRE WHITE

En 1971, alors qu'ils pêchaient sur la rivière White à Newport, dans l'Arkansas, Cloyce Warren et ses amis ont vu un immense jet d'eau monter vers le ciel. Un instant après, une créature de 9 m de long avec des épines le long de la colonne vertébrale est brièvement remontée à la surface avant de disparaître dans les profondeurs. Bien que Cloyce Warren ait réussi à le prendre en photo, le monstre de la rivière White n'a jamais été identifié.

℞ STATUES DE PIERRE

Près de 900 statues géantes en pierre, vieilles d'au moins 400 ans, avec des têtes et des torses humains allongés, sont dispersées sur l'île de Pâques, dans le Pacifique. Personne ne sait pourquoi les habitants les ont sculptées ni comment ils les ont apportées jusqu'à leur emplacement. Appelées *moais*, elles mesurent 4 m de haut et certaines pèsent plus de 80 tonnes. On estime qu'il fallait 150 personnes pour transporter chacune d'elles à travers la campagne sur des traîneaux en bois.

℞ AIGLE TUEUR

Des recherches menées en 2009 ont montré qu'un gigantesque oiseau de proie mangeur d'hommes d'une légende ancienne maori avait réellement existé. Les Maoris de Nouvelle-Zélande parlaient d'un grand oiseau qui fondait sur les gens dans les montagnes et tuait les enfants. Les scientifiques connaissent l'existence d'un aigle géant depuis plus d'un siècle, grâce à des os déterrés lors de fouilles, mais de nouvelles études de son comportement indiquent qu'il s'agissait d'un prédateur vraiment redoutable, pesant jusqu'à 18 kg, qui attaquait probablement les humains.

℞ L'ANTENNE D'ELTANIN

En 1964, le navire américain de recherche polaire *Eltanin* a trouvé une étrange antenne au fond de l'océan Atlantique, à 1600 km au sud du cap Horn. Il s'agissait d'une tige dotée de 12 branches espacées de 15 degrés les unes des autres, avec une forme sphérique au bout de chacune d'elles. Certains experts pensèrent que c'était une nouvelle forme de vie marine ; d'autres la prirent pour le vestige d'une civilisation ancienne.

Spectacle lumineux

Le 9 décembre 2009 au matin, des milliers de personnes ont vu une mystérieuse spirale géante de lumière apparaître dans le ciel de Norvège. Celle-ci a d'abord pris la forme d'un cercle de lumière blanche tournoyant autour d'une étoile brillante ressemblant à la lune, puis elle s'est élargie, projetant un rayon bleu-vert vers la Terre. Ce phénomène étrange, visible sur plusieurs centaines de kilomètres, a duré plusieurs minutes. Il pourrait s'agir d'un tir raté de missile russe, d'un météore ou d'une variation jamais vue auparavant d'aurore boréale.

® LE MONSTRE DE LAKE WORTH

Le 5 novembre 1969, un bipède de 2,10 m couvert d'un pelage blanc avec un bouc de chèvre a été vu par de nombreux témoins autour de Lake Worth, au Texas. Quand l'un d'eux a tenté de l'approcher, la bête a hurlé, jeté un pneu de voiture à environ 150 m sur la foule et pris la fuite. Bien qu'on ait découvert des empreintes de pied de 40 cm de long, personne n'a jamais retrouvé le monstre de Lake Worth.

® ÉTRANGES EMPREINTES

En 1921, les membres d'une expédition britannique escaladant la face nord du mont Everest, dans l'Himalaya, ont vu un groupe de silhouettes sombres se déplacer sur un champ de neige au-dessus d'eux. Quand ils ont atteint cet endroit – à environ 6 400 m d'altitude –, ils y ont découvert, dans la neige, d'énormes empreintes ressemblant à des pieds. Les sherpas ont expliqué qu'il s'agissait des traces de l'insaisissable yéti, ou abominable homme des neiges.

® L'ÉNIGME DU CRÂNE

Un crâne jaunissant découvert en 2004 près de Featherston, en Nouvelle-Zélande, a été identifié par des experts médico-légaux comme celui d'une femme européenne ayant vécu environ 270 ans auparavant, soit un siècle avant la première arrivée connue de colons blancs dans le pays.

LES RECHERCHES DE IPLEY

LA LÉGENDE DU YÉTI DATE DE 1832, LORSQUE DES GUIDES HIMALAYENS ONT VU UNE GRANDE CRÉATURE SOMBRE ET POILUE MARCHER SUR DEUX JAMBES, COMME UN HUMAIN. DEPUIS, DE NOMBREUSES EXPÉDITIONS ONT ÉTÉ LANCÉES À LA RECHERCHE DU YÉTI. CEPENDANT, BIEN QU'ON L'AIT PARFOIS APERÇU ET QUE D'ÉTRANGES EMPREINTES AIENT ÉTÉ TROUVÉES DANS LA NEIGE, SA NATURE EXACTE N'A JAMAIS ÉTÉ ÉLUCIDÉE. SELON LES SPÉCIALISTES, IL POURRAIT S'AGIR D'UN ORANG-OUTAN, D'UN OURS, D'UN SINGE ENTELLE OU D'UNE ESPÈCE INCONNUE.

® ROUTE DE LA MORT

Au cours des 12 mois qui ont suivi l'ouverture d'un nouveau tronçon d'autoroute entre les villes allemandes de Brême et Bremerhaven en 1929, plus de 100 accidents ont eu lieu près d'une petite borne kilométrique appelée Borne 239, alors que cette partie de la voie était droite et plane. Par temps clair, un jour de septembre 1930, 9 voitures y ont quitté la route. Un habitant de la région a affirmé qu'un ruisseau sous-terrain générait un fort courant magnétique provoquant ces accidents. Il a donc enterré une boîte remplie de cuivre à cet endroit, et les accidents ont cessé.

La légende du yéti

Le présentateur de télévision américain Josh Gates montre ici un moulage de ce qui pourrait être une empreinte de l'insaisissable yéti, créature semblable à un singe dont l'existence est enveloppée de mystère depuis près de 200 ans. Ces traces de 33 cm de long ont été trouvées en 2007 au Népal, près du mont Everest, à 2 850 m d'altitude.

Vampires

SI VOUS OSEZ TOURNER CETTE PAGE,
VOUS FERIEZ MIEUX DE LE FAIRE
EN PLEIN JOUR, CAR LES VAMPIRES
RÔDENT ENTRE LE COUCHER
ET LE LEVER DU SOLEIL...

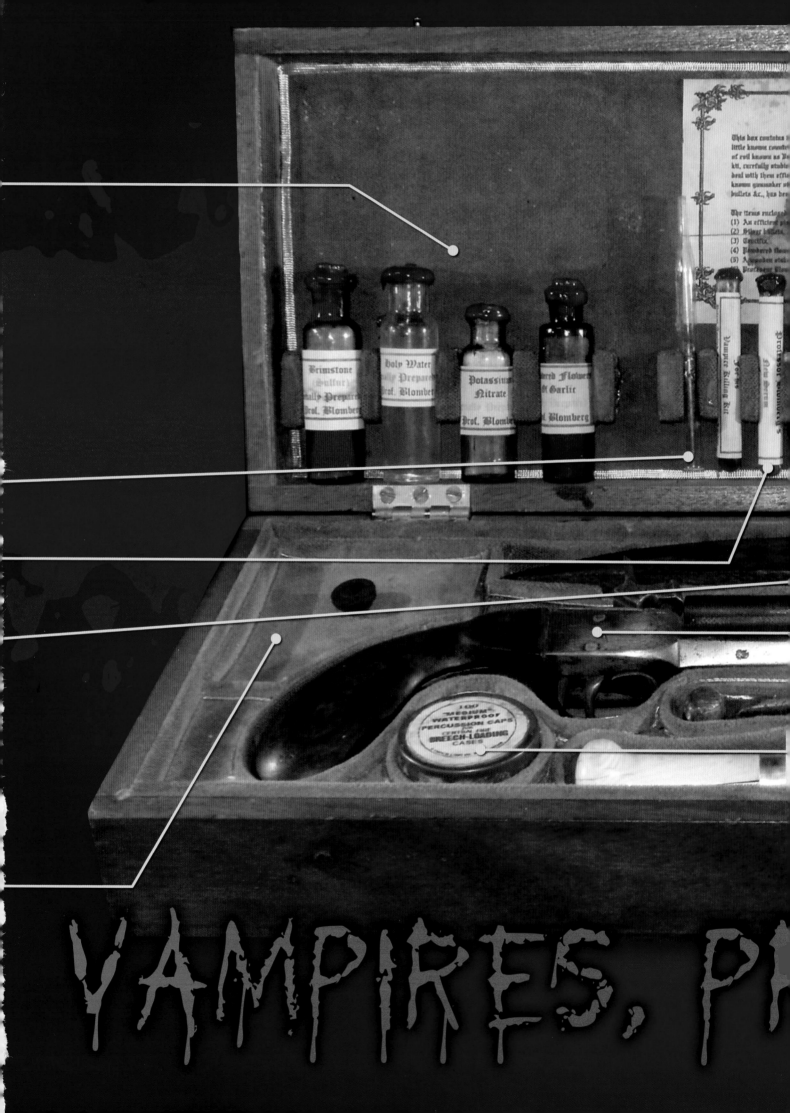

Brimstone
Sulfur
ally Prepared
Prof. Blomberg

Holy Water
ally Prepared
Prof. Blomberg

Potassium
Nitrate

Prof. Blomberg

red Flowers
Garlic

d Blomberg

VAMPIRES, PP

Les kits antivampires sont apparus vers la fin du xixᵉ siècle. Souvent, une étiquette sur l'intérieur du couvercle indiquait : « Cette boîte contient les articles considérés comme nécessaires pour la protection des personnes qui voyagent dans certains pays peu connus d'Europe de l'Est où la population est tourmentée par une étrange manifestation du mal. » Nombre de ces kits étaient fabriqués par l'armurier belge Nicolas Plomdeur et vendus par le professeur Ernst Blomberg (1821-1903) de Lübeck, en Allemagne.

Ce kit fait partie de la collection Ripley, qui en compte plus de 30. Les collectionneurs du monde entier s'arrachent ces kits, qui se sont vendus jusqu'à 24 000 $ l'unité. Celui-ci contient plusieurs articles incontournables.

1 FIOLES SCELLÉES À LA CIRE

(poudre de fleurs d'ail, eau bénite, soufre et nitrate de potassium)

Sur chaque fiole figure une étiquette indiquant son contenu et la mention « Spécialement préparé par le professeur Blomberg ». Le soufre et le nitrate de potassium sont les composants de la poudre à canon, qui pouvait être parsemée autour de la tombe d'un vampire présumé ou, si un chasseur se sentait courageux, placée dans le nez, les oreilles et les yeux de la dépouille, puis enflammée. L'ail est connu depuis longtemps pour ses vertus curatives et possède une réputation de pureté comparable à l'argent. Dans les temps anciens, ceux qui ne l'appréciaient pas étaient condamnés, considérés comme des vampires. On l'accrochait également devant les portes pour protéger la maison et on le faisait circuler dans les églises pour vérifier que l'assistance était entièrement humaine. L'eau bénite était censée brûler la peau des vampires et leur faire extrêmement mal, même si elle ne les tuait pas.

2 SERINGUE EN VERRE

Très probablement utilisée avec le sérum du professeur Blomberg.

3 SÉRUM DU PROFESSEUR BLOMBERG

Ces fioles indiquent qu'une demande de brevet a été déposée à Londres, mais la composition exacte du sérum est inconnue. Il pourrait contenir de l'eau bénite, de l'extrait d'ail, du miel et du sel.

4 CRUCIFIX

Une croix prête à l'emploi peut être brandie pour protéger une personne d'un vampire qui approche. D'autres articles du kit sont ornés de croix supplémentaires pour plus de protection. Il peut également être utile de porter un crucifix sur une chaîne autour du cou. Une profonde foi religieuse peut aider celui qui le porte lors d'une bataille avec une force démoniaque. On croyait que la forme de la croix vidait les vampires de leur force, les repoussait et, s'ils la touchaient, brûlait leur chair. Le crucifix – une croix sur laquelle figure une image du Christ – est considéré comme un outil plus fort que toute autre croix.

5 BALLES EN ARGENT *(non visibles)*

Une poche cachée dans la boîte contient des balles en argent. Ce métal est réputé pour sa pureté, d'où la conviction qu'il peut achever des créatures maléfiques telles que les vampires et les loups-garous. La validité de cette hypothèse est très contestée car les traditions populaires liées aux vampires sont antérieures aux pistolets à balles. De nombreux spécialistes des vampires admettent que les écrivains modernes ont introduit cet aspect, tout en ajoutant que les croix, dagues et clous en argent placés dans un cercueil sont également efficaces.

Ce kit bien fourni est complété par des grains de chapelet et une bible.

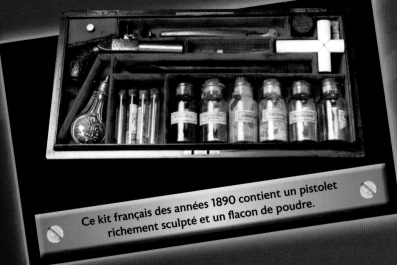

Ce kit français des années 1890 contient un pistolet richement sculpté et un flacon de poudre.

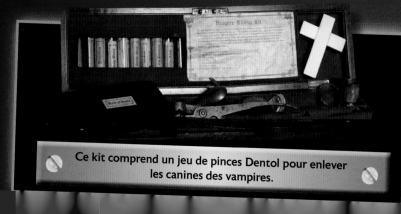

Ce kit comprend un jeu de pinces Dentol pour enlever les canines des vampires.

Les vampires, anormalement pâles et d'apparence frêle, sont en fait extraordinairement forts, agiles et rapides. Dormant pendant la journée, ils révèlent leur vraie nature la nuit, à la recherche de victimes pour assouvir leur soif de sang. Ils plantent leurs canines acérées dans le cou de proies humaines sans méfiance et boivent goulûment pour retrouver leur force surhumaine en aspirant la vie du corps qu'ils attaquent. Parfois, ils laissent une personne en vie, mais l'infection qu'ils lui transmettent transforme celle-ci à son tour en vampire. On dit que la mort est préférable à une existence d'immortalité des plus tourmentées...

Les histoires de vampires remontent à des milliers d'années, jusqu'à la Mésopotamie antique, mais la plupart des récits modernes trouvent leurs racines dans les contes populaires d'Europe de l'est. Aux XVIIIe et XIXe siècles, les histoires gothiques d'épouvante rencontrèrent un succès grandissant. Grâce aux doutes et aux peurs des lecteurs fascinés, les vampires constituaient une explication crédible à la propagation des maladies, des épidémies et de la mort. Quand les voyageurs s'aventuraient dans les lieux les plus reculés de l'Europe, ils s'armaient des objets supposés protéger quiconque d'une rencontre avec un vampire. L'ail, les croix, l'eau bénite et les balles spéciales étaient censés viser les points faibles des vampires, et on pouvait même trouver des kits spéciaux pour les tuer.

LES VAMPIRES DU MONDE VEILLENT !

YARA-MA-YHA-WHO – Créature d'Australie dotée de tentacules qui sucent le sang.

LOOGAROO – Esprit vampirique des Caraïbes dépourvu de peau.

RAKSHASA – Démon indien suceur de sang aux ongles venimeux.

MANDURUGO – Vampire ailé des Philippines doté d'une longue langue.

PENANGGALAN – Tête dotée de canines qui vole la nuit en Malaisie.

IMPUNDULU – Effrayant oiseau suceur de sang d'Afrique du Sud.

VOLKODLAK – Loup-garou slave pouvant se transformer en vampire.

YUKI-ONNA – Femme des neiges japonaise qui boit du sang.

BAOBHAN SITH – Femme vampire gaélique d'aspect fantomatique.

ASANBOSAM – Vampire aux dents de fer du Ghana.

STRIGOÏ – Vampire roumain sorti de sa tombe.

JÉ-ROUGES – Loup-garou vampirique haïtien.

ADLET – Chien vampirique inuit.

Le vampire aristocratique vêtu d'une cape tel qu'on le connaît aujourd'hui a été rendu célèbre par le roman Dracula de Bram Stoker, paru en 1897. Des films comme Dracula (1931) et Nosferatu (1922) – dont on voit ici une photo, avec Max Schreck dans le rôle principal du comte Orloff – ont contribué à attiser l'enthousiasme et une passion pour les vampires. Bela Lugosi, qui jouait dans le film de 1931, s'évanouissait pourtant à la vue du sang !

DRACULA EXISTE !

Vlad Dracul III était prince de Valachie, une région du sud de la Roumanie, à la fin du XVe siècle. Également surnommé « Vlad l'Empaleur », parce qu'il avait pour habitude de capturer ses ennemis et d'empaler leur tête sur des pieux, il était un féroce guerrier et un souverain tyrannique qui a tué des milliers d'hommes au combat. Le nom « Dracula » vient du mot roumain ancien pour *diable* ou dragon, et il semble avoir inspiré l'auteur Bram Stoker pour nommer son personnage de fiction le plus célèbre.

Les nombreuses victimes de Dracula étaient empalées sur des poteaux. Selon un ouvrage allemand publié en 1488, quelques années après sa mort, un visiteur aristocrate a trouvé Vlad au milieu d'une « vaste forêt » de corps empalés. Quand il s'est plaint de l'odeur, Vlad « l'a fait empaler en hauteur pour qu'il ne soit pas importuné par l'odeur des autres ».

LIENS DE SANG

Dans les années 1920, n'arrivant pas à expliquer la mauvaise santé d'une Haïtienne de neuf ans, des médecins ont supposé qu'elle avait une maladie débilitante. Un docteur du pays n'était pas convaincu, et en examinant le corps de la fillette il a trouvé une minuscule piqûre d'épingle sur son gros orteil. Sa tante, Anastasie Dieudonné, a avoué avoir drogué sa nièce et sucé son sang pendant neuf mois.

CROYANCES TENACES

Même au XXIe siècle, les histoires de vampires abondent. En 2004 en Valachie (la région de Vlad Dracul), des personnes ont exhumé et détruit un cadavre pour l'empêcher de sortir boire le sang des vivants. Elles ont planté un pieu dans son cœur, avant de l'arracher et de le brûler.

DAME SANGLANTE

La comtesse Élisabeth Báthory n'était pas un personnage de fiction : cette aristocrate, surnommée « la comtesse sanglante », a bel et bien existé. Poussée par son désir d'éternelle jeunesse, elle aurait capturé et tué quelque 600 jeunes Hongroises pour pouvoir boire leur sang et se baigner dedans. Elle a été enfermée dans son château jusqu'à sa mort en guise de châtiment.

6 CAPSULES FULMINANTES

Cette boîte contient 100 capsules fulminantes résistantes à l'eau, qui permettaient de tirer par tous les temps avec une arme à feu se chargeant par le canon.

7 PISTOLET

La partie inférieure de la boîte contient plusieurs pièces servant à entretenir et utiliser un pistolet, comme un bâton de poudre, un moule à balles et un flacon de poudre.

8 BÂTON DE POUDRE

Utilisé pour tasser la poudre dans le canon du pistolet.

9 ENCENSOIR EN IVOIRE

Décoré d'une croix en argent, l'encensoir servait à brûler de l'encens pendant les offices religieux et, grâce à ses pouvoirs divins, à repousser les vampires.

10 PIEU EN BOIS

Traditionnellement, un pieu planté dans le cœur est le meilleur moyen d'achever un vampire. Celui-ci comporte une dague intégrée pour être plus efficace. Les bois généralement utilisés sont le frêne et le tremble, censés posséder de puissantes vertus antivampires. Au Moyen Âge, on plantait souvent un pieu dans le cœur d'un défunt avant de l'enterrer quand on pensait qu'il risquait de devenir un vampire – s'il était mort des suites d'une maladie ou de mauvaises actions, par exemple.

11 FLACON DE POUDRE EN CUIVRE ET LAITON

Utilisé pour contenir la poudre nécessaire pour le pistolet.

D'autres kits comportaient également un maillet pour enfoncer un pieu dans le cœur du vampire, des grains de chapelet et des icônes de diverses cultures ou religions du monde. Les pistolets à canon court étaient courants, et certains étaient même façonnés en forme de crucifix.

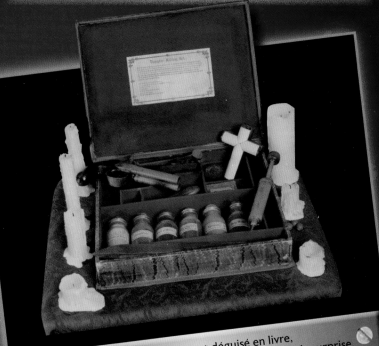

Astucieusement déguisé en livre, ce kit donnait à son propriétaire l'avantage de la surprise.

CONSEILS AUX CHASSEURS DE VAMPIRES

Il est bon de savoir que les vampires n'aiment pas la lumière du jour. Dans les cas extrêmes, elle peut détruire le monstre, qui tombe en poussière. Parfois, elle le dépouille simplement de sa force.

† Un vampire préfère vivre et se nourrir dans le noir. Gardez cela à l'esprit : à la lumière du soleil, vous serez en sécurité.

† Un vampire ne peut être tué, techniquement, car il est déjà mort. Mais il peut être renvoyé et maintenu dans sa tombe.

† Brûler un vampire est une bonne technique. Assurez-vous toutefois que la totalité du corps et des organes sont réduits en cendres.

† Un vampire a une incroyable capacité d'autoguérison et de récupération progressive de sa force et de sa forme corporelle. Cela peut prendre longtemps, mais il a des siècles d'immortalité devant lui.

† Couper un vampire en deux peut l'achever, surtout si la tête est séparée du corps.

† Dans les temps anciens, on plantait un pieu dans le cœur des vampires présumés avant de l'arracher ; puis on les brûlait et on leur tranchait la tête, avant de les enterrer à nouveau.

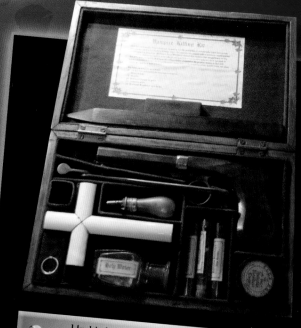

Un kit bien préservé, comme celui-ci, s'est récemment vendu à plus de 15 000 €.

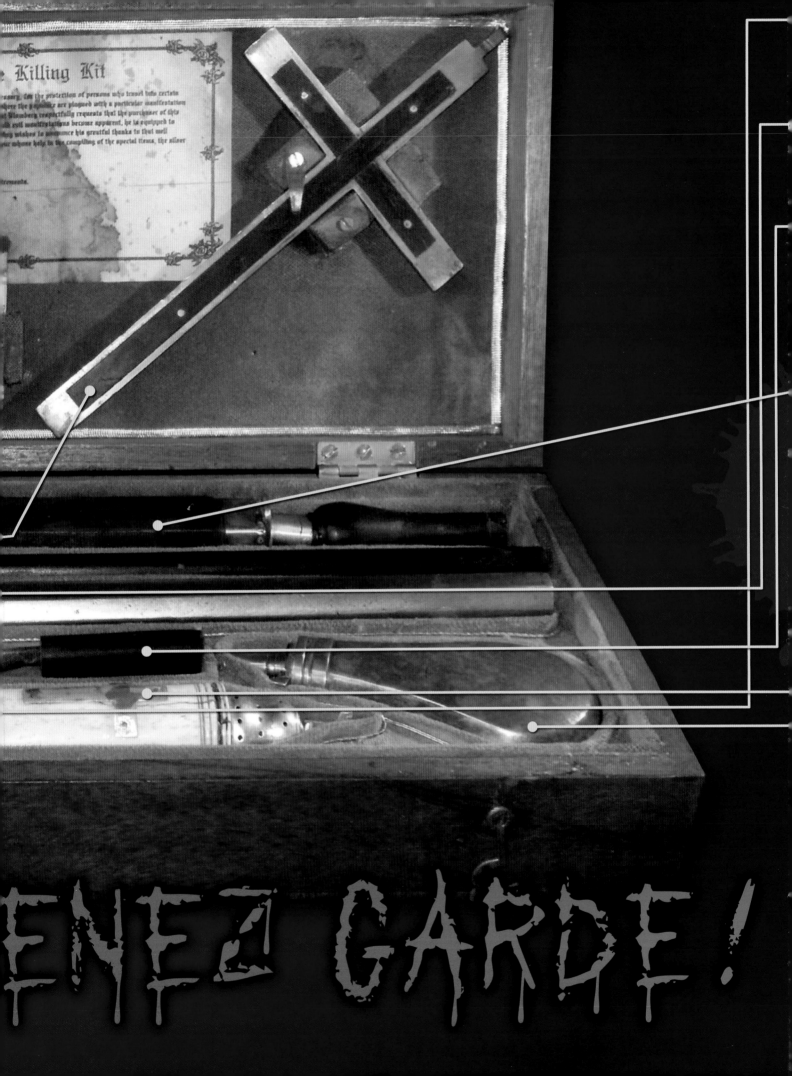

Le vampire de Düsseldorf

Au début des années 1900, des journaux surnommaient un tueur en série allemand « le vampire de Düsseldorf ». Peter Kürten, élevé dans la violence, a commis de nombreux crimes dont plusieurs meurtres. Les journaux affirmaient qu'il buvait le sang de ses victimes, d'où son sinistre surnom. Après son procès et son exécution, sa tête a été disséquée pour permettre un examen scientifique de son cerveau. On supposait qu'il souffrait d'une pathologie rare appelée syndrome de Renfield, ou vampirisme clinique, un trouble mental se traduisant par une obsession pour l'ingestion de sang. Sa tête momifiée est exposée au musée Ripley du Wisconsin.

Précaution

Ce crâne de femme du XVIᵉ siècle a été trouvé lors de fouilles archéologiques près de Venise, dans le nord de l'Italie, en 2006. Une brique a été placée dans sa bouche après sa mort pour l'empêcher de sortir de sa tombe pour boire du sang.

Fosse aux vampires

Pendant les siècles passés, la peste a fait de très nombreuses victimes, qui étaient enterrées dans des charniers. Ces trous étant laissés ouverts pour accueillir de nouveaux cadavres, on pouvait assister au processus de décomposition: lèvres se rétractant et révélant les dents, sang s'écoulant de la bouche, et apparence de plus en plus pâle et ratatinée. Cela correspondait aux histoires de vampires qu'on racontait aux gens, et le nombre croissant de morts confirmait simplement ce qu'ils croyaient. Les corps les plus vieux, par des phénomènes naturels, commençaient à gonfler, comme s'ils avaient repris leur forme en se nourrissant du sang des vivants.

FÉVRIER 1970

Une homme chasse un vampire

Des témoins ont dit à la police qu'ils étaient effrayés par de mystérieuses silhouettes fantomatiques près du cimetière de Highgate, dans le nord de Londres. Selon Sean Manchester, chasseur de vampires, des perturbations démoniaques sont présentes et doivent être exorcisées. Il pense qu'il s'agit du corps possédé d'un aristocrate amené dans un cercueil à Highgate au XVIIIᵉ siècle.

AOÛT 1970

Le business de Dracula

Comme l'a signalé ce journal en février, le chasseur de vampires Sean Manchester a procédé à un exorcisme sur la tombe soupçonnée de contenir le vampire de Highgate, après que des silhouettes sombres aperçues et des corps enlevés de tombes ont provoqué la panique près du cimetière. Manchester n'a pas planté de pieu dans la créature, et les apparitions ont continué. Il affirme maintenant que ses collègues ont continué de rechercher la cause de la contagion et sont remontés jusqu'à un manoir de Crouch End, non loin du cimetière, et ont réalisé un exorcisme en bonne et due forme au cours duquel le vampire a été brûlé. Selon Manchester, celui-ci serait un aristocrate européen amené à Londres dans un cercueil.

Merci Mercy !

La famille Brown, qui vivait à Exeter, dans le Rhode Island, a attrapé la tuberculose en 1892. La mère, puis la fille, Mercy, en sont mortes. Quand le fils, Edwin, est également tombé malade, les villageois étaient sûrs qu'un vampire était responsable. Le corps de Mercy a été exhumé et semblait avoir rougi, comme si son cœur était toujours vivant : un signe qu'elle était un vampire. Son cœur a été brûlé et les cendres données à son frère en guise de médicament – ce qui ne l'a pas guéri.

Le mystère des crânes de cristal

AU MOINS 13 SUPERBES CRÂNES DE CRISTAL – TROUVÉS DANS DIVERS LIEUX AU MEXIQUE, EN AMÉRIQUE CENTRALE ET EN AMÉRIQUE DU SUD – ONT ÉTÉ PRÉSENTÉS À DES MUSÉES ET DES COLLECTIONNEURS AU XIXE SIÈCLE ET AU DÉBUT DU XXE SIÈCLE. MALGRÉ DES EXAMENS APPROFONDIS, PERSONNE NE SAIT EXACTEMENT COMMENT ET QUAND ILS ONT ÉTÉ FABRIQUÉS. IL S'AGIRAIT D'OBJETS MYSTIQUES PRÉCOLOMBIENS DES CIVILISATIONS MAYA OU AZTÈQUE QUI POSSÈDERAIENT DES POUVOIRS SPIRITUELS POUVANT PRODUIRE DES VISIONS, GUÉRIR DES MALADIES OU MÊME CAUSER LA MORT.

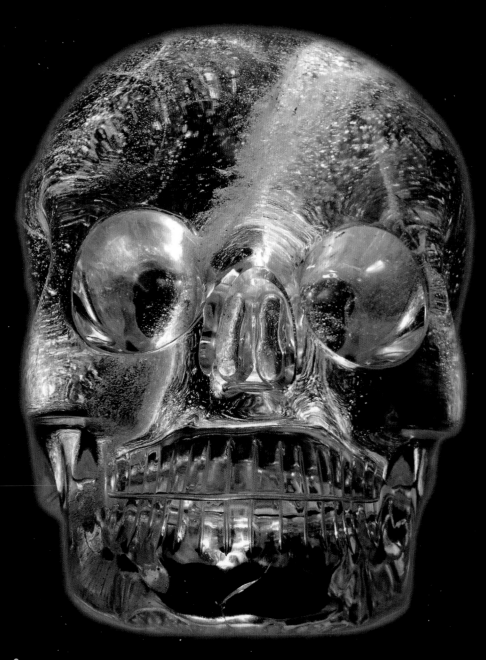

LES RECHERCHES DE ® IPLEY

LA LÉGENDE RELIE LES CRÂNES DE CRISTAL À LA CIVILISATION MAYA, DONT LE CALENDRIER PREND FIN LE 21 DÉCEMBRE 2012. CERTAINS PENSENT QUE SI LES 13 CRÂNES SONT RÉUNIS, ILS EMPÊCHERONT UNE CATASTROPHE APOCALYPTIQUE À CETTE DATE. D'AUTRES AFFIRMENT QUE CE SONT DES VESTIGES DU MONDE PERDU DE L'ATLANTIDE OU L'ÉQUIVALENT D'ORDINATEURS ANTIQUES PERMETTANT DE REGARDER DANS LE PASSÉ, LE PRÉSENT ET LE FUTUR. L'ANALYSE DE L'UN DES CRÂNES A MONTRÉ QU'IL AVAIT ÉTÉ SCULPTÉ DANS UN SEUL MORCEAU DE CRISTAL DE ROCHE – PEUT-ÊTRE À L'AIDE DE DIAMANTS. CEPENDANT, IL AURAIT FALLU 300 ANNÉES DE TRAVAIL AUX PEUPLES ANTIQUES POUR SCULPTER DE CETTE FAÇON UN CRÂNE AUSSI COMPLEXE. DE NOMBREUX EXPERTS REJETTENT L'HYPOTHÈSE SELON LAQUELLE ILS AURAIENT DES MILLIERS D'ANNÉES ET AFFIRMENT QU'ILS ONT ÉTÉ FABRIQUÉS AU XIXE SIÈCLE AVEC DES OUTILS MODERNES. NÉANMOINS, TANT QUE PERSONNE N'AURA FOURNI D'EXPLICATION DÉFINITIVE, UNE AURA MYSTIQUE CONTINUERA D'ENTOURER CES ÉTRANGES ET MERVEILLEUX CRÂNES DE CRISTAL.

Crâne de cristal

Ce crâne de cristal, qui mesure 11 cm de haut, a été présenté à un musée parisien par l'explorateur Alphonse Pinart en 1878. Un prisme se trouve à l'arrière du crâne, si bien que tout rayon de lumière qui touche les orbites est reflété à cet endroit et que toute personne qui regarde dans les orbites peut voir le reflet de la salle entière. Ce crâne représenterait une déesse antique des morts et pourrait avoir jusqu'à 35 000 ans, mais ses origines exactes restent un mystère déroutant.

En 2008, un musée italien a proposé des mets bizarres aux visiteurs, notamment des sauterelles enrobées de chocolat. Le muséum de sciences naturelles de Bergame a organisé cet événement pour promouvoir l'« entomophagie », pratique consistant à manger des insectes, qui est courante dans de nombreuses cultures du monde. Un choix de salades à base de grillons, de vers et autres insectes figurait également au menu.

Délices en boîte

Du crotale fumé à la purée de tatou, on trouve une multitude d'aliments en boîte hallucinants dans le monde. Chacun trouvera un plat à son goût, qu'il s'agisse de mets populaires, comme le cheeseburger, ou de suggestions plus effrayantes, comme les vers à soie (ci-contre) ou les œufs de fourmis. On peut même acheter un poulet entier en conserve, avec la peau et les os !

℞ PAYS DE LA BIÈRE

Plus de 5 000 bières différentes sont produites en Allemagne. Ce pays compte environ 1 300 brasseries, dont celle de l'abbaye de Weihenstephan, en Bavière, qui fabrique de la bière depuis l'an 1040.

℞ EFFLUVES NAUSÉABONDES

En mai 2009, de la nourriture pourrie dans un réfrigérateur dégageait des odeurs si infectes que plusieurs centaines de personnes ont été évacuées d'un immeuble à San José, et 7 autres hospitalisées. L'une des rares qui n'eut pas de problèmes fut l'employée chargée du nettoyage : souffrant d'allergies, elle ne sentait rien.

℞ RACINE VÉNÉNEUSE

La racine de manioc, une source de nourriture courante dans les régions tropicales, contient du cyanure et peut empoisonner une personne si elle n'est pas correctement préparée.

℞ GELÉE FLUO

En incorporant de la quinine comestible comme ingrédient, les gastronomes londoniens Sam Bompas et Harry Parr ont créé une gelée qui émet une lueur bleue dans le noir.

℞ CULTURE SUR MARS

Selon les scientifiques de la NASA, le sol de Mars serait suffisamment riche pour y faire pousser des asperges et des navets, mais malheureusement pas assez pour les fraises.

℞ FROMAGE ROMANTIQUE

Au XII\ :sup siècle, Blanche de Navarre a essayé de conquérir le roi de France Philippe Auguste en lui envoyant 200 fromages par an.

℞ COÛTEUX CURRY

À l'occasion de la parution en DVD du film oscarisé *Slumdog Millionaire*, en juin 2009, le restaurant londonien Bombay Brasserie a préparé un curry à 2 000 € la part. Ce plat, appelé Samundari Khazana, ou Trésor de la mer, contenait du crabe du Devon, de la truffe blanche, du caviar de bélouga, des œufs de caille, des escargots de mer et un homard écossais enveloppé dans une feuille d'or comestible.

℞ MORSURE DE SERPENT

Jusqu'à ce que les autorités sanitaires interdisent cette pratique en 2009, un mets délicat du menu des restaurants de la province chinoise du Guangdong était la viande d'un poulet tué par une morsure de serpent venimeux.

℞ SUPER SANDWICH

En juin 2009, lors du 53ᵉ festival annuel de la tomate rose à Warren, dans l'Arkansas, la chambre de commerce du comté de Bradley a confectionné un sandwich BLT (bacon, laitue, tomate) de 51 m. Pour fabriquer ce casse-croûte géant, il a fallu près de 2 heures, 136 kg de bacon, 36 kg de laitue, 27 kg de tomates et 6,5 l de mayonnaise.

℞ POULET À GOGO

En moyenne, un consommateur mange 1 200 poulets dans sa vie, soit environ 1,8 t de cette viande, l'équivalent d'un éléphant de 4 ans.

℞ FOLLES FRINGALES

Rakesh « Cobra » Narayan, 37 ans, qui vit à Moala, aux îles Fidji, mange tout ce qui lui tombe sous la main, y compris du carrelage, des habits, des chaussures, des meubles et même une tondeuse. Ses folles fringales ont commencé quand il avait 10 ans. Il s'est mis à mâcher du grillage puis, comme il avait encore un petit creux, il a dévoré un poulet cru. Aujourd'hui, il mange des écrous et des boulons, des insectes, des lézards, de l'herbe et, son mets préféré, des tubes de néon cassés. Au début, les objets pointus lui coupaient l'intérieur des joues, mais il a depuis appris à s'endurcir et affirme n'avoir plus aucun effet secondaire.

℞ RÉGIME INSECTIVORE

Un randonneur a survécu 5 jours après une mauvaise chute en montagne en mangeant des mille-pattes, des fourmis et même une araignée venimeuse. Derek Mamoyac, originaire de Philomath, dans l'Oregon, descendait le mont Adams, en octobre 2008, quand il s'est cassé la cheville. Malgré sa blessure, il a continué sa descente en rampant ou, quand cela devenait trop douloureux, en se traînant sur le dos. Ayant épuisé ses provisions, il s'est nourri d'insectes pour garder ses forces.

℞ BOULETTES D'AIL

La première dame des États-Unis Eleanor Roosevelt mangeait chaque matin 3 boulettes d'ail enrobées de chocolat, prescrites par son médecin pour améliorer sa mémoire.

℞ LAITUE EUPHORISANTE

La laitue a le même effet sur les lapins que l'opium sur les humains. Elle contient du lactucarium, qui est utilisé comme sédatif dans certains somnifères et peut provoquer une légère euphorie chez ces animaux.

® GOÛTER GÉANT

En mai 2009, Anne Tattersall, une habitante du Devon, en Angleterre, a organisé un énorme goûter comprenant un scone de 45 kg et 1 mètre de diamètre. Cette pâtisserie, confectionnée par Nick, Amy et Mary Lovering et Simon Clarke, était fourrée de 9 kg de gelée et 16 kg de crème fraîche épaisse.

® GRENOUILLES PAR MILLIERS

Jusqu'à un milliard de grenouilles sont mangées chaque année à travers le monde par les humains.

TALENT CRU

JIA JEM A DÉCIDÉ DE FABRIQUER CETTE ROBE ÉLÉGANTE AVEC DE LA VIANDE CRUE CAR ELLE N'AVAIT RIEN À SE METTRE POUR UNE FÊTE CHEZ UNE AMIE. CETTE HABITANTE DE CHICAGO, DANS L'ILLINOIS, A UTILISÉ DU SALAMI PARCE QU'IL EST FIN ET NE SE DÉCHIRE PAS, ET DU BACON PARCE QU'IL RESSEMBLE À DE LA VIANDE. ELLE EST PARTIE D'UNE ROBE BASIQUE EN COTON ÉPAIS, A DISPOSÉ DESSUS LA CHARCUTERIE EN COUCHES, PUIS L'A RECOUVERTE DE VINYLE TRANSPARENT. ELLE A MIS 6 HEURES À CONFECTIONNER CETTE TENUE ET L'A CONSERVÉE AU RÉFRIGÉRATEUR JUSQU'À L'HEURE DE LA FÊTE.

® BONBONS AUX BÊBÊTES

Annie Munoz, une habitante de Panama, capitale du Panama, fabrique des bonbons fourrés aux sauterelles et aux vers de farine, ainsi que des sucettes avec des vers à l'intérieur.

® BONNE ADRESSE

Des détenus de la prison de Parappana Agrahara, à Bangalore, en Inde, ont refusé de demander une libération conditionnelle parce que la nourriture y était trop bonne. Des mineurs délinquants ont même menti sur leur âge pour y entrer. Ce n'est donc pas un hasard si cette prison comptait récemment 4 700 détenus, soit plus du double de sa capacité.

® AMATEUR DE PALOURDES

En juillet 2009, lors de la 28e fête de la palourde organisée à Boston, dans le Massachusetts, 7 570 litres de soupe à base de palourdes, de crème et de pommes de terre, typique de la région, ont été servis à quelque 10 000 personnes.

® POISSON HALLUCINOGÈNE

Certains poissons herbivores peuvent provoquer une forme d'intoxication alimentaire entraînant de graves hallucinations.

Peau de pêche

Composée de 24 000 pêches, cette sculpture représentant l'actrice australienne Jolene Anderson a été réalisée et exposée en 2008 au First Fleet Park de Sydney, en Australie. Une agence de publicité a construit ce mannequin de 12 m afin de promouvoir une gamme de soins de beauté. Accompagnée du slogan « Une peau à croquer », cette œuvre visait à rappeler aux Australiennes que leur peau est douce et fragile comme une pêche. Mais les fruits finissent par pourrir !

BATAILLE DE TOMATES

En 2009, à Guiyang, en Chine, des centaines de personnes se sont jeté des tomates lors d'une surprenante animation promotionnelle organisée par un centre commercial. Inspirée de la fête espagnole de la Tomatina, cette bataille juteuse a nécessité une énorme quantité de fruits, pesant l'équivalent de plus de 20 voitures et coûtant plus de 10 000 €.

℞ PRÉCIEUX PARMESAN

Dans certaines banques de la région italienne d'Émilie-Romagne, on peut garantir un prêt avec une caution de parmesan, une meule de 40 kg valant plus de 250 €. Si l'emprunteur n'honore pas sa dette, la banque récupère son capital en vendant les fromages. Une banque en détient ainsi plus de 400 000.

La folie des cannoli

Lors du concours 2009 de mangeurs de cannoli de Little Italy, à New York, Kevin Basso a terminé 3e en dévorant 17 de ces pâtisseries traditionnelles italiennes. Le gagnant, « Crazy Legs » Conti, en a englouti 20 et demi en seulement 6 minutes.

℞ PUR SANG

Un restaurant d'Hanoï, au Vietnam, sert à ses clients des bols de sang pur de cochon ou de canard à 75 cents l'unité. Il propose également un dessert glacé préparé avec le sang frais de ces animaux.

℞ FÊTE DE LA CÔTELETTE

Lors du championnat du monde de mangeurs de côtes de porc organisé lors d'un festival culinaire à Sparks, dans le Nevada, en septembre 2009, Pat « Deep Dish » Bertoletti, un habitant de Chicago, a englouti 2,6 kg de viande en 12 minutes.

℞ HOT DOG GÉANT

Plus de 2 000 personnes ont mangé un hot dog de 200 m de long à Santa Marta, en Colombie. Pour le préparer, 12 cuisiniers de fast-foods de la ville ont utilisé 100 kg de pain, 125 kg de saucisses, 250 bouteilles de sauce et plusieurs tonnes de légumes et de fromage.

℞ DÎNER AVEC LES DINOS

Au T-Rex Café de Kansas City, au Kansas, les clients peuvent manger en compagnie de dinosaures. Le décor préhistorique de ce restaurant comprend des dinosaures animatroniques grandeur nature et des geysers bouillonnants, et on peut y déterrer des fossiles.

℞ CROC CROC !

En juillet 2009, plus de 39 000 amateurs de base-ball ont mangé des chips simultanément au milieu de la 2e manche d'un match entre les Mets de New York et les Reds de Cincinnati, au stade new-yorkais de Citi Field. Leur « croc ! » a été entendu dans tout le stade.

® CHEFS ROBOTS

En Chine, un restaurant sert des plats concoctés par des robots. Des centaines de recettes traditionnelles chinoises ont été mémorisées dans les bases de données des ordinateurs qui contrôlent les mouvements des deux « chefs » du restaurant I Robot à Nanning, dans la région autonome du Guangxi. La participation des humains se limite à la préparation des ingrédients.

® GLACES POUR CHIENS

Une entreprise du Yorkshire, en Angleterre, a créé une gamme de glaces de luxe pour chiens. À base de yaourt, elles se déclinent en 3 parfums et contiennent des biscuits pour chiens, ainsi qu'un extrait de yucca pour réduire les mauvaises odeurs des flatulences !

Sauterelles sautées

Les sauterelles sautées sont considérées comme un mets délicat en Corée et dans d'autres parties de l'Asie. D'après les amateurs d'insectes, elles sont encore plus délicieuses assaisonnées avec du citron vert ou du sel, ou trempées dans du beurre d'ail.

® GROSSE BOULETTE

La ville d'Ehden, au Liban, a fabriqué un gigantesque kebbé – spécialité à base de viande hachée et de blé concassé – qui couvrait une surface de 20 mètres carrés. La réalisation de ce plat a nécessité 120 kg de viande, 80 litres d'huile d'olive, 80 kg de blé concassé, 5 kg de sel et 1 kg de poivre.

® CHAMPION GLOUTON

Joey Chestnut, originaire de San José, en Californie, a dévoré 68 hot-dogs en 10 min pour remporter une 3e fois le concours de hot dogs du 4 Juillet à Coney Island en 2009. Sa technique : prendre 2 saucisses à la fois, les fourrer dans sa bouche et les avaler en mâchant le moins possible. Ensuite, il trempe les petits pains dans de l'eau et les laisse glisser dans sa gorge.

® ROI DU SHAKER

En mai 2009, Chris Raph, qui tient le bar Shout House Dueling Pianos à Minneapolis, dans le Minnesota, a servi 662 cocktails en 1 heure, soit plus de 10 verres à la minute.

® FAST-FOOD

Le premier fast-food à l'américaine de Corée du Nord a ouvert en juin 2009. Le restaurant Samtaesong, à Pyongyang, propose dans sa carte des hamburgers, des frites, des gaufres et de la bière à la pression.

® NEZ DE VALEUR

Le testeur de fromages Nigel Pooley, résidant dans le Somerset, en Angleterre, a assuré son nez pour 8 millions de dollars. Il utilise son odorat développé pour sélectionner plus de 12 000 tonnes de cheddar chaque année.

® EAU INFLAMMABLE

Début 2009, l'eau du robinet de certains habitants de Fort Lupton, dans le Colorado, contenait tellement de gaz naturel dissous qu'elle était combustible.

® CHOCOLATS DE CHAMEAU

La société Al Nassma, à Dubaï, s'est spécialisée dans le chocolat au lait de chamelle. Elle possède 3 000 de ces animaux, qui produisent assez de lait pour fabriquer 100 tonnes de chocolat allégé par an.

® CONSERVE BIEN CONSERVÉE

Lors de sa cérémonie de départ à la retraite en 2009, le colonel Henry A. Moak Jr a enfin ouvert une boîte de gâteau que l'armée lui avait donné 40 ans plus tôt. Il l'avait reçue en 1969, quand il était pilote d'hélicoptère dans la marine, mais avait juré de la garder fermée jusqu'au jour de sa retraite.

Breuvage venimaux

Au Laos, on peut acheter une bouteille de liqueur de serpent avec un vrai serpent mort à l'intérieur. Le venin est dissous dans l'alcool, qui est alors utilisé à des fins médicales. Les produits issus des serpents aident à traiter un certain nombre de maux, dont l'arthrite, la fièvre et la coqueluche.

ACCRO AU COCA

Pendant des années, Jason Morgan, un chauffeur routier de 32 ans habitant à Neath, au pays de Galles, a bu 10 l de Coca-Cola par jour, soit l'équivalent de 30 canettes !

GÂTEAU DU NOUVEL AN

En décembre 2008, des boulangers de Bucarest, en Roumanie, ont réalisé un gâteau qui pesait 280 kg. Il s'agissait d'une pièce montée recouverte de fruits et de crème fouettée, décorée avec les drapeaux roumain et européen accompagnés des mots « Bonne année 2009 ».

JAMBALAYA GÉANTE

En juin 2009, une cinquantaine de volontaires de Gonzales, en Louisiane, ont fait équipe pour cuisiner une jambalaya géante dans une marmite de 2,4 mètres de diamètre. Cet ustensile était si gros qu'il a fallu le transporter sur un chariot élévateur et le placer dans un fossé spécialement creusé. Plusieurs personnes devaient remuer le plat en même temps, à l'aide de spatules de 2,70 m. La recette contenait 545 kg de porc et de saucisse, 135 kg d'oignons, 16 tasses de poivre rouge et noir, 9 kg d'ail et 378 l d'eau.

POMMES FLOTTANTES

Les pommes flottent sur l'eau car elles contiennent 25 % d'air.

RECORD PIMENTÉ

En avril 2009, Anandita Dutta Tamuly, qui habite dans la ville indienne de Jorhat, dans l'État d'Assam, a mangé 51 piments Bhut Jolokia – le plus fort au monde – en 2 min. Elle en raffole depuis qu'à l'âge de 5 ans, sa mère lui a étalé de la purée de piments sur la langue pour soigner une infection.

BIEN JOUÉ !

Lorsque des voleurs ont tenté de dévaliser Eric Lopez Devictoria, livreur de pizzas à Miramar, en Floride, fin 2008, celui-ci a jeté une grande pizza au pepperoni encore toute chaude au visage de l'homme qui le braquait avec un pistolet.

RICHE NOURRITURE

15 gourmands ont déboursé 20 000 € chacun pour un repas spécial préparé par les meilleurs chefs dans un hôtel de Bangkok en 2007. Le banquet comportait des ingrédients de 35 villes du globe, dont des homards du Maine et des huîtres françaises.

CAKE IMMANGEABLE

Pierre Girard, un habitant de Golden Valley, dans le Minnesota, possède un cake datant de 1911, quelques mois avant le naufrage du *Titanic*. L'alcool dont ce gâteau est imbibé a servi de conservateur, l'empêchant de se désintégrer.

BISON COLLANT

En utilisant exclusivement des chewing-gums mâchés, Maurizio Savini crée de magnifiques sculptures, tel ce bison rose grandeur nature fait de milliers de morceaux de gomme. Cet artiste italien réalise des œuvres d'art comestibles et colorées – notamment une collection d'hommes d'affaires en costume suspendus dans des poses acrobatiques – qui se vendent dans le monde entier, certaines à 45 000 € l'unité.

Tranches de vie

La boulangerie Zhanna, de Saint-Pétersbourg, confectionne d'étonnants gâteaux élaborés et réalistes représentant tout ce qu'on peut imaginer. Très réputée, elle crée des chefs-d'œuvre à base de biscuit de Savoie dont les sujets vont d'une malle au trésor débordant de joyaux à un chantier avec des briques et des grues, en veillant à ce que le moindre détail soit reproduit en glaçage. Garantis sans plastique, ces gâteaux peuvent être entièrement mangés.

℞ BOULE DE POP-CORN

En 2009, plusieurs centaines de volontaires de Sac City, dans l'Iowa, ont fabriqué une énorme boule de pop-corn pesant environ 2,2 t avec 680 kg de maïs, 1 t de sucre et 500 kg de sirop. Bien qu'elle ne compte que 2 300 habitants, cette ville se fait appeler la « capitale mondiale du pop-corn » et en produit près de 2 270 t par an.

℞ LE MANGEUR

Salim « El Akoul » (le Mangeur) Haini, qui habite à Aïn-Defla, en Algérie, mange des ampoules, des bougies, des clous, des journaux et de la sciure. Une fois, il a englouti pas moins de 1 500 œufs à la coque en moins de 3 heures, et une autre, un agneau rôti entier de 35 kg en un seul repas.

℞ IVRESSE SANS BOIRE

Le bar Alcoholic Architecture, à Londres, diffuse une vapeur enivrante de gin-tonic qui rend ses visiteurs légèrement éméchés sans même boire un seul verre. Les clients revêtent une combinaison protectrice pour éviter d'empester l'alcool. Pour leur donner l'impression qu'ils sont à l'intérieur d'un verre, le bar est décoré de citrons verts géants et d'immenses pailles, tandis qu'une bande sonore émet le bruit d'un liquide versé sur des glaçons.

℞ MORDUE DE FROMAGE

Kate Silk, une habitante de Manchester, raffole du fromage. Elle en mange chaque jour depuis plus de 35 ans, depuis l'âge de 2 ans. Il fait partie des 6 aliments qui ne la rendent pas malade.

℞ WHISKY À GOGO

En 35 ans, l'amateur brésilien de whisky Claive Vidiz s'est constitué une collection de 3 384 bouteilles différentes. Parmi les nombreux flacons rares qu'il possédait, figurait un single malt Strathmill élaboré à l'occasion du centenaire d'une distillerie écossaise, dont seulement 69 bouteilles ont été produites.

℞ SACRÉ CASSE-CROÛTE

Un sandwich mesurant 1,73 km de long a été réalisé à Doha, au Qatar, en mars 2009. Il contenait 500 kg de salami et de mortadelle, 1 t de salade de chou et 200 kg de mozzarella, ainsi que des quantités importantes de champignons, d'oignons, d'ail et d'épices.

Citron percé

Andrew Davidhazy, un photographe new-yorkais spécialisé dans les images saisies à haute vitesse, a capturé le moment exact où une balle traverse un citron. Cet artiste, également professeur de technologie photographique au Rochester Institute of Technology, a photographié le fruit qui explose en utilisant une pellicule de 400 ASA et un flash électronique très précis, parfaitement synchronisé avec le tir de l'arme grâce à un circuit électronique.

Grenouille sauvée

En 2007, une grenouille à 8 pattes a été sauvée de la casserole dans un restaurant de Quanzhou, en Chine, célèbre pour ses plats à base de cuisses de grenouilles. Le personnel a décidé de garder le batracien au lieu de le cuire !

℞ SANDWICH AU HOMARD

En juin 2009, la ville de Portland, dans le Maine, a réalisé un sandwich au homard de 18,8 m de long contenant 22 kg de chair de homard et 15 l de mayonnaise.

℞ GARDÉ AU FRAIS

Dans la ville galloise de Llandudno, des agents des services de l'immigration ont trouvé un chef chinois vivant dans le congélateur du restaurant dans lequel il était employé.

℞ PERLE VIOLETTE

Un couple de Floride a gagné le jackpot en dégustant des fruits de mer dans un restaurant de Lake Worth. George et Leslie Brock mangeaient tranquillement leurs palourdes à la vapeur quand George a mordu dans quelque chose de dur : une perle violette parfaitement ronde. Les spécimens les plus fins peuvent valoir jusqu'à 25 000 $!

℞ SOLIDE GRILLE-PAIN

Joan Lopes, une habitante du Suffolk, en Angleterre, utilise quotidiennement un grille-pain électrique vieux de presque 60 ans. Elle l'a acheté comme cadeau d'anniversaire de mariage pour ses parents en 1951.

℞ DÉLICE DE DINDE

Une ferme du Devon, en Angleterre, a créé un plat rôti composé d'une énorme dinde farcie de 11 oiseaux : une oie, un poulet, un faisan et 8 jeunes canards. Pesant 25 kg, ce « Rôti du grand amour » est assez gros pour nourrir 125 personnes.

℞ RÉGIME DE PATATES

Joanne Adams, qui habite la ville anglaise de Cleveland, se nourrissait à une époque de 16 paquets de chips par jour. Pendant une vingtaine d'années, elle n'a quasiment rien mangé d'autre que des pommes de terre. À cause de ce régime, elle se cassait régulièrement les doigts, et ses cheveux poussaient si lentement qu'elle devait porter des extensions.

℞ LIVRAISON DE PIZZA

En novembre 2004, l'Anglaise Lucy Clough a livré une pizza de Londres à Melbourne, en Australie : un trajet de 30 heures pour une distance de 16 950 km.

℞ ROI DU CALAMAR

En mai 2009, Patrick Bertoletti, un habitant de Chicago, dans l'Illinois, a englouti 3 kg de calamars frits en 10 min lors du championnat du monde de mangeurs de calamars organisé par le restaurant Mallie's à Southgate, dans le Michigan.

CANETON A CROQUER

Aux Philippines, les embryons de canetons quasi prêts à éclore représentent un mets délicat. Appelé « balut », ce plat populaire est proposé par les vendeurs de rue du pays. Les œufs de canard doivent être soigneusement incubés pendant 17 à 20 jours – jusqu'à ce que les canetons soient sur le point d'éclore – avant d'être cuits à la coque et servis. On peut acheter des baluts en bocal, parfois macérés dans du vinaigre, et de l'omelette de baluts.

PROTOCOLE DE dégustation

Les baluts doivent être mangés d'une certaine façon pour une dégustation optimale.

D'abord, tapotez la coquille afin de former un trou suffisamment grand pour aspirer le bouillon de fœtus.

Ensuite, décortiquez la coquille pour révéler le jaune et le fœtus de caneton.

Tout l'intérieur de l'œuf se mange, parfois nature, mais la plupart des gens l'assaisonnent de sel et de poivre ou de piment rouge avant de croquer dedans !

Goodbye Rocco, de Jorge Perruorria, est un réfrigérateur des années 1950 décoré de façon à ressembler à un cercueil coloré.

℞ VOL D'OLIVES

En se levant un matin de mai 2008, Quentin von Essen, un oléiculteur de la vallée Hunter, en Australie, a constaté que 398 de ses 400 oliviers avaient été dépouillés de leurs fruits pendant la nuit. À part sur 2 arbres éclairés par des spots, et alors que certains mesuraient 3,5 m de haut, les voleurs n'avaient pas laissé la moindre olive, ni sur les branches, ni au sol.

℞ LIGNE DE PIZZAS

En mai 2009, Scott Van Duzer et 9 autres cuisiniers ont préparé plus de 1800 pizzas pour former une ligne de 540 m autour d'un pâté de maisons à Fort Pierce, en Floride. Il leur a fallu 570 kg de farine, 270 kg de mozzarella, 265 l de sauce tomate et 400 tables pour composer cette ligne alimentaire.

℞ ÉNORME ÉCLAIR

En février 2009, une boulangerie de Chichester, en Angleterre, a préparé un éclair au chocolat de près de 3,6 m de long contenant 1 kg de chocolat et 3,8 l de crème fraîche épaisse. Il a fallu 4 heures aux boulangères de The Swallow Bakery, Lou Allen et Michaela Heard, pour construire ce gâteau, plus une autre heure pour le fourrer de crème avant de le recouvrir de chocolat.

℞ ORGANES SAVOUREUX

Un restaurant de Tokyo sert des sushis en forme de parties du corps cachés à l'intérieur d'un « cadavre » qui se mange. Celui-ci, doté d'une « peau » en pâte et garni d'une sauce de « sang », est apporté dans le restaurant sur un lit d'hôpital à roulettes et placé sur une table. La serveuse commence par inciser le « corps » avec un scalpel, puis les clients attaquent en ouvrant la chair pour révéler les « organes » en sushis.

℞ ENTRÉE CACHÉE

Les clients de The Safe House, à Milwaukee, dans le Wisconsin, doivent donner un mot de passe pour entrer dans ce bar-restaurant dont le thème est l'espionnage, qui possède une entrée cachée et une sortie secrète.

℞ PANCAKE PARTY

Avec leur pâte à crêpes en bouteille, des employés de l'entreprise Batter Blaster ont fabriqué, en mai 2009, 76 382 pancakes en 8 heures à Atlanta, en Georgie, utilisant plus de 30 grils pour relever ce défi.

Frigo artistique

À Paris, en 2007, une exposition insolite intitulée « Monstres dévoreurs d'énergie » mettait en scène plus de 50 réfrigérateurs. Transformés en œuvres d'art colorées par les artistes cubains Mario « Mayito » Gonzalez et Roberto Fabelo, ces modèles rétro étaient communs dans les foyers de Cuba jusqu'à ce que le pays remplace tous les appareils gourmands en énergie dans les années 1990. Ces frigos ont été sauvés de la mise au rebut et ont retrouvé un second souffle dans cette collection unique d'icônes du passé de Cuba.

Fast Food, de Luis Enrique Camejo, associe un réfrigérateur et l'avant d'une voiture américaine des années 1950 pour souligner le consumérisme de cette époque.

℞ BOULETTE SOUS ESCORTE

Une boule de pain azyme de 120 kg a été dévoilée dans les rues de New York en août 2009. Confectionnée par le restaurant Noah's Ark Original Deli, elle mesurait 1 m de haut et contenait 1 000 œufs, 36 kg de margarine, 90 kg de farine de pain azyme et 9 kg de fond de volaille. Elle a été transportée dans un camion de marchandises de 7 m escorté par des policiers.

LUMIÈRE DOUCE

FABRIQUÉ PAR L'ARTISTE CALIFORNIENNE YA YA CHOU, CET IMPRESSIONNANT LUSTRE EST ENTIÈREMENT CONSTITUÉ D'OURSONS EN GÉLATINE ET PEUT RESTER EXPOSÉ EN PARFAIT ÉTAT PENDANT 2 ANS ! FORMÉ EN ENFILANT DES CENTAINES DE BONBONS DE DIFFÉRENTS PARFUMS AVEC DES PERLES ET DU FIL, CET OBJET FAIT PARTIE D'UNE SÉRIE DE SCULPTURES D'OURSONS EN GÉLATINE, QUI COMPREND ÉGALEMENT UN TAPIS EN PEAU D'OURS ET UN CERF.

℞ GÂTEAU D'ANNIVERSAIRE

Pour célébrer le 40ᵉ anniversaire du premier alunissage, la NASA a créé en 2009 une *moon pie* (« tarte lune ») géante. Cette pâtisserie, composée de guimauve enrobée de chocolat, mesurait 101 cm de diamètre sur 15 cm d'épaisseur et pesait 25 kg.

℞ PIMENT SOURIANT

Quand Nigel Hollingsworth, un habitant du Somerset, en Angleterre, a découpé un piment jalapeño qu'il avait fait pousser, il s'est retrouvé face à un visage souriant ! Chaque moitié du fruit semblait avoir une paire d'yeux – sourcils compris –, un nez et une bouche.

℞ LANGAGE DE NUGGET

Pour fêter la nouvelle année 2009, un restaurant de poulet de McDonough, en Georgie, a lâché un nugget en plâtre de 2 m de haut pesant 360 kg dans une gigantesque cuve de fausse sauce.

℞ PLÂTRÉE DE PÂTES

En mars 2009, un restaurant de Doha, au Qatar, a servi un plat de pâtes de 4,3 t, mesurant 6 m de long et 2 m de large.

℞ GOÛT DE LUXE

Gennaro Pelliccia, un goûteur de café italien ayant plus de 18 ans d'expérience et travaillant à Londres, a fait assurer sa langue pour près de 10 millions d'euros. Son métier consiste à tester chaque lot de grains de café crus avant qu'il ne quitte l'atelier de torréfaction de l'entreprise. Il a interdiction de manger du curry 48 heures avant les séances de dégustation, au cas où les épices atténueraient sa sensibilité.

℞ MONNAIE MANDARINE

L'étudiant chinois Wu Xiaobin a payé ses frais d'inscription pour 2009 à la faculté de médias et communication de l'université du Zhejiang et ses dépenses quotidiennes avec 5 t de mandarines. Il a transporté 5 camions de fruits sur plus de 210 km depuis la ferme de sa famille, à Quzhou, jusqu'à la ville de Hangzhou, où il les a vendus aux autres étudiants pour pouvoir financer ses études.

℞ LAC À BULLES

Un lac de bière a été formé dans la ville allemande de Kassel en décembre 2008, après qu'un camion transportant 12 t de bière fraîchement brassée a perdu son chargement en prenant un virage serré. Quelque 1 600 bouteilles se sont fracassées sur la route, mais leur contenu a vite gelé : il faisait – 4 °C !

℞ FROMAGE PARFAIT

Avec l'aide de chercheurs de l'université de Bristol, en Angleterre, un groupement d'agriculteurs a conçu la formule mathématique du parfait sandwich au cheddar. Elle comprend 9 variables algébriques englobant des qualités fondamentales telles que l'épaisseur du fromage, celle du pain, l'exhausteur de goût de la pâte, la quantité de mayonnaise, l'épaisseur des tranches de tomate et celle des pickles.

℞ CARAMEL MASTOC

En juin 2009, le Lansing Community College du Michigan a fabriqué une plaque de caramel au chocolat pesant 2 496 kg. Elle contenait 1 270 kg de chocolat, 320 kg de beurre et 1 155 litres de lait concentré.

℞ RESTAURANT SOUS-MARIN

Aux Maldives, le restaurant Ithaa, qui compte 14 couverts et dont l'accès se fait par un escalier en colimaçon au bout d'une jetée, est situé sous l'eau, à 5 m de profondeur, offrant aux clients une vue panoramique à 360 degrés sur le récif corallien qui l'entoure. Construite majoritairement en acrylique, cette structure de 175 t a été plongée dans la mer et fixée avec du béton à 4 pilotis en acier plantés dans le sable.

Moitié-moitié

Cette pomme golden moitié rouge et moitié verte est vraiment unique en son genre. Les couleurs de ce fruit cultivé à Colaton Raleigh, un village du Devon, en Angleterre, par le peintre retraité Ken Morrish, seraient apparues à la suite d'une mutation génétique aléatoire ayant une chance sur un million de se produire. Curieux de voir ce fruit insolite, les gens se bousculaient et faisaient même la queue devant la maison de Ken pour le prendre en photo !

Poires sacrées

Au bout de plus de 6 ans de recherches, Gao Xianzhang, un habitant de Hebei, en Chine, a réussi à modifier une récolte de poires pour qu'elles ressemblent à de petits bouddhas. En 2009, après de multiples tentatives et fruits pourris, il a parfait sa technique et est parvenu à modeler 10 000 poires en forme de bouddha. Pour cela, il fait pousser ces fruits – vendus 7 € l'unité – dans des moules en plastique sur les branches d'arbres dès le début de leur croissance.

® REPAS FROIDS

Pendant les 15 dernières années de sa vie, l'excentrique producteur de films américain Howard Hughes (1905-1976) s'est nourri presque exclusivement de glaces. Il mangeait généralement le même parfum jusqu'à ce que tous les stocks de la région soient épuisés.

® AS DES BAGUETTES

En mars 2009, Ashrita Furman, une New-Yorkaise, a mangé 40 M & M's en 1 min... avec des baguettes !

® FAN DE CHOCOLAT

Peggy Griffiths, une Anglaise du Devon qui a fêté son 100e anniversaire en 2009, consomme 30 tablettes de chocolat par semaine. Elle aurait ingéré quelque 70 000 tablettes de Cadbury Dairy Milk au cours de sa vie, soit un incroyable total de 4 t de chocolat. Elle tenait une confiserie dans les années 1930, mais avait dû fermer parce qu'elle mangeait tous les bénéfices.

Bonbon géant

Derek Lawson fabrique des oursons en gélatine géants dans sa confiserie Popalop's Candy Shop, à Raleigh, en Caroline du Nord. Chacun pèse 2 kg et mesure 23 x 14 x 9 cm, soit 1400 fois la taille d'un ourson en gélatine classique, et nécessite 9 heures de fabrication. Ces confiseries géantes existent en différents parfums, notamment framboise, cola, raisin et pomme verte.

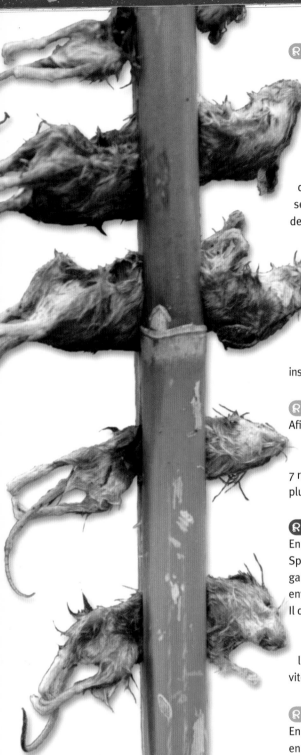

Brochette de souris

Après avoir été tuées dans les champs du Malawi, des souris sont bouillies, séchées au soleil, salées et vendues par des enfants comme déjeuner aux voyageurs de passage. Ces carcasses de rongeurs sont enfilées par demi-douzaines sur des tiges en bambou pour faciliter leur prise en main. Elles sont présentées entières, afin que le client mange tout, y compris les poils, les os, les dents, la queue et les griffes.

℞ GROSSIÈRETÉ PAYANTE

En 2009, un bar de la station balnéaire espagnole de Cullera offrait des bières et des tapas aux clients qui insultaient ses serveurs. Les propriétaires du Caso Pocho ont indiqué que cette opération visait à soulager le stress de sa clientèle fatiguée par la crise, mais ont ajouté que l'alcool et les amuse-gueules gratuits seraient réservés à ceux qui proféreraient des insultes vraiment originales.

℞ NOURRITURE D'HÔPITAL

Hospitalis, un restaurant de Riga, en Lettonie, a pour thème l'univers de l'hôpital. Ses serveuses sont habillées en infirmières, la nourriture est servie dans des fioles, les cocktails dans des tubes à essai et des vases à bec, et des instruments médicaux servent de couverts.

℞ RÉGIME D'ŒUFS

Afin d'augmenter leur poids en vue des Jeux du Commonwealth 2010, les joueurs de rugby indiens ont reçu l'ordre de manger 7 repas et au moins 15 œufs par jour pendant plus d'un an.

℞ PIZZA EXPRESS

En 2008, Dennis Tran, un habitant de Silver Springs, dans le Maryland, a réalisé 3 pizzas garnies en un peu plus de 46 secondes, soit environ 15 secondes pour chacune.
Il devait étirer la pâte à la main, appliquer la sauce tomate et placer les ingrédients (pepperoni pour l'une, champignons pour l'autre, fromage pour la dernière) le plus vite possible.

℞ SAUCISSE GÉANTE

En 2009, des cuisiniers de Vinkovci, en Croatie, ont préparé dans une casserole de 2,5 m de diamètre une saucisse de 530 m de long, qui a nourri quelque 3 000 personnes. Ils ont utilisé 400 kg de porc provenant de 28 cochons, 40 kg de paprika, 10 kg de sel, 5 kg d'ail et 2,5 kg d'épices.

℞ TOUR DE CRÊPES

Sean McGinlay et Natalie King, employés à l'hôtel Hilton Grosvenor de Glasgow, en Écosse, ont réalisé une pile de crêpes de 75 cm de haut en 22 heures. Cette tour de 672 crêpes a nécessité 100 œufs, plus de 8 litres de lait, 5 kg de farine et 3 kg de beurre.

℞ PIPI SPATIAL

La station spatiale internationale est dotée d'un système à 250 millions de dollars qui transforme l'urine en eau potable.

℞ GÂTEAU GÉNÉREUX

En juillet 2009, 170 boulangers palestiniens de 10 pâtisseries de Naplouse, en Cisjordanie, ont créé un gigantesque kenafeh – gâteau au fromage sirupeux – de 74 m de long pesant 1 765 kg, assez gros pour nourrir plus de 100 000 personnes. Il a fallu 700 kg de semoule, autant de fromage et 300 kg de sucre pour produire ce gâteau, qui a coûté environ 10 000 €.

℞ GRENADES AU PIMENT

Pour maîtriser les émeutiers et combattre les insurgés, les forces de sécurité indiennes ont procédé à des essais en utilisant des grenades contenant de la poudre de piment Bhut Jolokia – 200 fois plus fort qu'un jalapeño moyen – à la place du gaz lacrymogène.

℞ LONG SERVICE

À 95 ans, Angelo Cammarata a pris sa retraite après avoir travaillé plus de 75 ans comme barman dans le café familial à Pittsburgh, en Pennsylvanie. Il a servi son premier verre à 19 ans, quelques minutes après la fin de la Prohibition en 1933. À l'exception d'une pause de 30 mois durant la Seconde Guerre mondiale, il a tenu le bar jusqu'en 2009.

℞ ROI DU CHOU

Steve Hubacek, qui vit à Wasilla, en Alaska, a présenté à la foire d'État en 2009 un chou pesant plus de 57 kg. La tête de ce légume mesurait environ 53 cm de diamètre, et ses feuilles près de 1,5 m d'envergure.

Soupe aux bestioles

Les punaises aquatiques taïwanaises servies sur un lit de nouilles udon japonaises sont un plat traditionnel à Tokyo.

CONCOURS PIMENTÉ

De courageux concurrents dévorent des piments forts lors d'un concours à Guizhou, en Chine. La force des piments est mesurée sur l'échelle de Scoville, qui indique le nombre de fois qu'un extrait de piment doit être dilué dans l'eau pour perdre tout son piquant. Le piment Naga Morich, originaire du Bangladesh, présente un taux de 1 500 000 unités Scoville, soit 50 fois plus que le piment de Cayenne.

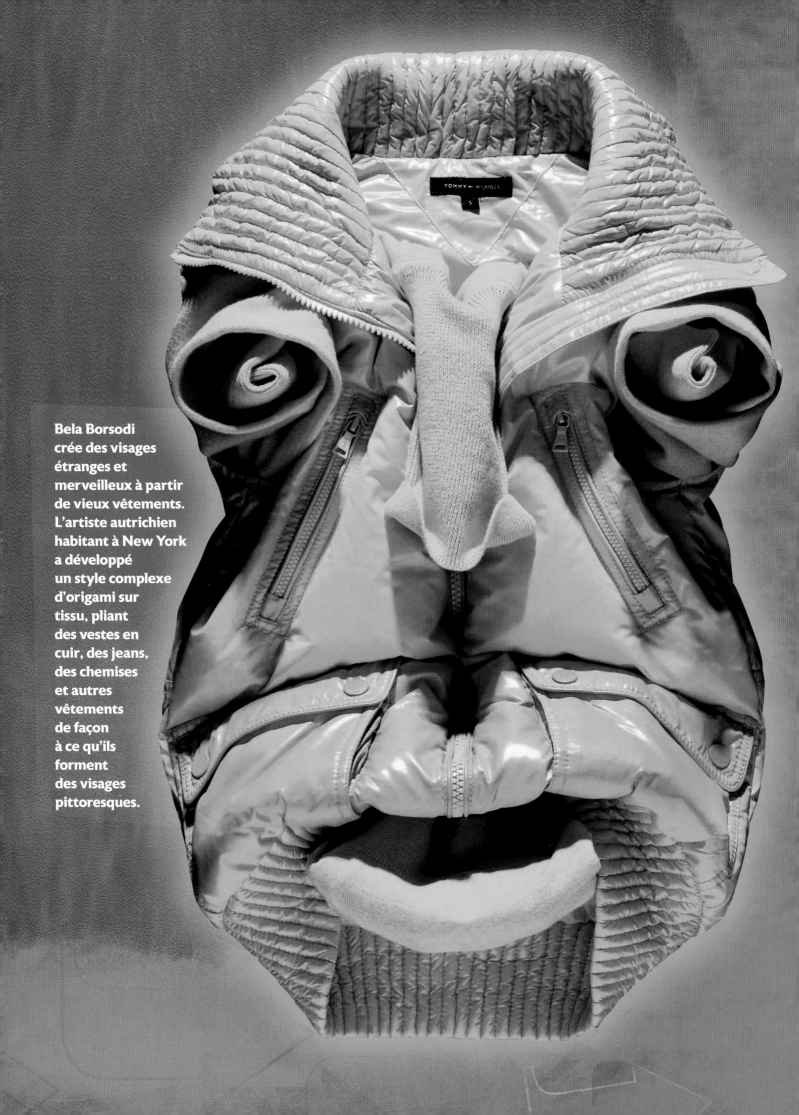

Bela Borsodi crée des visages étranges et merveilleux à partir de vieux vêtements. L'artiste autrichien habitant à New York a développé un style complexe d'origami sur tissu, pliant des vestes en cuir, des jeans, des chemises et autres vêtements de façon à ce qu'ils forment des visages pittoresques.

ARTISTES DÉJANTÉS

La dame peluche

Heidi Hooper, du Massachusetts, crée des images d'animaux à partir des peluches récupérées dans son sèche-linge. Celles-ci sont issues de la fibre de coton des serviettes, de la laine, des couvertures et des plumes des couettes qui passent dans la machine. Malheureusement, elles ne peuvent pas être teintes, car trop légères. Heidi doit donc acheter des serviettes de la couleur désirée pour faciliter son travail.

℞ ART FRIT

Ocean City, dans le New Jersey, organise un concours annuel de sculptures de frites. Les candidats reçoivent une assiette en carton remplie de frites et les écrasent ou les arrangent pour créer des maquettes huileuses et bourratives de toutes sortes de choses, du crabe à la cabine en rondin.

℞ DRAPEAU DE PIÈCES

Ayant remarqué que personne ne ramassait les petites pièces de 10 won dans les rues coréennes, Jin Jeong-gun a décidé d'en récupérer le plus possible et de les transformer en une mosaïque géante du drapeau coréen. Pendant 14 ans, il a récolté 110 000 pièces, avant de passer 4 mois à les positionner en un drapeau de 6 m sur 4. Jin avait précédemment construit une pagode à partir de 2 000 pièces.

Château de papier

ALORS QU'IL S'ENNUYAIT PENDANT SES EXAMENS D'ENTRÉE À L'UNIVERSITÉ, EN 2005, WATARU ITOU DÉCIDA DE CONSTRUIRE UNE VILLE EN N'UTILISANT QUE DU PAPIER, UN COUTEAU ET DE LA COLLE. À PRÉSENT ÉTUDIANT À L'UNIVERSITÉ DES ARTS DE TOKYO, WATARU A PASSÉ 4 ANS À PLIER, COUPER ET COLLER DES CENTAINES DE FEUILLES DE PAPIER POUR CRÉER CETTE ŒUVRE D'ART DE 2,4 MÈTRES SUR 1,8. LA VILLE CONTIENT UN CHÂTEAU, UNE CATHÉDRALE, UN AÉROPORT ET UN PARC D'ATTRACTION. ÉTRANGEMENT, WATARU PRÉVOIT D'Y METTRE LE FEU DANS UN FUTUR PROCHE !

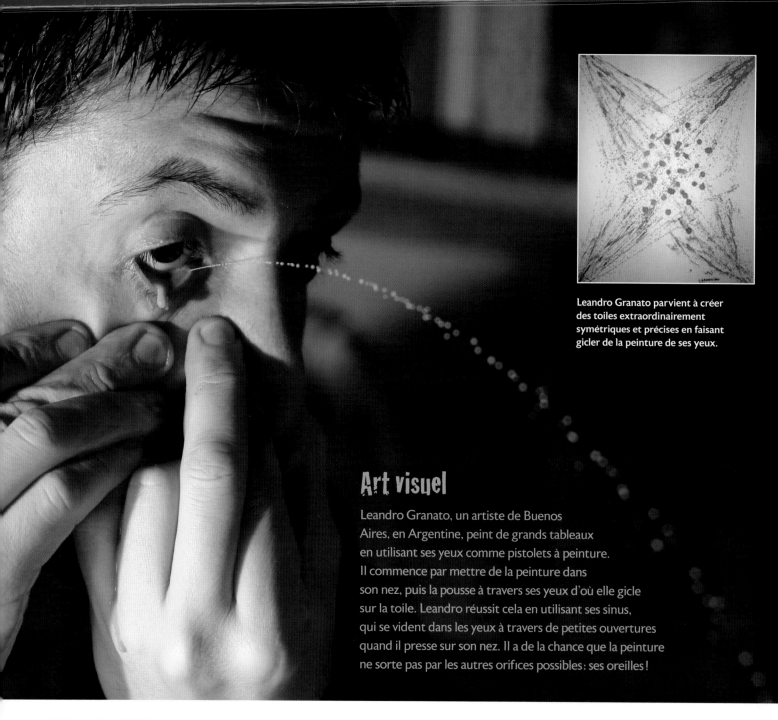

Leandro Granato parvient à créer des toiles extraordinairement symétriques et précises en faisant gicler de la peinture de ses yeux.

Art visuel

Leandro Granato, un artiste de Buenos Aires, en Argentine, peint de grands tableaux en utilisant ses yeux comme pistolets à peinture. Il commence par mettre de la peinture dans son nez, puis la pousse à travers ses yeux d'où elle gicle sur la toile. Leandro réussit cela en utilisant ses sinus, qui se vident dans les yeux à travers de petites ouvertures quand il presse sur son nez. Il a de la chance que la peinture ne sorte pas par les autres orifices possibles: ses oreilles !

℞ BAIN DE PIED

Une nouvelle collection de baignoires conçues pour ressembler à des chaussures de femmes a été lancée par le designer italien Massimiliano Della Monaca. De l'eau coule d'une pomme de douche située au talon de la chaussure pour se laver les cheveux, et la bonde se trouve vers les orteils. L'une des baignoires a été dessinée à partir d'une paire de talons portée par la poupée Barbie, qui a célébré son 50e anniversaire en 2009.

℞ LA BLAGUE DE BYRON

Le poète romantique anglais Lord Byron (1788-1824) recevait énormément de lettres de femmes qui y joignaient des mèches de cheveux. Mais les mèches qu'il leur renvoyait et sur lesquelles elles se pâmaient ne venaient pas de sa tête, mais de celle de son chien, un terre-neuve.

℞ TÊTE DE RATS

Pour la London Fashion Week de 2009, le styliste français Charlie Le Mindu a créé une cagoule constituée de dizaines de carcasses de souris et de rats. Elle couvrait tout le visage de celui qui la portait, avec seulement une fente pour les yeux, et était ornée de queues de rats morts sur le devant.

℞ HAIE ÉLÉPHANTESQUE

Après être tombé amoureux de la nature lors d'un safari au Kenya, Gavin Hogg a décidé de transformer la haie de sa maison près de Brecon, au pays de Galles, en horde d'éléphants. En utilisant une tondeuse, un sécateur et des ciseaux, il a péniblement sculpté 7 adultes et 3 bébés, créant ainsi une file d'éléphants verts de 30 m de long.

℞ ROBE DE CHEVEUX

Ioana Cioanca, de Bistrita Nasaud, en Roumanie, a créé une garde-robe entière à partir de ses cheveux. Âgée aujourd'hui de 72 ans, elle les a laissé pousser depuis l'âge de 16 ans jusqu'à ce qu'ils mesurent 1 m pour pouvoir être tissés. Elle les a déjà transformés en chapeau, en châle, en jupe, en chemisier, en imperméable, en gants et en sac à main.

℞ FIGURINES DE GLACE

Pour attirer l'attention du public sur le réchauffement climatique, l'artiste brésilien Nele Azevedo a sculpté 1 000 figurines miniatures dans de la glace et les a exposées sur les marches du Concert Hall de Berlin en septembre 2009. Là, il les a regardées fondre rapidement sous une température de 23 °C.

Ange d'art

Cherchez votre jouet favori dans cette statue entièrement faite de jouets en plastique. L'artiste Robert Bradford, qui vit à Cornwall, en Angleterre, récupère des milliers de ces objets abandonnés et les utilise pour créer des poupées à taille humaine. *L'Ange des jouets* mesure 2 m de haut et a demandé 2 mois d'assemblage. L'artiste a aussi réalisé un soldat en plastique d'une taille similaire, ainsi que des bâtiments et divers animaux.

ℝ PAS DE RETRAITE

En 2009, à l'âge de 97 ans, Martin Filchock de Williamson County, dans le Tennessee, travaillait encore comme dessinateur. Avec 75 ans de carrière derrière lui, il produisait et vendait encore son travail.

ℝ TABLEAUX DE SABLE

L'artiste ukrainienne Kseniya Simonova dessine des images marquantes inspirées par la 2e Guerre mondiale avec du sable. Elle dessine avec ses doigts sur une table lumineuse pour montrer comment les gens de son pays ont été affectés par l'invasion allemande.

ℝ COCHON CACHÉ

L'image d'un cochon égorgé a été découverte par un restaurateur américain en 2009, dans un tableau où elle était restée dissimulée pendant 350 ans. *Intérieur de grange*, une toile du XVIIe siècle peinte par Egbert van der Poel, fut exposée au Calvin College, Michigan, en 2007, avant d'être envoyée au restaurateur Barry Bauman, de Chicago, pour être nettoyée. Bauman remarqua alors qu'une échelle sur la gauche de l'image avait été recouverte de peinture, laquelle s'écaillait. Sous cette couche, il trouva l'image du cochon mort, pendu à l'échelle.

ℝ HYPER RÉALISTE

L'artiste new-yorkaise Alyssa Monks crée des peintures si détaillées qu'elles ressemblent à des photos. Elle prend environ 1 000 clichés – généralement de gens qu'elle connaît – pour une série de toiles, s'en servant comme base pour rendre le résultat aussi réaliste que possible. Pour le tableau d'une femme sous la douche, elle a même reproduit l'effet de vapeur et les gouttes d'eau à la main.

ℝ TALENTS MULTIPLES

Kim Noble, de Londres, peint dans le style de 20 personnes différentes. Elle souffre d'un trouble dissociatif de la personnalité rare : 20 personnes vivent en elle, allant d'une adolescente anorexique appelée Judy à un homme appelé Ken. La plupart de ses personnalités peignent et chacune a son propre style. En 2 ans, Kim a produit plus de 200 toiles.

ℝ RECONNAISSANCE TARDIVE

55 ans après avoir été renvoyé de l'école en étant traité de bon à rien, un artiste connu a reçu une commande pour peindre le portrait du directeur qui l'avait renvoyé. David Ingham avait été exclu à 12 ans de l'Ermysted Grammar School, en Angleterre, par Marcelus Forster. En 2008, la même école l'a contacté pour qu'il peigne son portrait.

ℝ PEINTURE AU DOIGT

En août 2009, 6 000 enfants de Belfast, en Irlande du Nord, ont utilisé de la peinture au doigt pour décorer une toile de 2 090 m² avec l'image d'une maison.

ℝ VOYAGEUR VIRTUEL

L'artiste Bill Guffey peint des images étonnantes des 4 coins du monde... sans jamais quitter son appartement. Au lieu de cela, il utilise Google Street View. Il passe des centaines d'heures à parcourir des milliers de kilomètres virtuels pour découvrir de beaux paysages dans chaque État des États-Unis et en Europe, avant de s'asseoir dans son studio pour les peindre. Parmi ses toiles, qui se vendent jusqu'à 2 500 $, on trouve une demeure isolée en Écosse, un bateau sur les canaux d'Amsterdam et un taxi jaune new-yorkais.

℞ HUMBLES COLLECTIONNEURS

Bien qu'appartenant à la classe moyenne, Herb et Dorothy Vogel ont amassé une collection d'art de près de 5 000 pièces. Respectivement postier et libraire, ils vivent dans un studio à Manhattan, mais leur collection, qui vaut des millions de dollars, est si importante qu'elle a été acceptée par la National Gallery of Art de Washington.

℞ CLAQUETTISTE ÉCLAIR

Le danseur de claquettes Jo Scanlan de Swindon, en Angleterre, peut taper le sol plus de 780 fois en 1 minute, soit plus de 13 coups par seconde !

℞ BALADE D'ÉPOQUE

En septembre 2009, plus de 400 fans de l'auteur anglais Jane Austen se sont promenés dans les rues de Bath, en Angleterre, habillés à la mode du XVIIIe siècle.

Œuvre d'arbre

L'artiste anglais Tim Knowles a trouvé d'étonnants assistants : il laisse les arbres faire le travail à sa place ! En posant un chevalet sous l'un d'eux et en attachant des pinceaux aux branches, les peintures se créent toutes seules quand le vent souffle. Si l'on en croit Knowles, chaque arbre a son style : l'aubépine dessine des formes anguleuses, alors que les coups de pinceau du saule pleureur sont plus doux.

℞ ANTIGRAFFITI

Un artiste de rue anglais connu sous le nom de Moose a créé une nouvelle forme d'art, l'antigraffiti. Il utilise des grattoirs, un Kärcher et des brosses pour créer des dessins propres sur des supports sales, comme les murs des tunnels ou les trottoirs.

℞ GALERIE FANTÔME

Le cimetière de Green-Wood, à Brooklyn, renferme une collection de tableaux peints par quelques-unes des 600 000 personnes enterrées là.

Arbres vivants

AU FIN FOND D'UNE FORÊT D'EUCALYPTUS À VICTORIA, EN AUSTRALIE, UN SCULPTEUR A PASSÉ 59 ANS À CRÉER PLUS DE 90 ŒUVRES D'ART ÉTONNANTES DANS LES ARBRES. WILLIAM RICKETTS COMMENÇA SON PROJET EN 1934 ET TRAVAILLA JUSQU'À SA MORT EN 1993, SCULPTANT DES VISAGES MYSTÉRIEUX QUI SEMBLENT SORTIR DES ARBRES ET DES ROCHERS, MAIS SONT EN FAIT DES MOULAGES DE CÉRAMIQUES INTÉGRÉS DANS L'ENVIRONNEMENT. LES AUTORITÉS LOCALES FINIRENT PAR PROTÉGER CETTE PARCELLE ET RICKETTS VÉCUT DANS LA FORÊT JUSQU'À 90 ANS PASSÉS.

Londres.

L'ARTISTE CHINOIS LIU BOLIN UTILISE UNIQUEMENT DE LA PEINTURE ET UN DÉCOR DE SON CHOIX POUR CRÉER CES ÉTONNANTES ŒUVRES D'ART. SURNOMMÉ « L'HOMME INVISIBLE », LIU PARVIENT À SE DISSIMULER TOTALEMENT DANS LE DÉCOR EN PEIGNANT SUR SES VÊTEMENTS LES COULEURS ET LES DÉTAILS PRÉCIS DE L'ENVIRONNEMENT, SANS TRICHERIE NUMÉRIQUE. DANS DES CENTAINES DE LIEUX AUTOUR DU MONDE, LIU EST UN TEL EXPERT DU CAMOUFLAGE QUE, LA PLUPART DU TEMPS, LES PASSANTS NE LE REMARQUENT MÊME PAS. UN ASSISTANT L'AIDE MÊME À PEINDRE SON CORPS (IL DOIT RESTER PARFAITEMENT IMMOBILE DURANT LE PROCESSUS) ; IL FAUT PARFOIS 10 HEURES POUR RECRÉER L'IMAGE À LA PERFECTION.

Une des rares photos de Liu Bolin.

Sichuan, en Chine.

Londres.

Pékin.

MAÎTRE DE L'OMBRE ET DE LA LUMIÈR

L'ARTISTE LONDONIEN BENJAMIN SHINE A CRÉÉ CE PORTRAIT DU MAÎTRE FLAMAND REMBRANDT VAN RIJN EN UTILISANT JUSTE UN MORCEAU DE TULLE NOIR DE 8 M SUR 3. BENJAMIN A UTILISÉ UNE TECHNIQUE DE PLISSAGE ET PRESSAGE COMPLEXE ET A MIS PLUS DE 200 HEURES POUR PARVENIR AU RÉSULTAT FINAL. REMBRANDT, CONNU COMME LE MAÎTRE DE L'OMBRE ET DE LA LUMIÈRE, ÉTAIT UN SUJET PARFAIT POUR CET ARTISTE, QUI A LUI AUSSI TRAVAILLÉ SUR LES NUANCES DE LUMIÈRES SUR LE TULLE POUR CE PORTRAIT.

℞ HOMMAGE À « THRILLER »

Pour marquer ce qui aurait dû être
le 51e anniversaire de Michael Jackson,
le 29 août 2009, plus de 12 000 personnes
se sont rassemblées à Mexico pour reproduire
la chorégraphie du clip de 1983, « Thriller ».

℞ ONDE DE CHOC

Pour son exposition à Londres, « Let There Be
More Light », l'artiste Paul Fryer a construit
2 diapasons de 5 m de haut qui,
en vibrant à 72 hertz, envoyaient des ondes
de choc dans le corps des visiteurs.

℞ GIRAFE PLIÉE

Himanshu Agrawal de Mumbaï, en Inde,
a passé 12 heures à plier une feuille de papier
de 11 m sur 11 pour en faire une girafe
de 6 m de haut. Conçu par l'origamiste
américain John Montroll, l'animal a nécessité
plus de 100 mouvements et 70 plis dans
le papier. L'œuvre finie a été montée sur
une structure en bambou.

℞ MARATHON DU D.J.

Un D.J. allemand est resté à l'antenne
non-stop pendant plus d'1 semaine en
avril 2009. Dominik Schollmayer a présenté
son émission à Hanovre pendant 169 heures
consécutives.

℞ ROBE EN PAPIER

En septembre 2009, une femme s'est mariée
à Kunming, dans la province du Yunnan,
en Chine, vêtue entièrement de papier.
La styliste Zhu Zhu a mis 2 mois et demi
à concevoir la robe de papier de coton
pour la mariée, sa meilleure amie Sha Sha.

℞ POINT D'ORGUE

Le coach vocal, compositeur et producteur
de musique Richard Fink IV de Bergen, dans
l'État de New York, a tenu une note pendant
1 min et 43 s en septembre 2009.
Il s'est préparé à ce défi en faisant
des exercices de yoga et du jogging.

℞ OPÉRA SUR TWITTER

En 2009, la Royal Opera House de Londres
a mis en scène un opéra écrit par les
internautes grâce à Twitter. Les gens étaient
invités à créer le livret en proposant des
phrases de 140 caractères maximum via
le site Internet. Les paroles ont ensuite
été adaptées sur la musique, des œuvres
de la compositrice Helen Porter mélangées
à des airs d'opéra connus.

Erika Simmons crée
un portrait en bande de cassette
de la chanteuse anglaise Amy
Winehouse.

Un portrait de Ian
Brown, le chanteur
du groupe anglais
des années 1980
Stone Roses, créé
à partir d'une
cassette déroulée.

Bande rock'n'roll

La fan de musique Erika Simmons d'Atlanta, en Georgie, a trouvé un moyen de
recycler toutes ses vieilles cassettes : elle les transforme en œuvres d'art ! En utilisant
une cassette par toile, Erika crée des portraits de légendes de la musique comme
Jimi Hendrix, Bob Dylan, Jim Morrison, Amy Winehouse et Ian Brown. Avec cette
collection, baptisée « Fantômes dans la machine », Erika encourage le spectateur à
s'interroger : la musique est-elle sur la cassette, dans la tête du musicien, ou les deux ?

℞ DÉFIER LA GRAVITÉ

Bryan Berg de Spirit Lake, dans l'Iowa, a créé
une étonnante sculpture des monuments
londoniens Big Ben et le Parlement sans
utiliser de colle ou de scotch, à partir
de plus de 600 jeux de cartes. Il lui a fallu
plus de 5 jours pour terminer la structure
de 3,6 m sur 2,1 à Las Vegas, dans le Nevada,
en juillet 2009.

℞ ACCESSOIRES D'HOLLYWOOD

Le fan de cinéma Luke Kay de Swindon,
en Angleterre, possède une collection
de souvenirs d'Hollywood valant plus
d'1 million de dollars. Entre autres :
2 costumes portés par l'acteur Mark Hamill
(Luke Skywalker) dans *La Guerre des étoiles*,
et une des voitures utilisées dans la série
K2000, avec David Hasselhoff.

Galerie

MONA VERTE
Sculptée sur la pelouse de Chris Naylor à Londres en juillet 2008, cette représentation écolo lui a demandé 2 jours de travail avec une petite tondeuse et une variété d'outils de jardin.

MONA-LOWEEN
Daniel Hamlin a taillé le célèbre sourire dans une citrouille en 2005, créant une version « Halloweenesque » de l'œuvre d'art.

MONA MULTIPLE

LE TABLEAU LE PLUS CÉLÈBRE AU MONDE, « LA JOCONDE », EST UNE ŒUVRE D'ART RECONNAISSABLE AU PREMIER COUP D'ŒIL, MÊME CONSTRUITE EN PIÈCES INFORMATIQUES. AU LIEU D'UTILISER LA PEINTURE TRADITIONNELLE, CES ARTISTES INVENTIFS ONT UTILISÉ TOUS LES MATÉRIAUX DISPONIBLES, DES LÉGUMES AUX RUBIK'S CUBES. VOICI LE CHEF-D'ŒUVRE DE LÉONARD DE VINCI TEL QUE VOUS NE L'AVEZ JAMAIS VU.

MONA BOUE
En 2006, l'artiste Scott Wade a dessiné cette version poussiéreuse sur le pare-brise arrière de sa voiture. Il a créé le canevas en conduisant sur un mélange de poudre de calcaire, de gravier et d'argile, qui s'est déposé sur la vitre. Il a ensuite façonné la poussière pour recréer l'œuvre d'art, laissant la pluie adoucir les angles et éclaircir son travail.

MONA RIZ
Depuis 1993, les fermiers de la ville rurale d'Inakadate, au Japon, créent des œuvres d'art étonnantes juste avant la récolte. Sur un canevas de 15 000 m², des plants de riz violets et jaunes sont placés à côté d'autres de couleur normale. Le tableau se révèle au fur et à mesure que se développent les plantes.

MOCHA LISA

Il a fallu 3 heures, 3 604 tasses de café et 267 l de lait pour réaliser ce portrait en sépia de 6 m sur 4. Exposé sur le sol du Rocks Aroma Festival de Sydney, en Australie, en 2009, il a été créé en versant plus ou moins de lait dans chaque tasse.

MONA TOFU

Avec ses cheveux en nouilles et ses yeux en poivre, la Mona Lisa végétarienne de l'artiste chinois Ju Duoqi est faite de riz, d'algues et de tofu. Le portrait, qui utilise les légumes chinois les plus communs, a été présenté au Vegetable Museum de Pékin en 2008.

MONA VISTA

Faite de centaines de puces informatiques, *Technology Smiling* a été montrée à l'exposition high-tech internationale à Pékin, en mai 2006.

DINO LISA

Mona Lisa devient un tyrannosaure dans ce portrait numérique baptisé *Le Jocondausaure*. C'est l'une des 100 parodies, copies et recréations présentées lors de l'exposition « 100 sourires de Mona Lisa » au Metropolitan Museum de Tokyo, en 2000.

MONA TOAST

En 1983, le Japonais Tadahiko Ogawa a brûlé 1426 tranches de pain qu'il a ensuite soigneusement grattées pour recréer les dégradés du célèbre tableau.

MONA CUBE

The Invader est un mystérieux artiste de rue qui recrée des œuvres d'art célèbres, des événements historiques et des portraits de célébrités avec des Rubik's cubes. Sa reproduction de Mona Lisa lui a demandé 2 jours de travail en 2009 : chaque face de cube, composée de seulement 6 couleurs, devait former un dessin précis pour trouver sa place dans le tableau.

℞ GRASSE MONA

En 2009, l'artiste Phil Hansen de Minneapolis, dans le Minnesota, a recréé *La Joconde* à partir de graisse de hamburgers ! Il a dessiné avec ses mains dans la graisse de 14 burgers sur une feuille de papier de boucher de 3,35 m.

℞ MOSAÏQUE MAGIQUE

Des enfants ont aidé à construire un portrait géant de l'auteur d'Harry Potter, J.K. Rowling, en 2009, à partir de 48 000 briques de Lego blanches, jaunes et grises. Il était si grand que les visiteurs du parc d'attraction Legoland de Berkshire, en Angleterre, devaient monter sur une échelle pour y ajouter des briques.

℞ CRÉATION DE CENDRES

Val Thompson, de Tyne and Wear, en Angleterre, peint de magnifiques œuvres d'art en utilisant les cendres des êtres aimés de ses clients. En mélangeant les restes incinérés avec de la peinture, elle ajoute de la texture à ses toiles et crée des hommages personnalisés et uniques.

℞ VILLAGE GÉNÉALOGIQUE

Peggy et Peter Newman, du Sommerset, en Angleterre, ont passé 25 ans et dépensé près de 100 000 € pour reproduire l'histoire de leur famille à travers une série de maisons miniatures. Chaque élément de la collection, qui retrace près de cinq siècles et 13 générations de parents, depuis le règne d'Henry VIII, a été construit à la main en 6 mois par le couple et est historiquement correct jusqu'à la dernière brique.

℞ COURRIER INDÉSIRABLE

Free Paper, une exposition de l'artiste Annette Lawrence d'Austin, au Texas, a été créée entièrement à partir des prospectus déposés dans sa boîte aux lettres pendant un an. Elle a découpé les feuilles de papier en bandes de 5 cm de large et les a exposées en 12 piles bien carrées.

℞ UNE SEULE MAIN !

Le compositeur Maurice Ravel (1875-1937) a composé le *Concerto pour la main gauche* en 1930 pour son ami, le pianiste autrichien Paul Wittgenstein, qui avait perdu son bras droit lors de la Première Guerre mondiale.

℞ ALBUM BALAISE

À Orlando, en Floride, Dodge a ouvert un album photo qui mesure 2,7 m sur 3,6. Créé pour célébrer le lancement de la Dodge Grand Caravan en 2008, il retraçait l'histoire du mini van Dodge en 20 pages, si lourdes qu'il fallait au moins 2 adultes pour les tourner.

℞ HEAVY METAL

Un musicien ambulant de Cambridge, en Angleterre, chante et joue de la guitare coincé dans une petite poubelle en métal. Charlie Cavey a découvert son lieu de concert particulier en regardant les éboueurs le vider de son contenu. Mesurant 1,75 m, il a décidé qu'il pouvait tenir dedans et, bien qu'il s'y trouve un peu à l'étroit, fait un tabac auprès des passants.

℞ GROS LIVRE

La Grande Encyclopédie de Yongle, compilée en Chine durant la dynastie Ming et élaborée en 4 ans, se divisait en 11 095 livres.

QUEUE DE CURE-DENTS

GREG LEWIS, DE CHESTERFIELD, EN VIRGINIE, CRÉE D'ÉTONNANTES SCULPTURES À PARTIR D'OBJETS DU QUOTIDIEN QUE PERSONNE NE SONGERAIT À UTILISER POUR FAIRE DE L'ART. BAPTISÉE *HATTERAS*, CETTE SIRÈNE A DEMANDÉ 3 ANS DE TRAVAIL ET EST CONSTITUÉE DE 67 000 CURE-DENTS. GREG A INVENTÉ UNE TECHNIQUE QUI LUI PERMET DE FAÇONNER CEUX-CI POUR LEUR DONNER DES FORMES RONDES ET RÉALISTES QUI SEMBLENT ÊTRE SCULPTÉES DANS DU BOIS PLEIN.

Grande maquette

L'ancien ouvrier de plate-forme pétrolière David Reynolds, de Southampton, en Angleterre, s'est inspiré de son expérience pour construire la maquette d'une plateforme en mer du Nord avec plus de 4 millions d'allumettes. Il lui a fallu 15 ans pour terminer sa création dans son salon, en travaillant jusqu'à 10 heures par jour. Elle mesurait 6,4 m de long, 3,65 m de haut et pesait 1 t.

℞ UNE SEULE LIGNE

Sethu Subramaniyan, de Bengalore, en Inde, a passé six mois à dessiner un portrait de Qaboos Ibn Sa'id, le sultan d'Oman, en une seule ligne continue, commençant et terminant à sa signature, sans qu'elle ne se croise jamais elle-même.

℞ ŒUF PEINT

En 2009, la ville roumaine de Suceava a dévoilé un énorme œuf de Pâques en fibre de verre haut de 7,25 m, d'un diamètre de 4,6 m et pesant 1,8 t.

℞ OBAMA CROQUÉ

George Vlosich III de Lakewood, dans l'Ohio, a dessiné un portrait extrêmement détaillé du Président Obama, flanqué du cachet présidentiel, d'Abraham Lincoln et du drapeau américain, sur une ardoise magique! Il lui a fallu 80 heures pour dessiner le tout en une seule ligne continue en utilisant les 2 boutons du jouet. Il a déjà créé des portraits de superstars telles que les Beatles, Tiger Woods, Will Smith, Elvis Presley et Muhammad Ali.

℞ DRAPEAU DE PERLES

Jeyaraman Ravi, un immigré indien vivant à Abu Dhabi, dans les Émirats arabes unis, a passé 14 mois à créer un drapeau en tissant ensemble 288 400 perles. Il mesurait 3 m sur 1,5 et pesait 10 kg.

℞ NATIVITÉ EN BOUTEILLE

Barbara Knecht, de Mountain Falls, en Virginie, a construit une crèche à partir de capsules de bouteille, en utilisant différentes marques de bières pour varier les couleurs.

Allumettes magiques

Un fan d'Harry Potter a créé sa propre copie détaillée de Poudlard à partir de 602 000 allumettes. Patrick Acton, de Gladbrook, dans l'Iowa, a passé 2 ans à construire l'œuvre, qui tient grâce à 57 l de colle, fait 3 m de large et s'élève à 2,4 m de haut. Il a réussi à reproduire chaque détail de l'école fictive, des meurtrières aux cloches de la tour d'horloge.

Toiles sur plumes

Un artiste du nord du pays de Galles utilise des plumes de cygne comme canevas pour ses œuvres. Après les avoir récupérées dans un élevage de cygnes voisin, Ian Davie les nettoie et les redresse avec une pince à épiler. Il utilise alors de la peinture acrylique pour les protéger et recouvrir, ajoutant les détails de ses compositions avec un pinceau de taille 0. Chaque œuvre d'art demande à peu près 7 jours de travail et se vend jusqu'à 600 €.

Lingerie de récup

L'audacieuse styliste Ingrid Goldbloom Bloch, du Massachusetts, crée des sous-vêtements sexy à partir de métal récupéré dans les poubelles, en particulier des canettes de soda. Bien qu'étant sans doute extrêmement inconfortables, ils sont ingénieusement conçus. Si vous regardez son bustier rouge vif de plus près, vous verrez qu'il est constitué de petits morceaux de canettes de Coca-Cola passées avec soin dans une grille métallique.

℞ ILLUSION D'OPTIQUE

L'artiste californien John Pugh est spécialisé en trompe-l'œil, amenant le spectateur à voir une scène en 3D alors qu'elle est peinte sur une surface plane. Sur les murs d'un immeuble intact de Los Gatos, il a créé l'illusion de dégâts causés par un tremblement de terre, peignant des murs délabrés révélant un temple maya. Une autre œuvre, montrant une immense vague prête à s'abattre sur un trottoir d'Honolulu, à Hawaï, a l'air si réelle qu'une équipe de pompiers s'est arrêtée pour secourir les enfants en danger, avant de s'apercevoir qu'il s'agissait d'une illusion.

℞ LA MUSIQUE ADOUCIT LES MEUH

Un fermier autrichien joue de l'accordéon à son troupeau de vaches pour les calmer et améliorer leur production de lait. Franz Koeberl et sa famille organisent des concerts pour leurs animaux dans les collines autour de leur ferme de Birkfeld. Ils ont ainsi découvert qu'elles préféraient la musique classique, particulièrement Strauss. La musique s'est révélée si bénéfique pour les vaches que Koeberl a même compilé un CD de leurs airs préférés.

℞ JOLIE CABANE

L'artiste anglaise Sarah Hardacre tricote des écharpes pour les arbres. Elle a recouvert une cabane de jardin entière avec des carrés de tricot.

℞ TÊTE DE GORILLE

L'artiste écossais David Mach a créé une sculpture extraordinairement réaliste d'une tête de gorille... avec 30 000 allumettes. En collant chacune d'elles sur un moule, il lui a fallu 3 mois pour terminer la tête, qui mesure 30 cm de haut. Il recrée les traits de l'animal et les différentes teintes de peau en utilisant des allumettes avec des têtes de différentes couleurs. Ses œuvres, parmi lesquelles on trouve aussi un grizzly et un rhinocéros, se vendent jusqu'à 35 000 € pièce.

℞ PIANO MAN

Colin Huggins, le « Fou au piano », transporte son piano droit de 115 kg dans les parcs, au coin des rues, et même dans les stations de métro de New York, grâce aux ascenseurs. Il ne joue que pour le plaisir.

Ⓡ CHORALE DE MASSE

En mai 2009, plus de 160 000 personnes se sont rassemblées en Inde pour former une chorale. La foule de chanteurs a entonné des hymnes en l'honneur d'une déité hindoue dans la ville d'Hyderabad.

Ⓡ CLUB DE TRICOTEUSES

12 femmes ont passé 23 ans à tricoter une réplique parfaite de leur village natal de Mersham, dans le Kent. Elles ont créé plus de 60 maisons en laine, dont une église, 2 pubs, un magasin, une école, un manoir, et des dizaines de cottages avec des jardins en fleurs.

Ⓡ JOLIS ENJOLIVEURS

Ken Marquis, de Wilkes-Barre, en Pennsylvanie, collectionne les œuvres d'art créées à partir d'enjoliveurs de voiture. Pour participer à son projet « Landfillart », des artistes de 51 pays et de tous les États américains lui ont envoyé leurs enjoliveurs décorés. Certains ont peint des animaux, d'autres y ont ajouté des bijoux, des ailes et même un sablier.

Ⓡ SOUVENIRS DOULOUREUX

Après s'être séparée de son petit ami, l'artiste Olinka Vistica, de Zagreb, en Croatie, a décidé d'ouvrir le Musée des amours brisées à Berlin pour exposer les souvenirs de rupture. On y trouve entre autres une robe de mariée, des bagues de fiançailles, des lettres d'amour, un fax, une paire de roller-blades, un tigre en peluche et des calculs biliaires. Une hache utilisée par une femme pour briser le mobilier de son ex est également exposée, ainsi que les vestiges dudit mobilier.

Ⓡ PANTALON EXTRA-LARGE

En 2009, le styliste tunisien Larbi Boukamha a créé un pantalon aussi grand qu'un immeuble de 22 étages. Il a travaillé 8 heures par jour pendant 2 mois pour fabriquer le pantalon, qui mesurait 50 m de long, avait une taille de 36 m et utilisait 1,6 km de tissu.

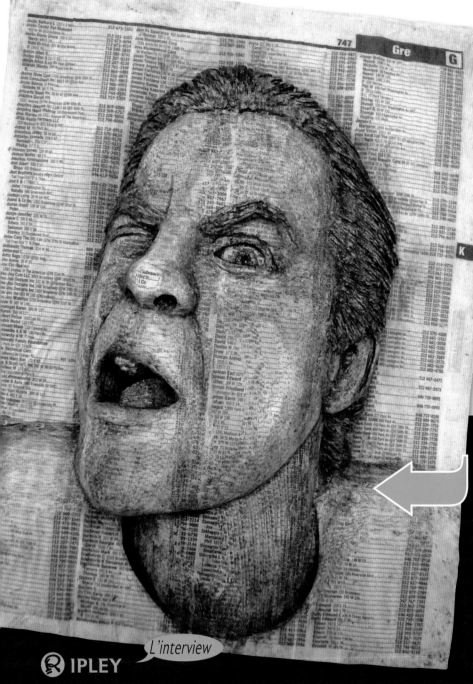

ANNUAIRE DE VISAGES

L'ARTISTE ALEX QUERAL, DE PHILADELPHIE, EN PENNSYLVANIE, CRÉE DES PORTRAITS QUI SORTENT DE LA PAGE. LORSQU'IL TRAVAILLAIT ENCORE AVEC DE LA PEINTURE, IL ESSAYAIT TOUJOURS D'AJOUTER DE LA MATIÈRE ET DE LA PRÉSENCE À SES VISAGES, MAIS CELA L'OBLIGEAIT À UTILISER BEAUCOUP DE MATIÈRE, CE QUI REVENAIT TRÈS CHER. IL SE MIT DONC À LA RECHERCHE D'UNE AUTRE TECHNIQUE. QUAND LES NOUVEAUX ANNUAIRES DE L'ANNÉE ARRIVÈRENT DANS SON QUARTIER, IL SE RENDIT COMPTE QU'ILS ÉTAIENT COMME DES BLOCS DE BOIS LÉGERS. COMME IL Y EN AVAIT EN SURPLUS, IL EUT L'IDÉE DE S'EN SERVIR DE BASE POUR SES ŒUVRES, SCULPTANT DES VISAGES EN 3D DANS LE VOLUME PLUTÔT QUE DE LES CRÉER AVEC DE LA PEINTURE.

L'interview

Ⓡ IPLEY

Comment créez-vous ces visages ? J'aimais l'idée de listes de noms et de numéros sur les visages eux-mêmes, et j'étais attiré par l'idée qu'ils essayent de sortir d'un annuaire, comme pour s'extraire d'une liste de noms anonymes. Je sculpte avec des couteaux d'artiste et des lames de rasoir ordinaires, en utilisant la reliure pour tenir le tout, puis je passe du vernis acrylique pour coller l'ensemble avant de continuer à couper. Je fixe ensuite le visage terminé avec plusieurs couches de vernis. J'utilise un peu de peinture noire pour faire ressortir les détails des yeux, de la bouche et des cheveux.

WUNDERLAND FERROVIAIRE

Depuis l'année 2000, les jumeaux Frederick et Gerrit Braun construisent une voie ferrée en taille réduite comprenant plus de 10 km de rails. Élaboré à partir de 4 t d'acier, leur *Wunderland* regroupe plus de 16 000 figurines, 700 locomotives, 10 000 remorques et wagons, 2 800 constructions, 900 panneaux de signalisation et 750 kg d'herbe artificielle. Il reproduit 6 régions, des États-Unis aux Alpes, avec en particulier des répliques du Grand Canyon, de Las Vegas et du mont Rushmore.

VILLE MODÈLE

Un couple anglais et romantique a passé 20 ans à construire une ville miniature de 6 m reproduisant le quartier de Londres où ils se sont rencontrés. Stanley et Christine Buck ont construit cette réplique de Greenford dans la cabane de jardin de leur maison du Cambridgeshire. On y trouve des cafés, des boutiques et un cinéma avec, à l'affiche, les films que le couple est allé voir lors de leurs premières sorties ensemble, dans les années 1950.

CLOUÉ AU MUR

L'artiste australien Mike Parr s'est produit à l'Artspace Gallery de Sidney en restant pendant 36 heures avec un bras cloué à un mur.

TOUR DE CHEVEUX

Le coiffeur chinois Huang Xin a créé un modèle réduit de la porte Zhengyangmen, située sur la place Tian'anmen, à Pékin, à partir de cheveux récupérés dans sa boutique. Il lui a fallu 5 mois et 11 kg de poils pour réaliser cette œuvre de 86 cm de long, 30 cm de large et 60 cm de hauteur. Après avoir lavé et teint les cheveux – uniquement féminins, car ils sont plus doux –, il les a collés sur du papier avant de leur donner les formes désirées.

L'HORREUR DANS LES TOILETTES

Une société japonaise a imprimé une histoire d'horreur sur du papier toilette. *Drop*, une nouvelle en 9 chapitres de Koji Suzuki, est disponible dans une toilette publique, imprimée sur 1 mètre de papier en rouleau. Il ne faut que quelques minutes pour la lire.

TAILLÉ COMME UNE BALEINE

Nicki Leggett, de Whitstable, en Angleterre, a mis 3 ans pour tailler avec amour la haie de son jardin et lui donner la forme d'une baleine.

LEGO JÉSUS

Une église suédoise marqua la Pâques 2009 en dévoilant une statue grandeur nature de Jésus Christ en Lego. Pendant 18 mois, les fidèles de l'église Oensta Gryta, à Vaesteras, apportèrent près de 30 000 briques de Lego pour construire la statue, haute de 1,78 m et inspirée par une sculpture danoise de la résurrection du Christ.

SINGE DE CHAUSSETTES

Cherylle Douglas, de Merritt, au Canada, a créé un singe géant – 2,70 m de haut – en cousant ensemble 32 paires de chaussettes de laine. Il pèse 23 kg.

SERVEZ-VOUS !

En novembre 2008, l'artiste londonien Adam Neate a semé 1 000 œuvres d'art dans la ville à l'intention des passants. Au cours de sa carrière, il en a éparpillé plus de 6 000 dans la capitale anglaise, imprimées sur du carton.

ÉCHANTILLON DE SANG

Un livre grand format publié par l'éditeur Kraken Opus et consacré à la légende du football argentin Diego Maradona offrait un échantillon de sang et de cheveux du joueur aux 100 premiers acheteurs.

SOL LÉCHÉ

L'artiste coréen Hoon Lee a donné un spectacle au centre d'art contemporain Bemis, au Nebraska, durant lequel il léchait du glaçage pâtissier jaune répandu sur 230 m² de sol.

LA FONTE D'OBAMA

Une statue de cire de Barack Obama fut dévoilée à Paris durant l'été 2009, en pleine canicule. On dut la protéger avec des ombrelles pour stopper la fonte du visage du Président.

TICKET DE CAISSE

Un ticket de caisse de supermarché pour une valeur de 100 $ et listant 36 produits blancs, allant du riz en sachets de cuisson au papier toilette, fut exposé dans la prestigieuse galerie Tate, à Londres, en 2009. Cette œuvre conceptuelle, réalisée par le Pakistanais Ceal Floyer, intitulée « Ticket de caisse monochrome (blanc) » était évaluée à 30 000 €.

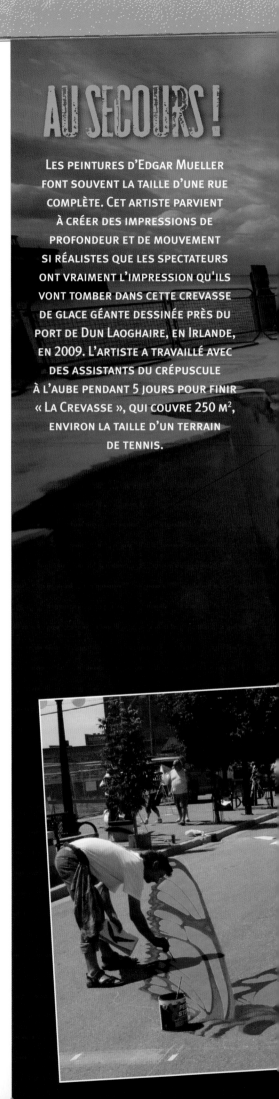

AU SECOURS !

LES PEINTURES D'EDGAR MUELLER FONT SOUVENT LA TAILLE D'UNE RUE COMPLÈTE. CET ARTISTE PARVIENT À CRÉER DES IMPRESSIONS DE PROFONDEUR ET DE MOUVEMENT SI RÉALISTES QUE LES SPECTATEURS ONT VRAIMENT L'IMPRESSION QU'ILS VONT TOMBER DANS CETTE CREVASSE DE GLACE GÉANTE DESSINÉE PRÈS DU PORT DE DUN LAOGHAIRE, EN IRLANDE, EN 2009. L'ARTISTE A TRAVAILLÉ AVEC DES ASSISTANTS DU CRÉPUSCULE À L'AUBE PENDANT 5 JOURS POUR FINIR « LA CREVASSE », QUI COUVRE 250 M², ENVIRON LA TAILLE D'UN TERRAIN DE TENNIS.

LE + DE ®IPLEY

CETTE DISCIPLINE ARTISTIQUE S'APPELLE L'ANAMORPHOSE. L'IMAGE FONCTIONNE UNIQUEMENT SI ON LA VOIT SELON LE BON ANGLE. SI VOUS REGARDEZ LES ŒUVRES DE MUELLER DU MAUVAIS CÔTÉ, ELLES VOUS APPARAÎTRONT COMME DE SIMPLES PEINTURES SUR LE SOL, PLATES ET DÉFORMÉES. DONNER L'ILLUSION DE LA PROFONDEUR DEMANDE UNE GRANDE PRÉCISION. APRÈS AVOIR UTILISÉ UN APPAREIL PHOTO NUMÉRIQUE POUR DÉTERMINER PRÉCISÉMENT LES ANGLES DE VISION, EDGAR DESSINE DES LIGNES À LA CRAIE SUR LE SOL AVANT D'Y AJOUTER DES COUCHES DE PEINTURE ACRYLIQUE POUR FINALISER L'IMAGE EN 3D.

Illusion d'insecte

Edgar Mueller et Manfred Stader ont créé cette vision d'un papillon géant s'échappant d'un effondrement dans le sol lors d'un festival artistique au Saskatchewan, au Canada. En regardant sous un autre angle, on voit clairement comment l'illusion est créée à partir d'un dessin plat et déformé.

Enno dessine à la peinture acrylique sur des plaques à œufs en carton, utilisant les reliefs de ce support pour donner davantage d'expression à ses personnages.

Enno peint non seulement des portraits sur des plaques à œufs, mais aussi des natures mortes, comme cette coupe de fruits.

ART d'œuf

L'ARTISTE HOLLANDAIS ENNO DE KROON A DÉCOUVERT UNE NOUVELLE MANIÈRE DE RECYCLER LES PLAQUES À ŒUFS: IL LES UTILISE COMME TOILES POUR SES PEINTURES, LES VENDANT 675 € PIÈCE. SON ATELIER DE ROTTERDAM EST REMPLI DE CES PLAQUES EN CARTON PRÊTES À ÊTRE DÉCORÉES DE PORTRAITS ÉTONNANTS. LES ALVÉOLES DE CE SUPPORT PERMETTENT DE DONNER DIFFÉRENTES FORMES AU DESSIN, EN FONCTION DE L'ANGLE SOUS LEQUEL ON LE REGARDE. ENNO, QUI S'INSPIRE D'ARTISTES CUBISTES DU DÉBUT DU XXᵉ SIÈCLE COMME PICASSO, A NOMMÉ SES CRÉATIONS « CUBISMŒUF ». ELLES SE RÉVÈLENT DANS TOUTE LEUR SPLENDEUR LORSQU'ON LES REGARDE DE TRAVERS, ET NON DE FACE, COMME UN TABLEAU NORMAL. LA DÉMARCHE D'ENNO EST DE FAIRE DÉCOUVRIR AUX SPECTATEURS UNE NOUVELLE FACETTE DE SES TABLEAUX EN FONCTION DE L'ANGLE SOUS LEQUEL ILS LES REGARDENT.

Le visage n'apparaît correctement que lorsqu'on se place sous un angle précis.

ⓡ IPLEY   L'interview

Quand avez-vous commencé à peindre sur ces plaques en carton ? J'en avais une certaine quantité qui traînaient dans mon atelier depuis quelque temps, prêtes à être peintes, mais il m'a fallu du courage pour m'y mettre. J'ai toujours essayé de jouer avec les perspectives et les déformations que cela implique, ce qui met le spectateur plutôt mal à l'aise.

Qu'est-ce qui vous pousse à utiliser ces plaques plutôt qu'une toile classique ? En tant que peintre, je les considère comme des objets à deux dimensions et demie, ce qui m'ouvre de nouveaux horizons. Les sortes de vagues qui déforment la surface de ces plaques limitent la perception du spectateur. Elles lui font aussi prendre conscience de sa position par rapport au tableau. Les plaques à œufs créent des problèmes qui demandent une nouvelle approche de la part de l'artiste, qui à son tour pousse le spectateur à adopter une nouvelle approche face à ces tableaux.

Quel genre de réactions vos œuvres provoquent-elles ? Elles sont très étonnantes, et dans le monde entier. Elles concernent souvent l'aspect recyclable de cette forme d'art, auquel on prétend que je donne une nouvelle dimension. En ce qui concerne les ventes, ça marche très bien, je peux vivre de mon art, à présent. Un collectionneur allemand m'a récemment acheté 36 peintures « cubismœuf ».

Lorsqu'on les regarde de face, les tableaux singuliers d'Enno semblent déformés.

La plaque à œufs peut révéler plusieurs visages suivant l'axe selon lequel on la regarde.

℞ VITRINE D'HÔTEL

En janvier 2009, une couple de Britanniques en visite à New York s'est retrouvé en « vitrine » d'une chambre d'hôtel témoin. Pour remercier la direction de l'hôtel Roger Smith, à Manhattan, de leur avoir offert un séjour, Duncan Malcolm et Katherine Lewis ont accepté d'occuper une réplique de l'une des chambres de l'établissement située au rez-de-chaussée d'un immeuble voisin. Pendant 5 jours, à raison de 3 heures durant l'après-midi, ils ont laissé les rideaux ouverts sur la grande baie vitrée de leur chambre, permettant à des milliers de passants d'assister à leurs activités.

℞ MOSAÏQUE

En juin 2009 a été dévoilée aux Philippines une photo mosaïque géante de 53 m sur 38. Imprimée sur une bâche, elle était constituée de plus de 1 000 photos de la présidente de la République Gloria Macapagal-Arroyo, prises par Revoli Cortez.

℞ BLUE-JEAN GÉANT

En juin 2009, des ouvriers de Zagreb, en Croatie, ont fabriqué un blue-jean de la taille de 6 terrains de tennis. Confectionné à partir de 8 023 pantalons de taille normale cousus ensemble et donnés par des particuliers, il a des jambes de 45 m de long et une largeur totale de 34 m.

℞ ARTISTE EN HERBE

Kieron Williamson, du Norfolk, en Angleterre, a vu l'un de ses dessins, un paysage réalisé à la peinture à l'eau, exposé dans une galerie du Cambridgeshire en août 2009... alors qu'il n'avait que 6 ans. Il n'avait pourtant jamais rien dessiné jusqu'à ses 5 ans.

PAIN & INSECTES

L'ARTISTE FRANÇAISE PETRA WERLE CRÉE DE MAGNIFIQUES ŒUVRES D'ART À PARTIR DE MIETTES DE PAIN ET DE BOUTS D'INSECTES. SES CRÉATURES FÉERIQUES SONT D'ABORD SCULPTÉES AVEC DU PAIN, PUIS DÉCORÉES D'ÉLÉMENTS PRIS SUR DES PAPILLONS, DES SCARABÉES, DES MITES, DES COCONS OU DES AILES D'INSECTES.

℞ TRANCHE DE BACON

Un livre de Len Deighton a été rendu à la bibliothèque de Worthing, en Écosse, avec une tranche de bacon en guise de marque-page.

℞ CERVEAU DE LAINE

Le Dr Karen Norberg, psychiatre au Bureau national de recherches économiques de Cambridge, dans le Massachusetts, a passé une année à tricoter une réplique anatomiquement exacte du cerveau humain. Les 2 côtés de cette cervelle de laine de 23 cm – 1 fois et demie sa taille réelle – sont attachés par une fermeture Éclair. Karen a utilisé de la laine de couleurs différentes pour matérialiser les différentes zones de l'organe. Elle prétend qu'utiliser de la laine plutôt que de l'argile lui a permis de reproduire la nature gélatineuse de certaines partie du cerveau.

℞ COURSE DE VIOLON

Au violon, le célèbre « Vol du bourdon » de Rimsky-Korsakov se joue en principe en 80 s, mais le violoniste allemand David Garrett y arrive en 66 s, produisant une moyenne de 13 notes à la seconde.

℞ TWEETS POÉTIQUES

Le développeur de sites Internet roumain Andrei Gheorghe a créé un poème en associant au hasard des messages postés sur Twitter et rimant entre eux. Il a ainsi assemblé 350 000 versets.

℞ ENSEMBLE DE PERCUSSIONS

582 batteurs ont joué ensemble le même rythme pendant 5 min dans la National Indoor Arena de Birmingham, en Angleterre, en juillet 2009. Don Powell, batteur du groupe des années 1970 Slade, se trouvait parmi eux et déclara : « Il est beaucoup plus facile de faire jouer tout le monde à la même vitesse que de les faire s'arrêter en même temps ! »

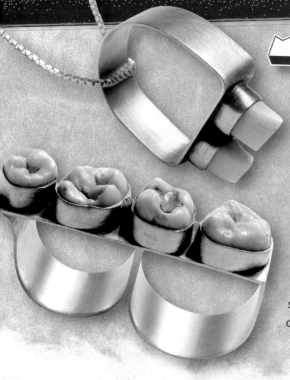

Dents précieuses

Polly van der Glas fabrique des bijoux sertis de dents humaines ! Elle a créé un poing américain orné de 4 dents, une chevalière en argent fin qui en porte une, et un pendentif à incisives. L'artiste australienne, qui récupère aussi les cheveux et les ongles, explique que la plupart des dents utilisées lui ont été données par sa famille et ses amis. Les molaires sont stérilisées avant d'être utilisées comme pierres précieuses.

ℜ 5 LANGUES
L'hymne national sud-africain contient des paroles en 5 langues différentes : xhosa, zoulou, sesotho, anglais et afrikanns.

ℜ IMMEUBLE EN CONSERVE
Un bâtiment constitué de plus de 54 500 boîtes de conserve a été inauguré à Wellington, en Nouvelle-Zélande, en 2009. Il occupait environ 360 m² du Civic Square et on a mis 24 heures à le construire. Les conserves ont ensuite été distribuées aux familles en détresse.

ℜ LE GANT DE M.J.
Le gant blanc scintillant porté par Michael Jackson lorsqu'il réalisa pour la première fois le moonwalk en public, en 1983, a été vendu 350 000 $ en 2009, lors d'une vente aux enchères.

ℜ LA STATUE DE M.J.
En souvenir du chanteur décédé, une statue de 12 m de haut et pesant environ 4 t a été érigée dans le petit village de Regensdorf, en Suisse.

ℜ COLLECTIONS DE CRIS
En 2009, l'artiste new-yorkais LeRoy Stevens a réalisé un album des meilleurs cris de chanteurs. Il a passé 6 mois à rendre visite à tous les magasins de disques de Manhattan, en demandant aux vendeurs quels étaient leurs cris musicaux préférés. Le résultat, « Les meilleurs hurlements enregistrés », est une compilation de 3 min 30 regroupant 74 cris, hurlements, braillements, rugissements et grognements d'artistes comme les Who, Slayer, les Pixies ou Björk.

ℜ ACCORDÉON GÉANT
L'Italien Giancarlo Francenella a mis 1 000 heures pour construire un accordéon de plus de 2,50 m de haut et pesant environ 200 kg. Il possède 45 touches aiguës.

ℜ RADIO GAGA
Le chanteur de country américain Jack Ingram a accordé 215 interviews radiophoniques en 24 heures, entre le 25 et le 26 août 2009. Depuis le pont de Brooklyn, à New York, il a parlé par téléphone sur les stations de radio de la plupart des 50 États américains, du Canada, d'Australie et d'Irlande.

ℜ DINGUES DE TANGO
En juillet 2009, après 6 mois d'entraînement, 200 enfants ont dansé en même temps le tango en couples, à Medellin, en Colombie.

ℜ KARA-TOKÉ
Une mère de famille sud-coréenne a chanté pendant 76 heures dans un karaoké de Séoul en février 2009. Kim Sun-Ok a interprété 1 283 titres pendant 3 jours et a finalement abandonné : sa famille craignait pour sa santé.

ℜ VIOLONCELLEGO
L'artiste new-yorkais Nathan Sawaya a fabriqué un véritable violoncelle à partir de briques Lego. De couleurs marron, noires et jaunes, celles-ci donnent un son particulier à l'instrument, constitué d'ordinaire d'érable et d'épicéa.

ℜ SONS DE BASSE-COUR
Le compositeur classique finnois Kimmo Pohjonen a utilisé, dans une œuvre intitulée « Earth Music Machine », des sons d'animaux et de machines. Les cris de vaches et de moutons s'y mêlent aux bruits de tracteurs et machines à traire, mais côtoient aussi des instruments traditionnels.

Mini-Michael
L'artiste mexicain Enrique Ramos peut peindre sur à peu près n'importe quoi : des toiles d'araignées, des peaux de serpents, des chauves-souris, des grains de riz... En 2009, il s'est attaqué aux cafards, fourmis et criquets, appelés chopolinas dans son pays. Marqué par la mort de Michael Jackson, Ramos a peint ces criquets pour montrer l'évolution de la star entre 1982 et 2009.

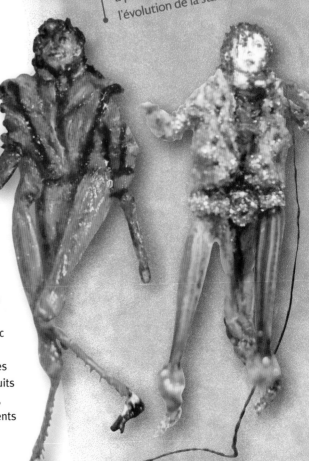

ℝ DESSINS DE PLAGE

Depuis 6 ans, Andres Amador, de San Francisco, réalise des dessins géants sur les plages californiennes à l'aide d'un râteau. Il élabore ses motifs compliqués sur ordinateur avant de les tracer sur le sable, en priant pour que la marée ne les efface pas. Il a ainsi réalisé plus d'une centaine d'œuvres, dont certaines peuvent mesurer jusqu'à 150 m sur 90.

ℝ LONGUE TRAÎNE

Pour son mariage avec Zhao Peng, à Jilin, en Chine, Lin Rong portait une robe de mariée dotée d'une traîne de 2,2 km. Le voile, qui coûta environ 6 000 $ et nécessita plus de 3 heures pour être déroulé, était une idée du marié. Détail romantique : 9 999 roses de soie rouge y étaient agrafées.

ℝ MAISON LEGO®

Le présentateur télé anglais James May a construit, avec 3,3 millions de briques en plastique, une véritable maison Lego, comprenant toilettes, douche chaude et éclairage basse tension. Près de 1 000 volontaires l'ont aidé à assembler cette construction, haute de 6 m, à Surrey, en Angleterre. Il y a vécu pendant quelque temps.

FAIRE LE

LE PHOTOGRAPHE BELGE NICHOLAS HENDRICKX A VRAIMENT FAIT LE BUZZ DANS LE MONDE DE L'ART AVEC SES ÉTRANGES CLICHÉS. INSPIRÉ PAR L'ATTERRISSAGE D'UNE MOUCHE SUR UNE FLEUR DE SON JARDIN, IL A DÉCIDÉ DE SE SERVIR D'INSECTES VIVANTS COMME SUJETS DE SES IMAGES. DANS SA CHAMBRE, QUI LUI SERT DE STUDIO PHOTO, HENDRICKX UTILISE DE MINUSCULES ACCESSOIRES POUR PHOTOGRAPHIER DES MOUCHES QUI

ℝ MAMIE-GUM

Ally Rosenberg, de Prestwich, en Angleterre, a réalisé une sculpture d'un vieil homme en sachets de thé, et une autre d'une vieille femme en chewing-gums. Pour obtenir la matière pour cette dernière, Ally a demandé à ses amis de mâcher 1 000 chewing-gums en 2 semaines.

ℝ LONGUE DURÉE

La chanson des Righteous Brothers, « You've Lost That Lovin'Feelin' », a été diffusée tellement de fois sur les radios du monde entier que cela représente l'équivalent de 45 ans de musique en continu.

ℝ SAUNA DU CRÂNE

L'artiste hollandais Joep van Lieshout a construit un crâne humain haut de 4,5 m qui renferme un sauna pouvant contenir 8 personnes. Le « Crâne du bien-être » est fait de bois et de matériaux de synthèse. Lorsqu'il fonctionne, de la vapeur sort par les orbites du crâne. Il contient également une baignoire et une douche, d'un côté et de l'autre du cou.

ℝ RÔLE À RÉPÉTITION

L'acteur britannique David Raven a joué 4 575 fois le même rôle. Il incarna le major Metcalfe dans la pièce d'Agatha Christie *La Souricière*, du 22 juillet 1957 au 23 novembre 1968.

ℝ L'ERMITE DE LA TOUR

En 2009, l'artiste londonien Ansuman Biswas vécut en ermite pendant 40 jours et 40 nuits dans la tour gothique du musée de Manchester. Chaque jour, il étudiait un des objets parmi les 4,5 millions qu'il contient, et postait ses impressions sur son blog.

ℝ CHIEN DE CHEVEUX

En mai 2009, le Royal College of Art de Londres a exposé une sculpture de chien, faite par Gareth Williams à partir de ses propres mèches de cheveux collées par du chewing-gum.

℞ MARATHON DE FRIENDS

Le Londonien Steve Misiura s'est imposé un marathon de 84 heures de la série américaine *Friends*. Il a regardé les 238 épisodes à la suite pendant 3 jours et demi, devenant sujet à des nausées, des douleurs abdominales et même des hallucinations.

℞ CHAÎNE DE BOIS

Le sculpteur sur bois John Selvey, de Port Orange, en Floride, a réalisé une chaîne de 124 m de long, faite de 10 034 maillons de bois sculptés à la main. Il a pour cela passé 825 jours consécutifs à tailler des morceaux de bois de 60 cm.

℞ TRICOTAGE ARTISTIQUE

La Canadienne Joanna Lopianowski-Roberts, de San Francisco, en Californie, a réalisé une version impressionnante des fresques de Michel-Ange dans la chapelle Sixtine... en point de croix. D'une taille de 1 m sur 2, ce projet a occupé Joanna pendant 3 572 heures, à raison de plus de 1 heure par jour pendant 8 ans.

BUZZ

SEMBLENT JOUER D'UN INSTRUMENT DE MUSIQUE, FAIRE DE LA BICYCLETTE OU SE RELAXER SUR UNE PLAGE. « CELA PREND UN CERTAIN TEMPS, ADMET-IL. CERTAINES MOUCHES SONT DOCILES, D'AUTRES MOINS, ET C'EST ALORS TRÈS FRUSTRANT. C'EST NORMAL, APRÈS TOUT : NOUS NE SOMMES PAS FAITS POUR TRAVAILLER ENSEMBLE. LES MOUCHES SONT LÀ POUR NOUS ENNUYER EN VOLANT AUTOUR DE NOUS. »

℞ VASTE VASE

Les jardins du Monte Palace, près de Funchal, à Madère, entourent un vase haut de 5,4 m et pesant 555 kg, fabriqué en Afrique du Sud.

℞ DANSE DE MASSE

En 2009, 7 700 personnes se sont rassemblées au Cebu City Sports Center, aux Philippines, pour un cours de danse sportive.

℞ SANG CONTRE TICKETS

Plutôt que de payer en liquide, les fans polonais du duo britannico-polonais John Porter et Anita Lopnicka avaient la possibilité de donner leur sang en échange de billets pour un de leurs concerts.

℞ LA CITÉ DES CURE-DENTS

Stan Munro, de Syracuse, État de New York, a mis plus de 4 ans à élaborer « La Cité de cure-dents II – Temples et tours », avec plus de 4 millions de cure-dents et 170 litres de colle. Cette maquette présente des reproductions au 1/164e de 40 édifices célèbres du monde entier, comme le Tower Bridge de Londres ou le Vatican. La tour Burj Khalifa de Dubai mesure 5,8 m.

℞ LIVRE EN RETARD

Un homme a rendu un ouvrage de bricolage dans une bibliothèque de Derby, en Angleterre, 46 ans après l'avoir emprunté pour son père, en 1963. L'amende s'élevait à 4 000 $, mais il en fut dispensé.

℞ SOIE D'OR

L'historien de l'art britannique Simon Peers a exhibé un vêtement doré de 3,3 m sur 1,2 fait de soie d'araignée. Pour le fabriquer, on a capturé et soigneusement placé dans des harnais, pendant 4 ans, plus de 1 million d'araignées Nephila. Leurs abdomens y étaient légèrement pressés pour pouvoir récupérer les filaments de soie dorée. 24 filaments étaient ensuite tressés à la main en un brin, puis 3 brins tressés ensemble pour former un fil enroulé autour d'une bobine, prêt à être tissé. Chaque araignée produisait environ 24 m de fil de soie.

Papier

sculpté

Un couple d'artistes de Rapid City, dans le Dakota du Sud, a mis au point une technique unique qui lui permet de réaliser des sculptures étonnantes en papier. Allen Eckman et sa femme Patty créent des figurines incroyablement détaillées, inspirées par le Far West. Leurs sculptures sont entièrement faites de papier, et beaucoup d'entre elles sont grandeur nature. Chacun de leurs éléments étant moulé séparément, il leur faut parfois des mois pour assembler la pièce entière. Ripley a demandé à Allen de détailler son travail.

1

« Tout d'abord, nous sculptons Little Bird. Vous pouvez voir ici le moule complet, qui ne comporte ni les mains, ni les oreilles, ni les globes oculaires. On va ensuite couler dedans la pâte à papier, qui séchera dans le moule avant d'être mise dans la position désirée. »

4

« Le personnage de Little Bird à Oak Creek, terminé. »

2

« Lorsque le corps est dans la bonne position, j'ajoute les mains. Sur la photo, je mets en place les yeux et les oreilles. Avant d'ajouter les cheveux, je lisserai la peau du personnage et l'habillerai. »

3

« Ici, je suis en train d'ajouter les cheveux, faits de papier séché découpé en filaments. Je les implante par touffes, de la même façon qu'ils poussent dans la réalité. »

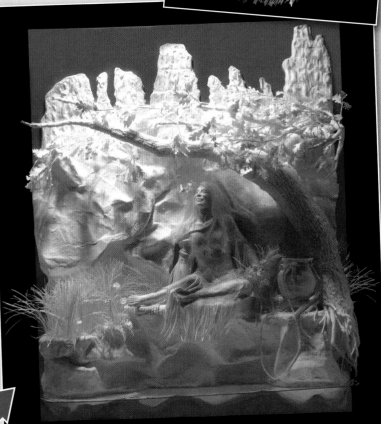

5

Pour finir, Little Bird est placée dans le décor complet, qui mesure 1,20 m sur 1,50 m, d'une épaisseur de 30 cm.

Danseur costumé, Plaines du Nord, 1,20 m de haut.

La prise du jour : les objets du quotidien utilisés par Tom pour fabriquer son poisson

Emballage de jeu Nintendo
Vitre
Cassette audio
Cintre cassé
Chaussures à talon
Le cochon-tirelire de sa fille
Jouet en plastique
Fourre-tout
Ruban de décoration
Étiquettes de vêtements
Morceaux de panier à linge
   en plastique

Tissu de pantalon de soirée
Poignée en laiton
Paillettes
3 ustensiles en plastique
8 capsules de bouteille
Cruche à lait
Morceaux de plat
   de service
Récipient à café
Coupe en
   plastique

découpée
Pot de crème glacée
Häagen Dazs
Capuchon de stylo-bille
Feutre magique
Scotch
Poignée de pinceau
Stylo
Règle
  Boîte à films
    CD
   Plaque d'imprimerie

Rognures de bois
Vis
Colle pour pistolet
Matelas en caoutchouc
Seau en plastique
Grille d'égout
Boîte à pilules
Chaussures de sport d'enfant
   trouvées sur la plage
Boutons trouvés dans
   une usine de vêtements
   en faillite

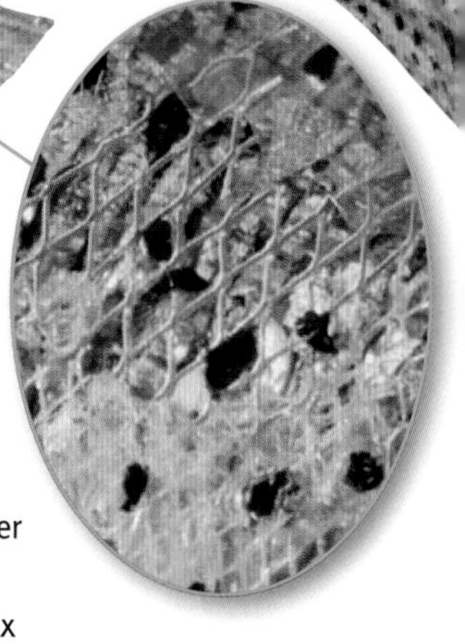

Truite de recyclage

Tom Deininger, de Boston, dans le Massachusetts, a créé cette magnifique reproduction d'une truite arc-en-ciel en n'utilisant que des objets trouvés autour de sa maison (voir liste ci-dessus). Artiste et écologiste, Tom a recyclé ces objets du quotidien dans sa sculpture en n'y ajoutant ni résine ni peinture. Il s'agit juste du contenu de sa poubelle !

ℝ DEMANDE DE VIDÉO

Quand Pete Simson, mordu de cinéma, décida de faire sa demande en mariage à sa fiancée Hannah McDonagh, il loua un théâtre de Bristol, en Angleterre, pour projeter une vidéo parodique de 5 min. Hannah s'attendait à voir un film d'art et d'essai, mais eut droit à la place à son fiancé en slip chantant en play-back la chanson « If You're Not The One » (Si tu n'es pas ma reine) de Daniel Bedingfield. À la fin de la projection, celui-ci, un genou à terre, fit sa demande à la jeune fille sous un tonnerre d'applaudissements. La réponse fut oui !

ℝ GROS PINCEAU

En septembre 2009, l'artiste He Wenjun a utilisé un énorme pinceau de 3,60 m et 52 kg pour faire de la calligraphie lors d'une exposition à Nanchong, en Chine. Il l'a créé lui-même, utilisant des poils de la queue de 300 chevaux, et affirme qu'il est capable d'absorber 45 kg d'encre.

ℝ ATTENTION AU DALEK

Inspiré par la série britannique *Docteur Who*, Brian Croucher, du West Sussex, en Angleterre, a passé plus de 2 ans à construire un Dalek grandeur nature avec plus de 480 000 allumettes. L'extraterrestre de 1,60 m est la dernière des créations en allumettes de Brian, qui a auparavant réalisé un bateau long de 1,50 m, un véritable cheval à bascule et une pendule à l'ancienne.

ℝ PAUSE PIPI

Un site Internet indique aux fans de cinéma dotés de vessies défaillantes le moment opportun pour se rendre aux toilettes durant les différents films. Pour chacun d'entre eux, Runpee.com repère à quels moments, durant la projection, vous pouvez vous absenter pendant 4 mn sans rater de moments clés. Il peut même vous envoyer sur votre iPhone le résumé des scènes manquées.

ℝ ROMAN TWITTÉ

N'arrivant pas à trouver d'éditeur pour son premier roman, *La Révolution française*, Matt Stewart, de San Francisco, en Californie, le publia intégralement sur Twitter, par paquets de 140 caractères. Il fallut au total 3 700 tweets pour rendre publics les 480 000 signes du livre.

ℝ PIERRE DE LUNE

Un ouvrage publié à l'occasion du 40e anniversaire du premier alunissage contenait de véritables morceaux de pierre de lune tombés sur notre planète. La branche américaine de l'éditeur Taschen a imprimé 1 969 exemplaires de cette édition luxueuse de *Moonfire* – correspondant à l'année du premier voyage sur la Lune –, mais seuls les 12 derniers contenaient des cailloux lunaires. Le livre, racontant l'histoire de la mission Apollo 11 selon l'écrivain américain Norman Mailer, était signé de la main de Buzz Aldrin, deuxième homme à marcher sur la Lune, et coûtait 1 000 $.

ℝ STATUES VIVANTES

En 2009, pour participer à une installation de l'artiste Antony Gormley, des membres du public se tinrent chacun leur tour debout sur un socle vide à Trafalgar Square pendant une heure. Ce défilé dura 3 mois, 24 h sur 24. 2 400 personnes se relayèrent sur le socle placé à 6,70 m du sol. Un homme s'habilla en panda et exhiba un panneau indiquant son numéro de portable pour que les passants puissent l'appeler. Un autre trouva du travail après avoir brandi une copie géante de son CV.

VISAGES DE PAPIER TOILETTE

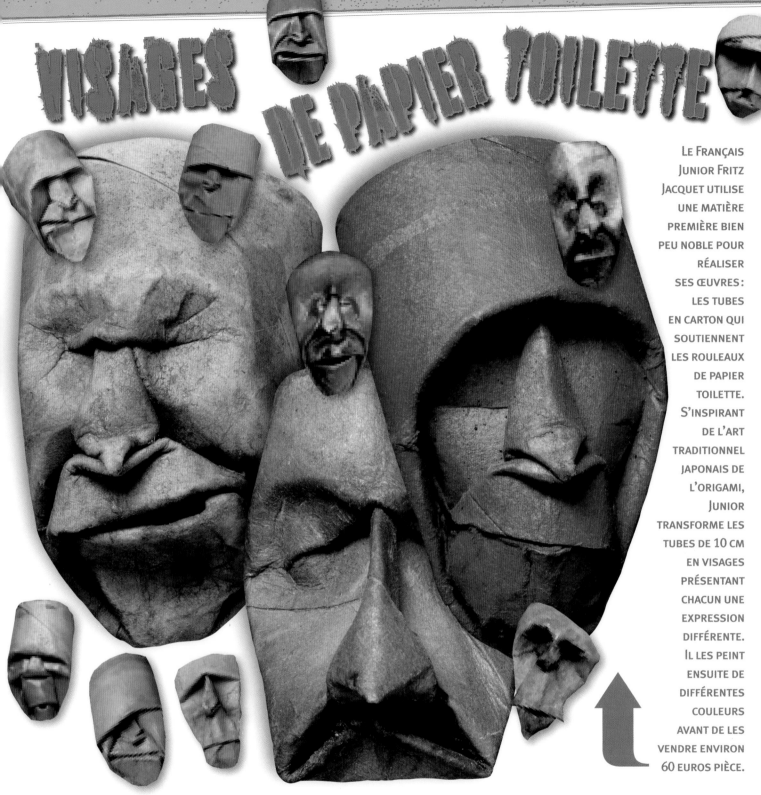

LE FRANÇAIS JUNIOR FRITZ JACQUET UTILISE UNE MATIÈRE PREMIÈRE BIEN PEU NOBLE POUR RÉALISER SES ŒUVRES : LES TUBES EN CARTON QUI SOUTIENNENT LES ROULEAUX DE PAPIER TOILETTE. S'INSPIRANT DE L'ART TRADITIONNEL JAPONAIS DE L'ORIGAMI, JUNIOR TRANSFORME LES TUBES DE 10 CM EN VISAGES PRÉSENTANT CHACUN UNE EXPRESSION DIFFÉRENTE. IL LES PEINT ENSUITE DE DIFFÉRENTES COULEURS AVANT DE LES VENDRE ENVIRON 60 EUROS PIÈCE.

® CRÉATURES RECYCLÉES

L'exposition de sculptures recyclées du zoo de Londres présente un ours polaire en sacs plastique, un requin en enjoliveurs de voitures et un dinosaure en vieux pneus.

® NE SAUTEZ PAS !

À Vienne, en Autriche, une installation artistique faite de plastique représentait un homme d'affaires élégant, tenant un porte-document et apparemment sur le point de sauter du haut d'un bâtiment de 4 étages. Cette œuvre de l'artiste Ronald Kodritsch était inspirée de la crise financière mondiale de 2008.

® JARDIN DE PÂTE À MODELER

Le présentateur télé anglais James May a créé en 2009, pour l'Exposition florale de Chelsea, un jardin entièrement en pâte à modeler. Fleurs, buissons, pelouse et même un étang le composaient, soutenus par des fils de fer pour empêcher l'effondrement de l'ensemble.

® SYMPHONIE DE CYCLES

L'Argentin Mauricio Kagel a écrit une symphonie pour sonnettes de vélo. Intitulé *Eine brise* (Une brise), d'une durée de 90 secondes, elle est décrite par son compositeur comme une « action fugace pour 111 cyclistes ».

® MARIACHIS EN SÉRIE

Près de 550 mariachis se sont réunis en août 2009 à Guadalajara, au Mexique, pour interpréter de nombreuses chansons. Cette ville est le berceau de ces orchestres de violonistes, guitaristes et trompettistes, habillés de magnifiques costumes argentés et de chapeaux à larges bords.

® TATOU DE MÉTAL

Souvent nommé « Papy Poubelle » à cause de son travail sur les déchets, Mark Bradford, de Houston, au Texas, a créé « Carmadillo », un tatou rutilant de 15 m de long réalisé à partir d'un van et d'un pick-up.

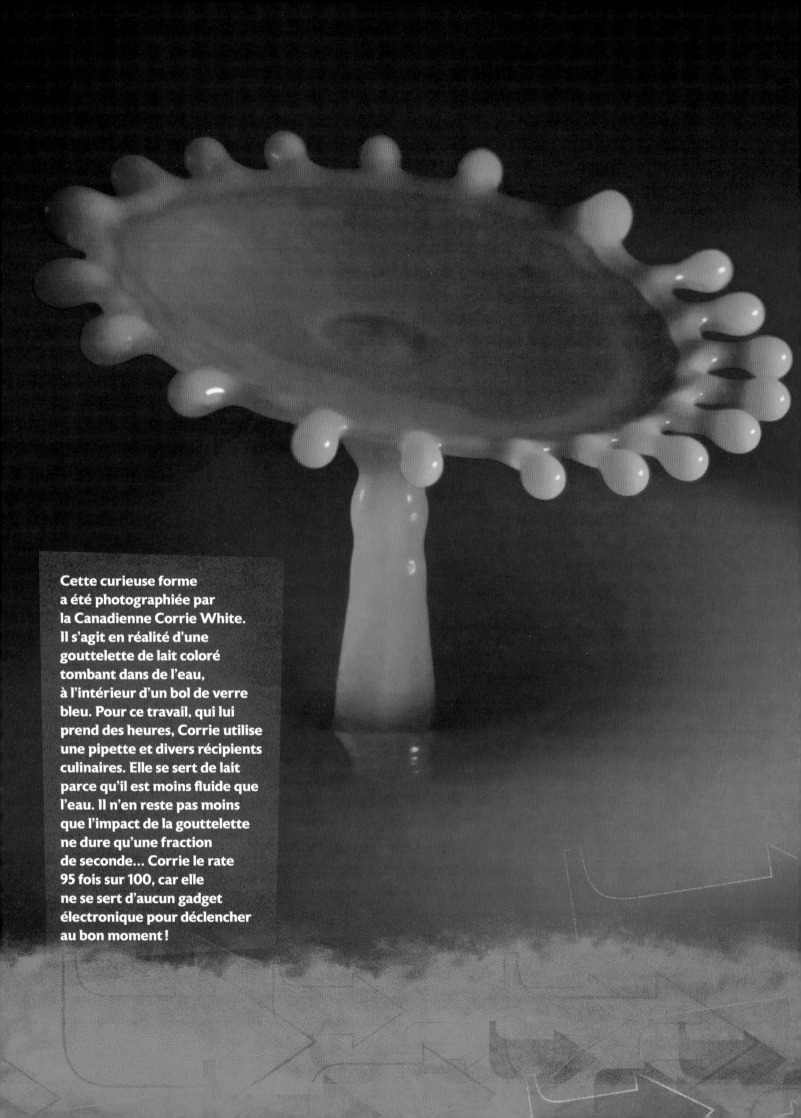

Cette curieuse forme a été photographiée par la Canadienne Corrie White. Il s'agit en réalité d'une gouttelette de lait coloré tombant dans de l'eau, à l'intérieur d'un bol de verre bleu. Pour ce travail, qui lui prend des heures, Corrie utilise une pipette et divers récipients culinaires. Elle se sert de lait parce qu'il est moins fluide que l'eau. Il n'en reste pas moins que l'impact de la gouttelette ne dure qu'une fraction de seconde... Corrie le rate 95 fois sur 100, car elle ne se sert d'aucun gadget électronique pour déclencher au bon moment !

BIONIQUE

ROB SPENCE, UN CINÉASTE DE TORONTO, AU CANADA, A REMPLACÉ PAR UNE CAMÉRA MINIATURE L'ŒIL QU'IL A PERDU DANS SON ENFANCE. EN TRAVAILLANT AVEC KOSTOS GRAMMATIS, UN INGÉNIEUR, IL A CRÉÉ L'« EYEBORG », UN ŒIL BIONIQUE SANS FIL CONTENANT L'UNE DES PLUS PETITES CAMÉRAS NUMÉRIQUES AU MONDE, CAPABLE D'ENREGISTRER ET DE TRANSMETTRE DES VIDÉOS DIRECTEMENT DEPUIS SON ORBITE.

℞ FAUX FRÈRES

Afin de détecter les polluants dans l'eau, on a créé des poissons robots de 1,5 m équipés de capteurs chimiques minuscules. Développés par l'université d'Essex sur le modèle de la carpe, ils coûtent environ 30 000 $ l'unité. Ils ont une apparence réaliste afin de ne pas alarmer les vrais poissons. Ils peuvent nager à environ 1 m par seconde et fonctionnent sur des batteries qui se rechargent toutes les 8 heures.

℞ ROBE LUMINEUSE

Georgie Davis, une étudiante britannique, a conçu une robe qui s'allume lorsque sonne le téléphone portable de celle qui la porte. L'épaule droite, connectée sans fil au téléphone, est ornée d'écailles blanches translucides qui bougent et s'illuminent.

℞ ROBOT ÉMOTIF

Les scientifiques de l'université de Waseda, au Japon, ont développé un robot capable d'exprimer 7 émotions humaines différentes. Ce robot humanoïde, nommé Kobian, peut faire prendre à ses lèvres, ses paupières et ses sourcils diverses positions, et adopter une série de poses en rapport. Pour montrer son plaisir, Kobian met les mains sur la tête et ouvre grand les yeux et la bouche ; pour exprimer sa tristesse, il se voûte, baisse la tête et porte la main à son visage.

℞ VISION LIQUIDE

Le professeur Josh Silver, de l'université d'Oxford, a inventé des lunettes peu coûteuses qui s'ajustent aux besoins de celui qui les porte. Les verres contiennent de petits sacs ronds remplis d'un fluide, connectés à une mini-seringue attachée à chaque branche de lunette. Le porteur règle sa seringue pour augmenter ou réduire la quantité de fluide, ce qui modifie la puissance des verres.

℞ JUS D'OIGNON

On peut alimenter son lecteur MP3 avec... un oignon ! Il faut pratiquer 2 trous dans l'oignon, le faire tremper dans une boisson énergétique et le relier à un câble USB, ce qui permet d'obtenir une heure de charge. La plupart des légumes peuvent servir de batteries de recharge : ils contiennent des ions qui réagissent avec les boissons énergétiques pour créer du courant.

℞ PORTES FANTÔMES

En utilisant une technique appelée « optique de transformation », des chercheurs chinois ont découvert un moyen de modifier le chemin des ondes lumineuses, qui pourrait leur permettre de créer des portes invisibles à l'œil humain.

À portée de main

Ayant perdu la moitié d'un doigt dans un accident de moto, Jerry Jalava, un ingénieur en informatique finlandais, s'est créé un accessoire original : il a incorporé à sa prothèse une clé USB. Ainsi, quand il doit travailler sur différents ordinateurs, il a toujours ses fichiers à portée de main !

℞ INSECTES DÉTOURNÉS

Les scientifiques de l'université de Tokyo travaillent sur des hybrides insecte-machine, reconstruisant leur cerveau et le programmant pour effectuer des tâches spécifiques. Ils ont ainsi réprogrammé les circuits cérébraux d'un ver à soie mâle, pour qu'il réagisse non aux odeurs, mais à la lumière.

℞ MAÎTRE ROBOT

Les enfants d'une école de Tokyo ont eu pour nouvel enseignant, en 2009... un robot ! Sous son visage humanoïde, Saya cache 18 moteurs fonctionnant comme des muscles faciaux pour lui permettre d'exprimer la surprise, la peur, la colère, la joie, la tristesse... Il dispose d'un vocabulaire de 700 mots, parle plusieurs langues et est programmé pour répondre à certaines questions.

℞ RÉVEIL MAGNÉTIQUE

Après avoir subi un grave traumatisme crânien en 2005, Josh Villa, de Rockford, dans l'Illinois, a été réveillé du coma dans lequel il était tombé par un champ magnétique. Une bobine électromagnétique a été placée devant sa tête pour stimuler le tissu cérébral sous-jacent. En quelques semaines, Josh a pu répondre à quelques questions simples.

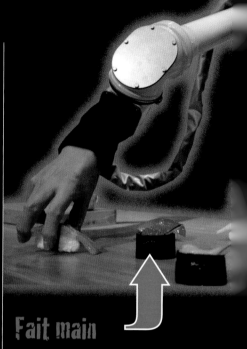

Fait main

Un robot doté de mains en silicone souple, d'allure étrangement vivante, a été dévoilé à Tokyo en 2009. Cette main humanoïde à air comprimé, dépourvue de toute pièce de métal, peut grâce à ses 20 muscles artificiels se saisir d'aliments délicats, tels des sushis. Elle est capable de mouvements allant d'un petit pincement à une franche poignée de main.

Voici le gant de moto de Jerry après son accident, et son doigt artificiel.

Jerry peut enlever son doigt et le connecter à un port USB.

TUNNEL EXPRESS

« GABI 1 », UN TUNNELIER DE LA SOCIÉTÉ HERRENKNECHT, A FORÉ EN 18 MOIS 7,2 KM DE ROCHES DURES À TRAVERS LA MONTAGNE POUR PERCER UN TUNNEL FERROVIAIRE BITUBE DE 57 KM DE LONG SOUS LA CHAÎNE DU SAINT-GOTHARD, DANS LES ALPES SUISSES. L'ÉNORME MACHINE DE PRÈS DE 10 M DE DIAMÈTRE AVANÇAIT À UNE MOYENNE DE 14 M PAR JOUR, AVEC UN MAXIMUM DE 40 M DANS UNE MÊME JOURNÉE. LE FORAGE ÉTAIT SI PRÉCIS QUE SON AXE, LORSQUE LES 2 EXTRÉMITÉS SE SONT REJOINTES, N'AVAIT DÉVIÉ QUE DE 4 MM HORIZONTALEMENT ET 8 MM VERTICALEMENT. LA FACE AVANT DU TUNNELIER COMPORTAIT UNE PETITE OUVERTURE PAR LAQUELLE SE GLISSAIENT LES OUVRIERS POUR REMPLACER LES LAMES DE COUPE, QUI S'USENT EN 24 HEURES. LE TUNNEL DOIT ÊTRE OPÉRATIONNEL EN 2017.

LE + DE RIPLEY

LE TUNNELIER S'ARC-BOUTE CONTRE LES PAROIS DU TUNNEL EN UTILISANT 2 PLAQUES D'APPUI. LES CYLINDRES HYDRAULIQUES POUSSENT LA TÊTE DE FORAGE CONTRE LA PARTIE À DÉCOUPER, EXERÇANT UNE FORTE PRESSION, ET LES ANNEAUX DE MÉTAL BROIENT LA ROCHE EN TOURNANT. LA TBM PRODUIT AINSI 1 600 TONNES DE GRAVATS PAR HEURE.

Antichocs

Un nouveau matériau « intelligent » absorbant les chocs, connu sous le nom de D30, voit sa structure moléculaire se modifier lorsqu'il est soumis à un traitement brutal. Dans des conditions normales, ses molécules circulent librement, le rendant doux et souple. Soumises à un choc, elles se verrouillent pour absorber l'énergie de l'impact. Ce matériau est destiné aux sportifs, ainsi qu'aux militaires, comme cuirasse.

® CAILLOUX PORTABLES

Des scientifiques mexicains ont transformé la boisson nationale du pays, la tequila, en diamant. Ils ont découvert que lorsqu'elle se dépose sur une base d'acier inoxydable, la vapeur de la tequila blanco peut former de minuscules cristaux de diamant.

® CELLULES GÉANTES

Aux Bahamas, des chercheurs ont découvert des organismes unicellulaires géants. De la taille d'un grain de raisin, ils vivent sur le plancher océanique. Si nos cellules avaient la même taille, le corps humain ferait 5,6 km de haut !

® LAMPIONNETTE

Les scientifiques de l'Université de Californie à Los Angeles ont créé une petite lampe à incandescence qui utilise un filament de carbone de 100 atomes de large, soit 1/100e de milliardième de la taille du filament de carbone dont s'est servi Thomas Edison pour confectionner la première ampoule. À l'œil nu, le filament est invisible lorsque la lampe est éteinte, mais un petit point de lumière apparaît lorsqu'elle est allumée.

® CHAUD BOUILLANT

Le tungstène, un métal rare, ne fond pas à moins de 3 422 °C. C'est plus de 2 fois le point de fusion du fer.

® TRAHIS PAR LE CACA

Des scientifiques ont pu localiser les colonies de reproduction des manchots empereurs dans l'Antarctique en repérant par satellite, depuis l'espace, des taches rouge-brun géantes de déjections sur la glace. Les images-satellites ont ainsi permis d'identifier 38 colonies de reproduction, pour un total de près de 400 000 couples de manchots.

® PEU GOURMANDE

« Beverly », qui se trouve à l'université d'Otago, à Dunedin, en Nouvelle-Zélande, est une horloge mécanique en parfait état de marche qui n'a pas été remontée depuis 1864. Elle tire son énergie des changements de pression et de température.

® MINCE ET DUR

Le graphène est un nouveau matériau constitué d'une feuille de carbone ne dépassant pas un atome d'épaisseur, mais plus dure que le diamant, et qui conduit l'électricité 100 fois plus vite qu'une puce de silicium. Il est si mince que quelques grammes suffiraient à recouvrir un terrain de football.

® VELCRO D'ACIER

Des scientifiques allemands ont mis au point une version acier du Velcro, assez solide pour supporter des bâtiments. En utilisant le système de fixation par crochets et boucles du Velcro, le Metaklett peut supporter des charges de 35 t par mètre carré et résister à des températures de 800 °C.

® DÉHANCHÉ MÉCANIQUE

Parmi les modèles de la Semaine de la mode qui s'est déroulée à Tokyo en 2009, figurait un robot. Avec son 1,57 m et ses 43 kg, HRP-4C, humanoïde à 2 millions de dollars, est capable d'imiter les expressions, la démarche et les poses d'un mannequin, tout en évoluant d'un pas léger sur la passerelle.

Minus de neige

Des scientifiques londoniens ont créé un tout petit bonhomme de neige ne mesurant que 0,01 mm de haut, soit environ 1/5e de la largeur d'un cheveu humain. Il est composé de 2 minuscules perles d'étain soudées par du platine. Un faisceau d'ions a permis de sculpter les yeux du bonhomme de neige, ainsi que son sourire, et de déposer la goutte de platine figurant son nez.

MINUS !

Juste 0,01 mm de haut !

℞ PANTHÉON DES ROBOTS

Il existe un panthéon de la robotique à l'université Carnegie Mellon de Pittsburgh, en Pennsylvanie. Parmi les intronisés en 2009 : un robot chirurgien et un robot aspirateur.

℞ SOURIS, ON T'OBSERVE

Les chercheurs de l'université Yeshiva de New York ont implanté des fenêtres dans la peau de leurs souris de laboratoire afin d'observer plus facilement le développement de tumeurs cancéreuses.

℞ VER INFORMATIQUE

L'ordinateur portable de Mark Taylor, du Somerset, en Angleterre, a planté après qu'un ver de terre s'est introduit par la prise d'air pour aller s'enrouler autour de l'hélice du ventilateur.

℞ SOURIS CLONÉE

Des scientifiques japonais ont cloné une souris qui avait passé 16 ans au congélateur. Cette méthode, par laquelle on procède à l'extraction de cellules cérébrales dont on injecte le noyau dans des ovules, pourrait être employée pour ressusciter des espèces disparues, telles le mammouth laineux ou le chat des cavernes.

℞ LECTURE RAPIDE

Selon des chercheurs de l'université de Glasgow, en Écosse, il suffit de 200 millisecondes à un être humain pour décoder l'émotion représentée par une expression faciale.

℞ URGENCE : FAIBLE

Vicky Isley et Paul Smith, de l'université de Bournemouth, en Angleterre, ont créé un système de communication informatique employant des escargots en guise de postiers livrant des courriels. Ceux-ci sont équipés de petits relais radio connectés à des puces électroniques. Le message est téléchargé dans la puce d'un gastéropode lorsqu'il passe à portée d'un relais situé dans son vivarium. Lorsqu'il atteint le second relais, le courriel est automatiquement transmis.

℞ TOILETTE PLIABLE

Paul Hernon, du West Yorkshire, en Angleterre, a inventé une salle de bains pliable, idéale pour les petits appartements. L'invention, appelée le Vertebrae, économise l'espace en incluant un lavabo, une citerne et un pommeau de douche dans une simple colonne d'acier de 2,4 m.

℞ CRAZY HORSE

L'institut Madagascar, un regroupement d'artistes de New York, a créé un manège à haute vitesse dont les chevaux sont mus par des réacteurs !

℞ UNE FORTUNE EN FUMÉE

Les diamants ne se consument qu'à très haute température et ne laissent pas de cendres : ils se transforment en gaz carbonique.

La dent 007

L'Anglais James Auger a inventé un nouveau système de communication secrète : un implant dentaire audio. Par chirurgie, on insère dans une dent une puce capable de communiquer avec un mobile, une radio ou un ordinateur. Les vibrations sont transmises à l'os de la joue, qui fait vibrer l'oreille interne du sujet, seul à entendre la communication.

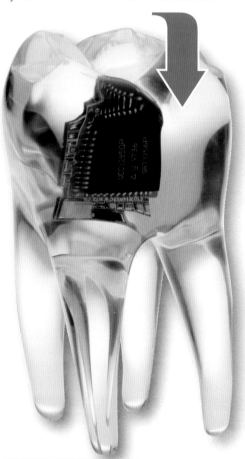

℞ COCCINELLE SANS AILES

En rendant inopérant le gène du développement des ailes chez les coccinelles, des chercheurs de l'université de Nagoya, au Japon, ont produit une variété de cet insecte incapable de voler. Les coccinelles sont employées comme insecticides écologiques depuis de nombreuses années mais, jusqu'ici, les fermiers n'étaient pas en mesure de les empêcher de s'enfuir à tire-d'aile.

℞ AVION SOLAIRE

Une compagnie américaine a mis au point un aéronef de surveillance sans équipage, capable de voler 5 ans sans se poser. Cet avion à énergie solaire, d'une envergure de 150 m, a des ailes en forme de Z, de façon à absorber un maximum de rayons solaires au cours de la journée. La nuit, elles s'aplatissent, pour un meilleur aérodynamisme.

Doigts bioniques

Une compagnie écossaise a inventé une main bionique permettant aux amputés de soulever un verre, de tenir des ustensiles et même d'écrire. Ces doigts à 55 000 euros sont directement contrôlés par le cerveau et dotés d'un capteur qui détecte l'instant où un objet est touché.

LE GRAND BLEU

EN DÉCEMBRE 2008, UN ARTISTE BRITANNIQUE S'EST EMPARÉ D'UN APPARTEMENT LONDONIEN ABANDONNÉ
POUR LE TRANSFORMER EN UNE GROTTE DE CRISTAUX MIROITANTS. ROGER HIORNS A CRÉÉ SON ŒUVRE,
INTITULÉE *Seizure* (« CRISE ÉPILEPTIQUE », MAIS ÉGALEMENT « SAISIE »), EN INJECTANT 70 000 L
D'UNE SOLUTION BLEUTÉE DE SULFATE DE CUIVRE CHAUDE DANS LE LOGEMENT, DE MANIÈRE
À ENGENDRER DE MAGNIFIQUES EXCROISSANCES CRISTALLINES SUR LES MURS, LES PLANCHERS,
LES PLAFONDS ET LA BAIGNOIRE.

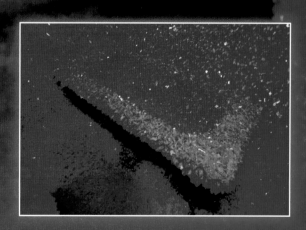

Les cristaux ont recouvert toutes les surfaces,
y compris le lavabo de la salle de bains.

R PIQÛRE CONTRE LE CANCER

Dans le cadre d'une expérience menée à l'université de Saint Louis, dans le Missouri, des nano-abeilles microscopiques faites de fluorohydrocarbone – un matériau employé dans la fabrication de sang artificiel – ont tué des tumeurs cancéreuses en les piquant. Ces nano-abeilles, qui ne mesurent qu'un millionième de centimètre, sont armées de mellitine, une toxine présente dans leur venin, qui a pour propriété de détruire les cellules cancéreuses.

R GROS PROBLÈME

À Jülich, en Allemagne, un réseau d'ordinateurs capable de 200 billions de calculs à la seconde, a mis une année entière à trouver la réponse à une question de physique.

R VIRUS MOBILES

Il existe plus de 600 virus de téléphones portables capables de se répandre à travers les réseaux en s'expédiant vers d'autres appareils via Bluetooth ou MMS.

R PIGEON HAUT DÉBIT

Un pigeon voyageur d'Afrique du Sud s'est montré plus rapide que l'Internet haut débit. Le volatile a mis 1 h et 8 min pour aller de Pietermaritzburg à Durban, porteur d'une microcarte. Téléchargement inclus, l'opération a duré 2 heures. Dans le même temps, seulement 4 % des données avaient été transférées en employant le réseau le plus performant du pays.

R SOUTIEN MULTIPLE

Elena N. Bodnar, Raphael C. Lee et Sandra Marijan, de Chicago, ont inventé un soutien-gorge qui, en cas d'urgence, peut être rapidement transformé en une paire de masques à gaz, l'un pour la porteuse, l'autre pour un passant qui en aurait besoin.

R PRÉCISION CHIRURGICALE

Les robots chirurgicaux modernes sont si précis qu'ils sont désormais capables de peler la peau d'un raisin.

R ASTRO-SLIP

L'astronaute japonais Koichi Wakata a eu beau porter le même slip durant tout le mois passé dans la station spatiale internationale, aucun des 12 collègues entassés avec lui dans le vaisseau exigu n'a porté plainte. Son slip, de marque J-ware, créé par des scientifiques nippons, est capable de tuer les bactéries, absorber l'eau, isoler le corps et sécher rapidement.

R BIO-BOMBES

Une espèce de vers marins découverte récemment se sert de « bombes » bioluminescentes pour distraire ses adversaires. Lorsqu'elles sont attaquées, ces créatures vivant au fond de l'océan Pacifique, à plus de 3 km de la surface, projettent vers l'ennemi des parties de leur corps rayonnant d'une couleur verte. Les scientifiques qui ont découvert cela à l'Université de Californie, basée à San Diego, affirment que ces vers sont à même de régénérer leurs membres.

...FOLLES INVENTIONS...FOLLES INVENTIONS...FOLLES

Rase-mottes

Cet étrange attirail, photographié en 1922, est l'un des premiers hélicoptères. La machine de l'Espagnol Raul Pescara était équipée de 4 ensembles de pales plutôt qu'un seul. Malheureusement, son invention n'est jamais parvenue à décoller plus haut que 1,5 m.

Canon courbe

La mitraillette M3, dotée d'un canon recourbé, a fait son apparition en 1953. Elle était conçue pour tirer par-dessus les obstacles et contourner les angles.

Valise surprise

En 1963, John H.T. Rinfret a proposé cette invention inhabituelle destinée à déjouer les voleurs. Une chaînette reliée à un dispositif permettait de répandre instantanément par terre le contenu de la mallette.

℞ LE CANON QUI PUE

L'État d'Israël a développé une nouvelle arme organique baptisée Skunk (mouffette). Il s'agit d'une substance projetée à partir d'un canon à eau et dont l'atroce puanteur reste impossible à éradiquer pendant au moins 3 jours. Cette arme offensante est constituée d'un mélange de levure, de poudre à pâte et de plusieurs ingrédients secrets.

℞ LE LIQUIDE QUI GRIMPE

L'hélium froid, sous forme liquide, devient un superfluide capable d'escalader les parois de son contenant.

℞ MAL DE MER EN L'AIR

Alors qu'il étudiait les effets de l'apesanteur dans l'eau, au cours de ses recherches sur les effets de l'espace sur le corps humain, le zoologiste Reinhold Hilbig, de Stuttgart, a découvert que même les poissons ont le mal de mer. Il en a placé quelques-uns dans des aquariums installés dans un avion. Un grand nombre d'entre eux ont perdu le sens de l'orientation et de l'équilibre lorsque l'aéronef effectuait des piqués.

℞ ALERTE DANS LE MAILLOT

Une entreprise canadienne désireuse d'attirer l'attention du public sur les dangers du cancer de la peau a mis au point un maillot de bain deux pièces capable d'avertir sa propriétaire au moment où les rayons du soleil deviennent trop puissants. Les bikinis sont maintenus en place par de pâles perles décoratives qui tournent au mauve foncé lorsque les rayons UV atteignent des niveaux dangereux.

℞ MOUCHOIR PARE-BALLES

Un inventeur islandais a mis au point un mouchoir de poche assez résistant pour stopper une balle de pistolet. Sruli Recht a conçu son mouchoir en Kevlar, une matière 5 fois plus résistante que l'acier et capable de supporter des températures de 400 °C.

℞ LÉGÈRE TRANSPARENCE

Des scientifiques britanniques sont parvenus à créer une variété d'aluminium translucide en bombardant le métal à l'aide d'un laser produisant de brèves impulsions de rayons X.

℞ NOMBRILISME

Cherchant à découvrir de quelle manière se créent les peluches de nombril, le docteur Georg Steinhauser, de l'université de Vienne, en Autriche, a passé 3 ans à étudier 503 échantillons prélevés directement dans son propre nombril. Il en a conclu qu'un type de poil particulier capture les fragments de tissu et les stocke là.

℞ L'HEURE DE PLEURER

Le Français Serge Cotaina a inventé une montre-bracelet dotée d'un vaporisateur de poivre en guise de système d'autodéfense. Une petite capsule cachée dans le boîtier de la montre émet le jet par le cadran.

℞ ROBOTS COMÉDIENS

En 2008, des robots sont montés sur scène en compagnie de comédiens humains dans le cadre d'une pièce de théâtre créée à Osaka, au Japon. Les machines avaient été programmées pour donner la réplique et se déplacer sur scène.

FOLLES INVENTIONS... FOLLES INVENTIONS...

Sur la glace

En 1937, la fameuse Ford T a été convertie en version préliminaire de la motoneige. Le véhicule était doté de chenilles enroulées autour de pneus arrière de série, alors que des skis métalliques remplaçaient les roues avant. Ces belles d'autrefois pouvaient atteindre une vitesse de 29 km/h dans la neige épaisse.

Visionnaire

L'auteur de science-fiction Hugo Gernsback avait de l'avance sur son époque. En 1963, il proposa ces lunettes de télévision 3D.

Lisa Courtney, du Hertfordshire, en Angleterre, a accumulé ces 13 dernières années plus de 13 400 objets dans sa collection Pokémon, qu'elle continue de compléter. La jeune femme de 21 ans s'est rendue à 5 reprises au Japon, d'où sont originaires ces monstres, pour assouvir sa passion.

TROMPE-LA-MORT

Alec Alder, un Anglais de 90 ans qui vit dans le Gloucestershire, a calculé qu'il a échappé à la mort pas moins de 14 fois. Il est sorti indemne de plusieurs accidents de voiture et d'une chute du haut d'un arbre de 4,5 m quand il était enfant. Pendant la guerre, il a survécu aux bombardements, s'est fait écraser par un tank, et il a même réussi à s'échapper après qu'un bombardier se fut écrasé contre le mur de sa maison durant son sommeil. C'est sans doute en 1939 qu'il est passé le plus près de la mort : son mariage lui a permis de ne pas être envoyé à Dunkerque, où tout son bataillon a été tué.

COLOMBOPHILE

L'ancien champion de boxe américain Mike Tyson a un jour réservé une suite d'hôtel pour ses 8 pigeons préférés, à Louisville, dans le Kentucky.

COUP DOUBLE

Des frères jumeaux ont épousé des sœurs jumelles lors d'une cérémonie militaire à Pechora, en Russie, en 2009. Rien ne permettait de distinguer Lilia Kobozevsa de sa sœur Liana dans leur robe de mariée identique, tandis que la seule petite différence entre Alexei et Dmitry Semyonova résidait dans la nuance de noir de leur costume.

SHREK SE MARIE

En avril 2009, dans le comté anglais du Devon, Keith Green (vert, en anglais) a épousé Christine England déguisé en Shrek. Lui et sa promise, déguisée en princesse Fiona, ont passé 3 heures à se faire maquiller le visage et les mains en vert.

MOITIÉ MOITIÉ

Des Cambodgiens, qui ont divorcé en 2008 après 40 ans de mariage, ont décidé de diviser équitablement tous leurs biens... en coupant leur maison en 2. Madame est restée dans sa moitié de maison, tandis que monsieur a déplacé la sienne sur un terrain à l'autre bout du village, où il avait bien l'intention de commencer une nouvelle vie.

LA PRIME À LA MOUSTACHE

En Inde, beaucoup de services de police offrent des bonus et des récompenses aux officiers qui se laissent pousser la moustache.

La boule au ventre

Une jeune fille de 18 ans adorait tellement manger ses cheveux qu'une pelote de 38 x 18 cm s'est formée dans son ventre ! Quand elle s'est plainte de douleurs abdominales et de vomissements, les médecins ont découvert un enchevêtrement de 4,5 kg de cheveux noirs et bouclés qui lui emplissait presque tout l'estomac.

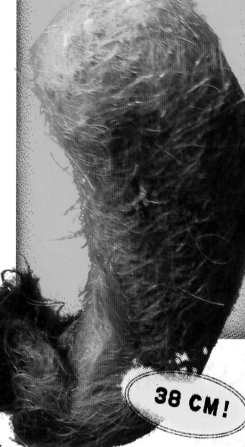

38 CM !

CI-GÎT... GA-OCTETS

La famille d'un geek a déposé ses cendres à l'intérieur d'un vieux PC. Sur l'ordinateur, une plaque en plastique porte son nom, Alan, et ses dates de naissance et de mort. Ses amis ont été invités à écrire un mot à sa mémoire sur des Post-it, et à les glisser dans la fente du lecteur de disquettes.

LE CLOWN DANS L'ESPACE

Le Québécois Guy Laliberté, fondateur du Cirque du Soleil, a fait un voyage dans l'espace habillé en clown, en 2009. Le touriste spatial portait un gros nez rouge, et il en avait apporté d'autres pour les membres de l'équipage de l'ISS, la station spatiale internationale.

MORT VIVANT

Un Japonais de 22 ans a fait semblant d'être mort pendant 3 heures pour éviter une arrestation après avoir percuté une moto de la police. Il s'est enfui de sa voiture, s'est effondré et a fait le mort, même quand les secours lui ont placé un cathéter dans l'urètre.

LE SPORT CONSERVE

Pendant 30 ans, le Chinois Xie Long, de Chongqing, s'est servi de mortiers comme haltères... jusqu'à ce qu'un ami se rende compte que les armes étaient toujours en état de fonctionner. La police les a désamorcées car elles auraient pu exploser à tout moment.

UN TRAIN D'ENFER

Un touriste américain est resté accroché 2 heures et demie à un train lancé à 110 km/h dans le bush australien. En juin 2009, Chad Vance, originaire de l'Alaska, a attrapé de justesse le Ghan, un train qui relie Adélaïde à Darwin, au moment où celui-ci quittait la gare, se cramponnant tant bien que mal à un escalier extérieur jusqu'à ce qu'un employé finisse par entendre ses cris et fasse stopper le convoi.

SAVON ALCOOLIQUE

En 2009, un gel antiseptique pour les mains, censé aider à combattre la grippe porcine, a été retiré d'une prison du comté anglais du Dorset, après que les prisonniers eurent réalisé qu'il contenait de l'alcool. Au lieu de l'utiliser pour se laver les mains, ils se sont mis à en consommer d'importantes quantités, ce qui s'est terminé, pour certains d'entre eux, en bataille d'ivrognes.

UNE EXPÉRIENCE CRAQUANTE

Donald L. Unger, de Thousand Oaks, en Californie, a fait craquer les articulations de sa main gauche – jamais la droite – chaque jour pendant plus de 60 ans. Il voulait savoir si une telle pratique, répétée fréquemment, pouvait provoquer de l'arthrite dans les doigts.

OUI, MAIS NON

On l'a trouvée dans son appartement de Cernavoda, en Roumanie, blessée à la tête et gisant dans une mare de sang. Le médecin l'a déclarée morte. Mais quand le médecin légiste l'a photographiée, Elena Albu, 84 ans, a ouvert un œil et s'est plainte d'un mal de tête.

main géante

LIU HUA, DE LA PROVINCE CHINOISE DU JIANGSU, A SUBI UNE OPÉRATION POUR ENLEVER 5 KG DE TISSUS SUR L'INDEX, LE MAJEUR ET LE POUCE DE SA MAIN GAUCHE. AVANT L'OPÉRATION, SON POUCE MESURAIT 26 CM, SON INDEX 30 CM ET SON MAJEUR 15 CM. POUCE ET INDEX ÉTAIENT PLUS GROS QUE SES BRAS ! SON BRAS GAUCHE PESAIT À LUI SEUL 10 KG.

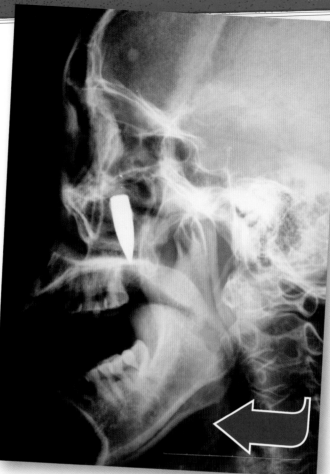

Peau de balle !

Une balle de 3,3 cm logée dans le visage d'une Chinoise depuis 42 ans a finalement été extraite, quand celle-ci s'est plainte d'horribles douleurs à la tête. Hou Guoying, perplexe, s'est alors souvenue qu'elle avait reçu accidentellement un coup de pistolet de départ pendant la révolution culturelle de 1966.

LE + DE RIPLEY

LIU SOUFFRE DE MACRODACTYLIE, UNE ANOMALIE CONGÉNITALE QUI SE CARACTÉRISE PAR UN DÉVELOPPEMENT TROP IMPORTANT DES DOIGTS OU DES ORTEILS. ELLE SERAIT DUE SOIT À UNE INNERVATION, SOIT À UNE VASCULARISATION ANORMALES.

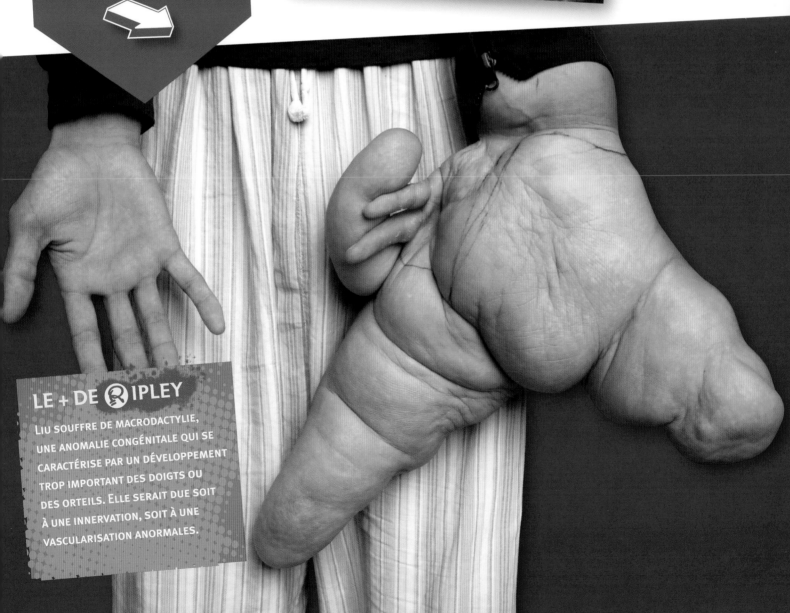

Sacré coyote Un coyote percuté par une voiture à 120 km/h près de la frontière entre le Nevada et l'Utah a été retrouvé coincé dans l'aile avant du véhicule 8 heures plus tard… et toujours en vie ! Non seulement il a survécu pendant les 965 km du trajet, mais sa forme était telle qu'il a échappé à ses secouristes.

℞ UN CHIEN DE LUXE

En 2009, une Chinoise a payé plus de 3 248 250 Y pour un dogue du Tibet. Mme Wang avait passé des années à chercher le spécimen parfait, un chien nommé Yang-Tsé nº 2. À son arrivée à l'aéroport de Xi'an, l'animal fut accueilli par des banderoles, un comité d'amoureux des dogues, et un défilé de 30 luxueuses limousines dépêchées par les riches amis de sa nouvelle maîtresse.

℞ VIVE LES MARAIS !

Pour son enterrement de vie de jeune fille, Casey Squibb, du comté de Dorset, en Angleterre, a participé aux championnats irlandais de nage en marécage, à Castle-blayney. Elle a fait le meilleur temps jamais réalisé par une femme. 15 des 22 amis qui accompagnaient Casey en Irlande ont participé à la course qui se déroulait sur 110 m. Elle portait une combinaison de plongée, des palmes et un masque orné d'un voile blanc.

℞ ÇA FAIT CHER LA COUPE !

Le sultan de Brunei, l'un des hommes les plus riches de la planète, dépense chaque mois plus de 13 000 $ pour se faire couper les cheveux. Il paie un billet d'avion en 1re classe et une chambre d'hôtel à son coiffeur préféré, qu'il fait venir d'Angleterre. Ken Modestou, coiffeur à l'hôtel Dorchester de Londres, fait normalement payer une coupe une trentaine d'euros.

℞ VOL EN PLEINE RUE

Entre 2007 et 2008, on a volé plus de 2 500 plaques d'égouts et grilles d'évacuation des eaux dans les rues de Philadelphie, en Pennsylvanie, pour en revendre le métal.

℞ HÔPITAL OU CRÈCHE ?

Dans le Nebraska, une loi permet de confier un enfant de n'importe quel âge à un hôpital sans risquer d'être poursuivi pour abandon. Un des premiers parents à en profiter a abandonné 9 enfants, âgés de 1 à 17 ans !

URNE PERSONNALISÉE

L'entreprise Cremation Solutions d'Arlington, dans le Vermont, propose un souvenir unique pour honorer les chers disparus : une urne à leur image. Une tête grandeur nature, façonnée à partir de photographies du défunt et capable de contenir les cendres d'une personne adulte, coûte 2 600 $. Si le client le souhaite, l'entreprise peut même y ajouter une perruque.

Brochette humaine

À Guilin, en Chine, Jian Liao s'est tordu de douleur sur la piste d'athlétisme lorsqu'un javelot de 1,5 m lancé par un de ses camarades a terminé sa course en lui transperçant la rotule. Les secouristes ont tenté de couper la lance à la cisaille, mais Jian hurlait tellement qu'ils ont décidé de brûler la moitié du javelot avant de l'enlever.

℞ POIDS HUMAINS

En janvier 2009, une salle de sports londonienne a remplacé les poids d'une machine de musculation par des êtres humains. Ces 5 personnes pesaient entre 30 et 155 kg. Non seulement elles permettaient aux sportifs de visualiser le poids qu'ils soulevaient, mais elles les encourageaient dans leurs efforts !

℞ SILENCE AU TRIBUNAL !

Agacé par les fréquentes interruptions d'un accusé lors de son procès, le juge Stephen Belden, du tribunal de Canton, dans l'Ohio, a ordonné qu'on lui colle un bout de chatterton sur la bouche. Il a estimé que c'était la seule solution pour faire taire Harry Brown, accusé de vol, et restaurer l'ordre dans son tribunal.

℞ DES TOASTS À GOGO

En ouvrant leurs cadeaux après leur mariage, Claire et Stuart Linley, de Howden Minster, en Angleterre, ont eu la surprise de découvrir qu'on leur avait offert pas moins de 24 grille-pain ! Ils en ont gardé un et ont rendu les 23 autres.

℞ DERNIÈRE DEMEURE

Les dernières volontés de Jack Woodward ont été exaucées : on a enterré ses cendres dans le pub où il avait passé quotidiennement de nombreuses heures. L'ancien propriétaire repose sous une dalle de son établissement, le Boat Inn, dans le village anglais de Stoke Bruerne. Une plaque indique : « Approchez donc, j'offre la dernière bière. »

℞ SMOKING CANIN

Comme ils s'étaient rencontrés en promenant leurs chiens sur la plage, Harriet et Andrew Athay, du comté de Dorset, en Angleterre, ont décidé que leur chien Ed serait garçon d'honneur à leur mariage. Ed a revêtu un smoking miniature, tandis que les deux chiennes du couple, Humbug et Goulash, portaient d'étincelantes collerettes roses.

℞ CINQ MARIAGES

Simone et Ryan Feeney, du Buckinghamshire, en Angleterre, se sont mariés 5 fois en moins d'un an. La 1re fois, c'était en mars 2008 dans la Little White Wedding Chapel de Las Vegas. Puis, les 10 mois suivants, en Turquie, en Grande-Bretagne, aux États-Unis (encore) et en Australie.

℞ CONCOURS DE CRIS

Le Russe Sergey Savelyev peut pousser des cris de 116,8 dB, presque aussi forts qu'une sirène d'ambulance. Il a gagné un concours international de cris à Pattaya, en Thaïlande, en août 2009, et fait la démonstration de ses talents. Il a touché un prix de 900 $.

℞ UN LAITIER INFATIGABLE

Voilà près de 70 ans que Derek Arch, 81 ans, livre du lait aux habitants de Coventry, en Angleterre. 7 jours par semaine, il se lève à 2 h 30 pour aller faire son tour au volant de sa camionnette, qu'il conduit depuis plus de 50 ans. Il livre 400 maisons et parcourt 13 km à pied chaque jour.

℞ UNE OFFRE À SAISIR !

Un hôtel 4 étoiles près de Venise a perdu 90 000 euros en proposant par erreur un week-end romantique à 1 centime. Le Crowne Plaza a reçu 1 400 réservations dès la parution de l'offre sur Internet, résultat d'une méprise d'un salarié du siège, à Atlanta.

℞ LAMAS D'HONNEUR

2 des lamas d'un fermier de Plymouth Township, dans l'Ohio, ont fait office de gardes d'honneur lors de ses funérailles.

Les casse-cou du Niagara

Depuis 1901, une succession de casse-cou risquent leur vie en descendant les chutes du Fer à Cheval, les plus hautes du Niagara, embarqués dans divers habitacles. La plupart d'entre eux cherchent la gloire, la fortune ou une certaine publicité, d'autres le grand frisson, et tous sont pleinement conscients des risques qu'ils prennent en s'élançant sur ces eaux déchaînées. Les chances de survie sont si minces que, statistiquement, un saut s'apparente à un suicide. Les tout premiers aventuriers ayant survécu ont été baptisés « casse-cou ». Chaque année, on déplore 12 à 15 morts dans les chutes du Niagara, qui ne sont pas les plus hautes au monde, mais parmi les plus dangereuses. Le débit de l'eau est si puissant que personne n'a jamais vraiment réussi à le contrôler, même pas les ingénieurs les mieux formés.

BOBBY LEACH and his Barrel after his perilous trip over Niagara Falls. Copyright 1911, U.S.A. & CANADA by Bobby Leach.

REVERS DE FORTUNE – 1901

En octobre 1901, Annie Edison Taylor fut la première à dévaler les chutes dans une barrique et à y survivre. En quête d'argent et d'attention, elle décida de conquérir le Niagara à l'âge de 63 ans, en prétendant qu'elle en avait 20 de moins. Elle ressortit de la barrique étanche avec seulement une égratignure sur le front. Malgré son exploit, elle ne connut jamais vraiment la célébrité, et passa le reste de sa vie à vendre des souvenirs dans la rue.

TOURBILLON – 1930

Après avoir aidé Bobby Leach (voir p. 237) à récupérer son embarcation en 1911, William Red Hill était si impressionné qu'il décida de se lancer lui aussi. En 1930, il choisit un tonneau en acier de 2 x 1 m, avec une fenêtre de 36 x 46 cm, et des aérations protégées par des bouchons amovibles. Plus de 25 000 personnes assistèrent à son plongeon. 90 secondes plus tard, il était pris dans le tourbillon en bas des chutes, où son tonneau tourna pendant plus de trois heures, à moitié rempli d'eau. Il finit par s'en sortir vivant, avec seulement quelques contusions.

À TRAVERS LES RAPIDES – 1886

Carlisle Graham, de Philadelphie, fut le premier à conquérir le fleuve à l'intérieur d'une barrique. En juillet 1886, cet homme de 1,80 m s'est élancé dans les rapides Great George à Lewiston, dans une barrique en chêne cerclée de fer, longue de 1,7 m. Sa descente a duré plus d'une demi-heure. Il a décidé de renouveler l'expérience le mois suivant, cette fois en laissant dépasser sa tête de la barrique. Le bruit produit par les flots lui a endommagé les tympans, et il est devenu sourd.

NERFS D'ACIER – 1911

En juillet 1911, Bobby Leach fut le 2e à descendre les chutes dans une barrique, mais cette fois en acier. Leach était un artiste du cirque Barnum & Bailey, et il était certain de pouvoir faire mieux qu'Annie. Résultat : il se cassa les rotules et la mâchoire. Toutefois, il mit cette expérience à profit : il fit le tour du Canada, des États-Unis et de la Nouvelle-Zélande pour parler de son exploit, posant près de sa barrique. Il mourut de la gangrène, contractée à la jambe après avoir glissé sur une peau d'orange.

LE TONNEAU SANS RETOUR – 1920

Charles G. Stephens fut la première victime des chutes du Fer à cheval. Le 11 juillet 1920, cet Anglais fit le grand plongeon pour connaître la célébrité et sauver 11 enfants pauvres. Devant des milliers de personnes, il grimpa dans son tonneau de bois et attacha ses pieds à une enclume pour plus de sécurité. Erreur fatale : quand on récupéra le tonneau, on n'y trouva que son bras droit.

GONFLÉ – 1928

Le 4 juillet 1928, Jean Lussier, 36 ans, du Massachusetts, s'élança dans les chutes à bord d'un ballon en caoutchouc gonflable de 1,8 m de diamètre. Il survécut, malgré l'explosion de 3 des 32 chambres à air.

COMBIEN D'EAU ?

Les chutes du Fer à cheval, côté canadien, sont les plus hautes chutes du Niagara. Elles plongent à 55 m, pour une largeur de 760 m. Toutefois, leur hauteur peut varier de près de 9 m selon la saison, et parfois même selon le moment de la journée. Près de 170 millions de litres d'eau tombent du haut des chutes chaque minute, soit l'équivalent d'environ un million de baignoires !

SPHÈRE NON AUTORISÉE – 1961

En juin 1961, Nathan Boya décida de s'élancer à bord d'une énorme sphère. Il déclara qu'il ne cherchait ni la gloire ni la fortune, mais qu'il « fallait qu'il le fasse ». Il utilisa une sphère en acier entourée de caoutchouc, censée lui assurer de l'oxygène pendant 30 heures. Après avoir failli descendre les chutes américaines (les mauvaises) et avoir été remorqué jusqu'au Fer à cheval, Nathan s'en sortit indemne, mais dut payer une amende de 100 $ et 13 $ de frais de procédure pour avoir descendu les chutes illégalement.

EN DUO – 1989

En septembre 1989, pour la 1re fois, 2 hommes ont plongé ensemble dans le même tonneau. Peter DeBernardi et Jeffrey Petkovich se sont placés côte à côte, la tête protégée par un casque de hockey, dans un habitacle de 3 x 1,5 m. Ils s'en sont sortis sans blessures graves.

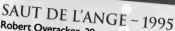

SAUT DE L'ANGE – 1995

Robert Overacker, 39 ans, a utilisé un jet-ski pour se propulser au-dessus des chutes en octobre 1995. Malheureusement, son parachute ne s'est pas ouvert et Robert a fait une chute mortelle de 55 m. Ce qui revient, dit-on, à s'écraser sur du ciment.

POIDS LÉGER – 1984

Le Canadien Karel Soucek a dévalé les chutes en juillet 1984 dans un tonneau léger, en bois et plastique, lesté de manière à descendre pieds en avant. Son plongeon a duré 3,2 s durant lesquelles il a dépassé les 120 km/h. Il s'en est tiré avec des coupures, des contusions, une blessure au bras et une amende de 500 $ pour avoir sauté sans autorisation.

DOUBLE PLONGEON – 1985 & 1993

Non content d'avoir dévalé les chutes une fois, le Canadien Dave Munday a recommencé ! En 1985, il a dévalé les 57 m du Fer à cheval en 5 s, dans un tonneau d'acier de 2,1 m. En 1993, il s'est glissé dans une cloche de plongée. Il n'avait pas de casque, seul un rembourrage de 5 cm amortissait les chocs.

SANS PROTECTION – 2003

En octobre 2003, Kirk Jones a été le premier à descendre les chutes sans autre protection que ses vêtements. Il s'est glissé sous la barrière avant de sauter dans l'eau, dévalant 53 m. Arrivé en bas, il a nagé jusqu'à des rochers, refusant l'aide du *Maid of the Mist*, le bateau touristique. Il s'en est sorti avec seulement quelques contusions, mais a dû payer une amende de 2 300 $ et fut interdit de séjour à vie au Canada.

COMMANDO TYPO

Au cours de leur campagne antifautes d'orthographe et de ponctuation, Jeff Deck, de Somerville, dans le Massachusetts, et Benjamin Herson, de Virginia Beach, en Virginie, ont parcouru les États-Unis pendant 2 mois pour corriger les erreurs typographiques sur les panneaux d'affichage publics.

TAILLE DE GUÊPE ?

Ravi Singh, un petit garçon indien de 8 ans, adore manger les guêpes. Il dit apprécier leur goût sucré et la sensation de leur dard sur sa langue. Il en mange jusqu'à 7 à la fois. Alors que 5 piqûres de guêpes peuvent tuer un adulte, le corps de Ravi a développé une immunité à leur poison.

PLUS VRAI QUE NATURE

En Angleterre, un homme déguisé en gorille pour une course de charité a été arrêté par des policiers. Des automobilistes avaient alerté la police, pensant qu'un vrai gorille s'était échappé du zoo ! Rory Coleman courait pour soutenir l'ONG Gorilla Organization.

QUE LA LUMIÈRE SOIT !

Pendant 5 ans, Mo Zhaoguang, un agriculteur de Nandan, en Chine, s'est demandé qui allumait la lumière dans sa grange... jusqu'à ce qu'il découvre que c'était son buffle. Selon Mo, l'animal allume quand il a faim ou soif, et éteint avant de dormir.

ZOO MOBILE

Après avoir arrêté un automobiliste à Bari, en Italie, les policiers ont découvert plus de 1 700 animaux entassés dans son coffre : plus de 1 000 tortues, 300 souris blanches, 216 perruches, 150 hamsters, 30 écureuils du Japon et 6 caméléons.

RIEN À JETER

Les autorités ont délogé Merv Jones de sa maison du Lincolnshire, en Angleterre, quand elles ont procédé au déblaiement de 100 t de détritus accumulés depuis des décennies, et entassés du sol au plafond dans tout le bâtiment. Parmi ces déchets, de vieilles munitions, des sabres de samouraï et des bouteilles de propane. La puanteur était telle qu'on la sentait à plus de 1 km à la ronde.

MARIÉ... À UNE CHIENNE

En 2009, Sagula Munda, 2 ans, a été marié à une chienne lors d'une cérémonie à Jajpur, en Inde. Le but était de protéger le petit garçon des fantômes et de la malchance, après la découverte d'une dent pourrie dans sa gencive.

DES OS UTILES

En 2009, 7 ans après sa mort, les dernières volontés de Gordon Krantz ont été exaucées. Ce professeur d'ostéologie de Port Angeles, dans l'État de Washington, avait souhaité que ses os et ceux de son chien soient exposés dans un musée. Ils se trouvent au Smithsonian Museum of Natural History.

UNE CHARMANTE OFFRE

En 2009, lors d'un voyage au Kenya, la secrétaire d'État américaine Hillary Clinton s'est vu proposer 20 vaches et 40 chèvres pour la main de sa fille Chelsea. Une offre formulée par Godwin Chepkurgor, 39 ans, ancien conseiller de Nairobi.

IPLEY L'interview

Comment en êtes-vous venu à la taxidermie ?

Je m'y suis intéressé après avoir rencontré une très jolie fille, à la fac, qui pratiquait cette technique. Je voulais lui plaire, alors je me suis servi de ça pour attirer son attention. Si je me souviens bien, elle utilisait une agrafeuse pour assembler des parties des différents animaux, et puis elle les plongeait dans de l'alcool à brûler. Alors, j'ai cousu à la main une queue d'opossum et je la lui ai offerte. Elle l'a bien aimée, mais pas suffisamment pour sortir avec moi.

Où trouvez-vous vos animaux ?

Partout où c'est possible, ce qui fait beaucoup d'endroits. Les déchets des marchés aux poissons de Chinatown, les animaux écrasés par les voitures, les poulaillers de New York, les sites Web pour taxidermistes, les supermarchés, les vétérinaires sympas, etc.

Quels sont les problèmes, quand on utilise des animaux morts ?

Il y en a plein. C'est toujours inquiétant de savoir qu'on peut s'exposer à des maladies ou des parasites, mais, pour l'instant, je n'ai pas eu ce souci. Je conserve les animaux dans de l'alcool à brûler, et ce n'est pas très sain d'en respirer les émanations. Mais le pire, c'est l'odeur des animaux dans l'alcool : ça remplit ma vie d'un parfum de chair pourrie.

Art mort Nate Hill, un artiste new-yorkais, fouille les poubelles en quête de carcasses d'animaux, qu'il coud ensuite pour façonner des créatures grotesques. En janvier 2008, Nate a présenté sa plus grande création, le projet A.D.A.M., dans son appartement. De la taille d'un homme, avec un torse en poils de cerf et des poissons en guise d'épaules, A.D.A.M. est également fait de poulet, de conque, de vache, de crabe, de canard, d'anguille, de grenouille, de homard, de lapin et de requin.

Grouillez-vous !

LE *CASU MARZU* EST UN FROMAGE TRADITIONNEL DE SARDAIGNE. BEAUCOUP DE PRODUITS LAITIERS FAVORISENT LE DÉVELOPPEMENT DE BACTÉRIES, MAIS LE *CASU MARZU*, LUI, NE SE MANGE QU'UNE FOIS ENTIÈREMENT INFESTÉ DE LARVES DE LA MOUCHE DU FROMAGE (*PIOPHILA CASEI*). EN LE DIGÉRANT, CES LARVES LUI DONNENT UNE TEXTURE MOELLEUSE : IL EST ALORS PRÊT POUR LA DÉGUSTATION, ASTICOTS COMPRIS. MAIS C'EST LORSQUE CES DERNIERS MEURENT QUE L'ALIMENT DEVIENT IMPROPRE À LA CONSOMMATION.

® LA ROUTE DES ZOOS

Marla Taviano et sa famille, de Columbus, dans l'Ohio, ont visité 55 parcs animaliers en 52 semaines. Ils ont commencé leur safari de 35 405 km au zoo de Louisville, dans le Kentucky, en août 2008, et l'ont terminé un an plus tard à Columbus, après avoir visité, entre autres, les zoos de Dallas, New York et San Diego.

® VOL DE SABLE

En 2009, des agents de la protection de l'environnement, aidés par la marine mexicaine, ont déroulé le bandeau « scène de crime » autour de la plage d'un hôtel de Cancún. Ils soupçonnaient les patrons de celui-ci d'avoir illégalement pompé du sable au fond de la mer pour le mettre sur sa plage.

® CAÏMAN GONFLÉ !

La police de Gunbalanya, en Australie, a mis un crocodile de 2 m en prison pendant 3 jours en octobre 2009. On l'avait surpris traînant dans les rues.

® ÉNORME BULLE

En août 2009, le Londonien Sam Heath, alias Samsam Bubbleman, a fait une impressionnante bulle de savon multicolore de 6 x 1,5 x 1,5 m ! Il a utilisé une mixture secrète (qu'il a mis 20 ans à perfectionner) et une corde nouée entre deux bâtons.

® UN CHIEN MAL ÉLEVÉ

En 2009, à Aspen, au Colorado, le juge municipal Brooke Peterson a interdit d'hôtel un loulou de Poméranie, car il n'arrêtait pas de mordre. Il a précisé à la propriétaire du chien que si on le revoyait à Aspen, les autorités seraient contraintes de le piquer. L'animal, nommé Gizmo, avait déjà passé 10 jours dans un refuge dans le but de calmer son agressivité.

® ELLE SAIT REBONDIR !

Ashrita Furman, de New York, a fait rebondir un ballon de basket 339 fois en 60 s, en février 2009.

Passager clandestin

En octobre 2009, les douaniers de l'aéroport de Dublin ont eu la surprise d'observer sur leur écran la silhouette d'un chihuahua à l'intérieur d'un bagage à main scanné aux rayons X. Le chien avait été sorti illégalement d'Espagne. Malgré cette manière peu conventionnelle de voyager, l'animal était en bonne santé.

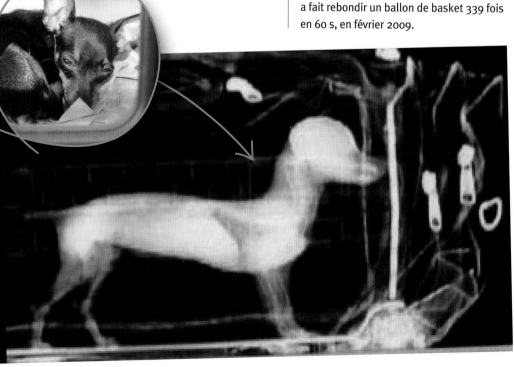

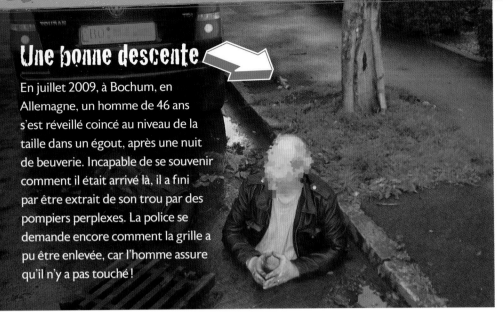

Une bonne descente

En juillet 2009, à Bochum, en Allemagne, un homme de 46 ans s'est réveillé coincé au niveau de la taille dans un égout, après une nuit de beuverie. Incapable de se souvenir comment il était arrivé là, il a fini par être extrait de son trou par des pompiers perplexes. La police se demande encore comment la grille a pu être enlevée, car l'homme assure qu'il n'y a pas touché !

® UNE ÉPOUSE ÉCONOME

Heather Saint, une Anglaise de 20 ans vivant à Teesside, a surmonté la crise en 2008 en achetant sa robe de mariée aux enchères sur eBay... pour 6 centimes d'euro.

® L'HOMME PINGOUIN

Alfred Davis, de Bruxelles, a vécu comme un pingouin pendant plus de 35 ans. Monsieur Pingouin se lavait comme l'animal, se baladait dans les rues habillé en pingouin, et mangeait des sardines crues. Il pensait pouvoir communiquer avec ses animaux préférés par télépathie. Il possédait une collection de plus de 3 000 figurines de pingouins et organisait des expositions en Belgique notamment. Il voulait être enterré dans un cercueil en forme de pingouin, et était convaincu qu'il se réincarnerait sous cette forme.

® LA FAUTE AUX SERPENTS

En 2009, à Hartford, dans le Connecticut, un automobiliste ayant perdu le contrôle de son 4x4 a mis l'accident sur le compte de 2 bébés serpents qui, selon lui, se sont échappés de sa poche pendant qu'il conduisait. Les serpents auraient glissé jusqu'aux pédales de frein et d'accélération. En voulant les attraper, le conducteur aurait perdu le contrôle du 4x4, qui se serait retourné.

® NOUVEAU NOM

Après une nuit de fête, Tom Hayward, 19 ans, un étudiant en design du Leicestershire, en Angleterre, a changé son nom par acte unilatéral en « N'Tom The Hayemaker Haywardyouliketocomebacktomine ». Il l'avait complètement oublié... jusqu'à ce qu'il reçoive le document lui confirmant son nouveau nom.

® JEUNE PROF

C'est en 2009 qu'Aman Rehman, de Dehradun, en Inde, a commencé à donner des cours d'animation par ordinateur à l'université des Arts interactifs de sa ville ; il n'avait alors que 8 ans ! Fils d'un mécanicien illettré, Aman a conçu son premier programme d'animation à 3 ans et demi, et a réalisé depuis lors plus de 1 000 films.

® LE TRAFIC DANS LA PEAU

En 2009, un homme portant 15 caleçons, 4 survêtements et 3 slips a été arrêté alors qu'il essayait de les passer en contrebande du Bélarus en Ukraine. Il suait tellement et avait une démarche si peu naturelle qu'il a attiré l'attention des douaniers.

® MÂCHOIRES D'ACIER

Enquêtant sur une série de vols étranges dans la région de Chongqing, la police chinoise a découvert que le coupable s'était introduit dans les maisons après avoir mâché les barreaux d'acier qui protégeaient les fenêtres. Une fois arrêté, l'homme a révélé qu'il pouvait ronger une barre d'acier jusqu'à 1 cm d'épaisseur, en écartant les soudures avec les dents !

® ANCRE EXPLOSIVE

Pendant des mois, sans le savoir, un pêcheur de l'État de Johor, en Malaisie, a utilisé comme ancre une bombe encore armée de la Seconde Guerre mondiale.

Un pas de travers

En août 2009, dans la province thaïlandaise de Rayong, un bébé éléphant allait faire ses exercices avec son entraîneur quand, tout à coup, il a glissé et est tombé dans un trou large de 90 cm. L'homme ne l'avait quitté des yeux que quelques instants. Il a fallu 3 heures aux secouristes pour extraire l'animal coincé : ils ont dû se résoudre à agrandir le trou au bulldozer. Par miracle, l'éléphant s'en est sorti sans aucune blessure.

ℝ PETITE MONNAIE

Deux femmes de Vladivostok, en Russie, qui travaillaient dans une entreprise spécialisée dans les plafonds, se sont fait licencier. Leur ancien patron leur a donné les 33 237 RBL qu'il leur devait... en 33 énormes sacs de petite monnaie.

ℝ LA FOLIE VEGAS

En 2008, Anette et Kenneth Lund, de Vejle, au Danemark, se sont mariés 4 fois en une journée, à Las Vegas : dans un hôtel, dans une limousine – le maître de cérémonie était un sosie d'Elvis –, dans un hélicoptère, et lors d'un saut en parachute. Ils ont prévu de se remarier 1 fois par an jusqu'à la fin de leurs jours, afin d'entretenir la flamme.

ℝ CLOWN EN GRÈVE

Un clown gonflable volé en 2009 dans un cirque russe à Alice Springs, en Australie, a été retrouvé quelques jours plus tard sur un terrain de golf voisin... avec une note manuscrite dans laquelle il réclamait de meilleures conditions de travail !

ℝ PAYÉE À DORMIR

En 2009, Rosie Madigan, une étudiante anglaise de Birmingham, a été payée 1 000 € pour dormir dans des lits de designers pendant 30 jours. Elle a ainsi passé 8 heures par jour au lit pour les besoins d'une étude initiée par un fabricant de literie de luxe.

ℝ RETOUR EN PRISON

En mars 2009, des gardiens de prison de Camden County, en Géorgie, ont surpris un détenu en train de rentrer dans la prison après s'être échappé pour voler des cigarettes de l'autre côté de la rue !

ℝ TIRAGE AU SORT

En 2009, lors d'élections municipales à Cave Creek, en Arizona, 2 candidats ont obtenu le même nombre de voix. Pour les départager, on a eu recours à un règlement local de 1925 qui prévoit de tirer une carte au sort. Adam Trenk a été élu : son roi de cœur a battu le 6 de cœur tiré par son rival, Thomas McGuire.

ℝ MENU SELON ARRIVAGE

Pour atteindre une rivière souterraine pleine de poissons, Li Huiyan, de Chongqing, en Chine, a creusé un trou de 16 m dans sa cuisine avec l'aide de 30 personnes de son village. Il a ensuite installé un filet de pêche au fond du trou ; ce qui lui permet de subvenir chaque jour aux besoins de sa famille.

EN JUILLET 2009, LA PLONGEUSE YANG YUN A ÉTÉ PRISE DE DANGEREUSES CRAMPES PARALYSANTES ET SAUVÉE PAR UN BÉLUGA HÉROÏQUE NOMMÉ MILA. À 6 M DE PROFONDEUR, EN APNÉE, YUN RISQUAIT UNE MORT CERTAINE CAR SES JAMBES AVAIENT GELÉ À CAUSE DE LA TEMPÉRATURE ARCTIQUE DE LA PISCINE DE L'AQUARIUM DE HARBIN, AU NORD-EST DE LA CHINE. MILA A SENTI LE PROBLÈME BIEN AVANT LES ORGANISATEURS, ET A REMONTÉ YUN À LA SURFACE EN LA POUSSANT DE LA TÊTE.

Sauver par un béluga

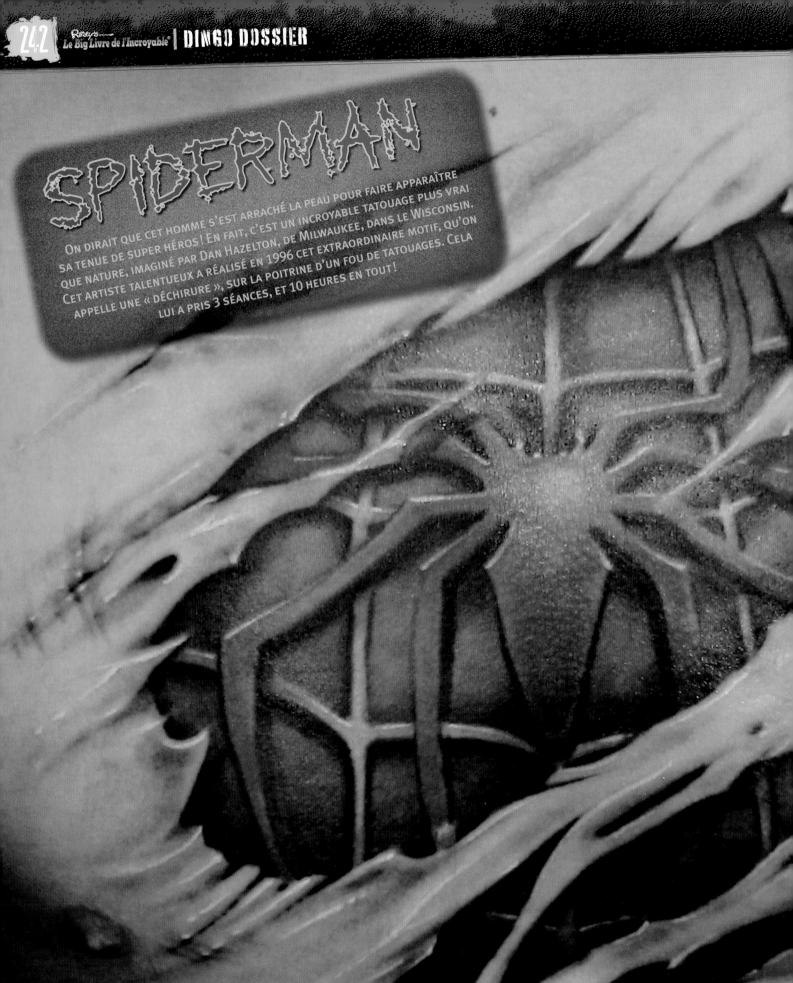

SPIDERMAN

On dirait que cet homme s'est arraché la peau pour faire apparaître sa tenue de super héros ! En fait, c'est un incroyable tatouage plus vrai que nature, imaginé par Dan Hazelton, de Milwaukee, dans le Wisconsin. Cet artiste talentueux a réalisé en 1996 cet extraordinaire motif, qu'on appelle une « déchirure », sur la poitrine d'un fou de tatouages. Cela lui a pris 3 séances, et 10 heures en tout !

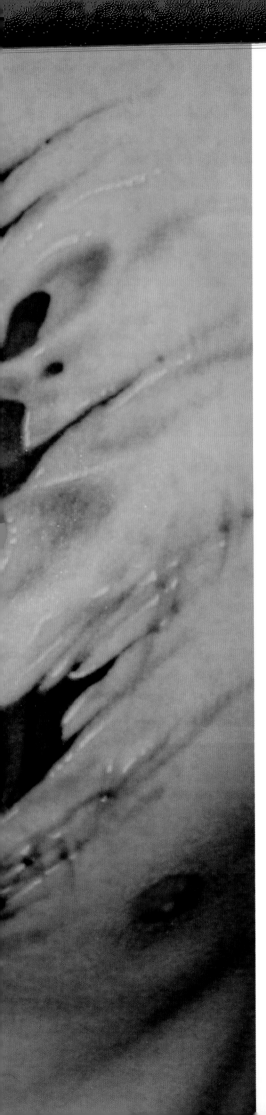

℞ ATTACHÉ À SA CRAVATE

Bob Flournoy, un avocat de Lufkin, au Texas, a mis la même cravate présentant comme motif le drapeau américain pendant plus de 6 ans. À force de la porter chaque jour, le tissu a commencé à se désintégrer, ce qui a obligé Bob à en couper des morceaux et à maintenir sa cravate avec des bandes Velcro. En 2007, réduite de moitié, elle était si fragile qu'il ne pouvait même plus la nouer.

℞ SAUVEZ LES NAINS !

À la mort d'une vieille dame australienne, en 2009, ses 1 500 nains de jardin ont dû quitter sa maison de Cootamundra, en Nouvelle-Galles du Sud, et ont bien failli finir dans une benne à ordures. Mais ses voisins sont venus à la rescousse : en 4 heures, ils ont récupéré tous les nains afin de leur trouver des foyers d'accueil.

℞ NOCES DE BAMBOU

En janvier 2009, 3 couples se sont mariés sur le fleuve Xiangjiang, à Zunyi, en Chine, en équilibre sur des branches de bambou de 20 cm de diamètre. Vêtus de tenues traditionnelles de mariage, ils étaient tous membres du club local de rafting sur bambou et ont choisi de se marier sur l'eau pour montrer leur habileté dans ce sport.

℞ NOCES DE TACOS

En 2009, Paul et Caragh Brooks se sont mariés à Normal, dans l'Illinois, dans leur restaurant favori, un fast-food mexicain de la chaîne Taco Bell.

℞ LE FROID CONSERVE

Paul et Val Howkins, un couple d'Anglais de Coventry, ont invité leurs familles et amis à fêter le 50e anniversaire... de leur réfrigérateur ! Ils avaient préparé des banderoles, des pochettes-surprises et même un gâteau pour célébrer la longévité de l'appareil, acheté 62 £ en 1959.

℞ TOUT ÇA POUR ÇA...

Une brigade du Hampshire, en Angleterre, a envoyé 18 pompiers, 3 camions et 1 unité spécialisée dans les alertes chimiques dans une maison de Basingstoke... pour un bocal brisé qui contenait un caméléon conservé dans du formol.

℞ CETTE FOIS, J'ARRÊTE !

En 2009, après avoir fumé pendant 95 ans, Winnie Langley, de Londres, a décidé d'arrêter... à 102 ans. Depuis sa première taffe en 1914, elle avait fumé en moyenne 5 cigarettes par jour, soit au total plus de 170 000 cigarettes.

℞ ALLÔ ? QUI CHAT ?

La police a débarqué dans une maison du Sussex, en Angleterre, après qu'un chat eut composé à 4 reprises, en quelques minutes, le numéro d'urgence 999. Le propriétaire, en parfaite santé, a expliqué que son chat Watson adorait jouer avec le téléphone et avait dû composer le numéro par accident.

℞ BREAKDANCE

En juillet 2009, sur le campus du Bournemouth and Poole College, dans le Dorset, en Angleterre, 269 personnes déguisées en robots ont exécuté toutes ensemble, pendant 5 min, la danse du robot.

℞ TRIPLE EXPLOIT

L'explorateur britannique Adrian Hayes a atteint les 3 points les plus extrêmes du globe en 19 mois. Il a gravi l'Everest en mai 2006, atteint le pôle Nord en avril 2007 et le pôle Sud en décembre 2007. Un triple challenge de taille qui demanderait plusieurs années à la plupart des explorateurs.

℞ À MAINS NUES

Le 21 novembre 2008, le lanceur de couteaux David Adamovich, alias le Grand Throwdini, de Freeport, dans l'État de New York, a intercepté à mains nues un couteau et une flèche lancés sur lui, mais aussi une balle de calibre 22 !

℞ TRÈFLES À GOGO

Mabel South, 10 ans, a cueilli en moins d'une demi-heure plus de 120 trèfles à 4 feuilles dans le jardin de sa maison du Hertfordshire, en Angleterre. Sa récolte comportait même 3 trèfles à 5 feuilles et un à 6 feuilles.

℞ HYPER SOUPLE

Rohan Ajit Kokane, un jeune Indien de 9 ans, s'est glissé à rollers sous une voiture dans un espace de 17,1 cm seulement. C'était à Belgaum, en 2009... et il avait les yeux bandés.

℞ SACRÉ MOUSSAILLON

En juillet 2009, le navigateur californien Zac Sunderland a bouclé un tour du monde en solitaire de 45 000 km en 13 mois... à l'âge de 17 ans. Zac, qui n'avait que 16 ans en quittant le port de Marina del Rey en juin 2008, a fait face à de nombreuses épreuves pendant son périple à bord de son bateau de 11 m, *Intrepid*. Entre l'Australie et les îles Cocos, il a été poursuivi par des pirates et a dû appeler les autorités australiennes pour s'en débarrasser !

MONSTRES

L'entreprise irlandaise RoboSteel réalise des sculptures géantes de personnages de films ou séries de science-fiction, comme *Transformers*, *Predator* ou *Alien*, en recyclant des morceaux de voitures, de motos ou d'avions. Chaque sculpture, en acier, nécessite des milliers de pièces et parfois plus de 2 mois de travail. Ces pièces uniques peuvent mesurer plus de 2,5 m.

« TRANSFORMER »

ℝ COMME UN RAT

Un détenu échappé de prison a été arrêté au nord du Portugal en 2009 après 16 ans de cavale. Barbu et hirsute, il s'était caché dans des caves, se nourrissant essentiellement de fruits.

ℝ UN SINGE AFFAMÉ

Une visiteuse du parc animalier de Chengdu, en Chine, a fait une chute de 6 m après avoir été poussée du haut d'une falaise par un singe. Zhou Juchang s'est cassé 3 côtes et la hanche. Le singe l'avait agressée pour lui voler de la nourriture.

ℝ GROSSE SURPRISE

Un Chinois recherché pour le vol de dizaines de vélos électriques à Anyang, dans la province du Henan, a failli échapper aux policiers, qui ne l'avaient pas reconnu. Il avait pris 13 kg en un mois, en restant dans une chambre d'hôtel à déguster des plats livrés, sans jamais faire d'exercice.

ℝ DRÔLE DE PENSIONNAIRE

Un taureau a passé toute une nuit dans une chambre d'hôtel à Jinan, dans la province chinoise du Shandong. Il y est entré par hasard sans que personne le remarque, et n'a été découvert que le lendemain matin.

ℝ ET DE DEUX !

Quelques heures après un cambriolage à Pensacola, en Floride, le voleur est retourné sur les lieux de son forfait pour dérober ce qu'il n'avait pas pu emporter : une télé à écran plat de 45 kg. Il y avait bien un enquêteur dans la maison, mais l'écran avait été laissé sans surveillance dans la cour, où le cambrioleur l'avait déposé lors de sa première visite, en attendant le relevé d'empreintes. La police a proposé de rembourser le téléviseur.

ℝ UN ÉMEU MENOTTÉ

Des policiers ont utilisé un Taser et des menottes pour capturer un émeu égaré sur une autoroute du Mississippi. Ils ont réussi à encercler l'oiseau, qui perturbait la circulation, mais ont dû avoir recours à ces accessoires pour le faire quitter la route.

D'ACIER

ℝ UN JOB MORTEL

En 2009, à Londres, une attraction touristique a proposé un poste de zombie pour un salaire annuel de 27 000 £. Les candidats ont été invités à se présenter aux entretiens de la London Bridge Experience dans un costume sanguinolent et avec le maquillage adéquat.

ℝ RÉUNION DE FAMILLE

Gary Nisbet a découvert que son collègue de travail était en fait son frère, qu'il n'avait pas vu depuis 35 ans. Enfants, les deux garçons avaient été adoptés par deux familles différentes. Quand Randy Joubert a été embauché dans le magasin de literie où travaillait Gary, à Waldoboro, dans le Maine, leur ressemblance a frappé tout le monde. On leur disait qu'ils pourraient être frères, ce qui les faisait bien rire... jusqu'à ce qu'ils découvrent que c'était le cas.

ℝ INCROYABLE TIRAGE

En Bulgarie, les mêmes numéros sont sortis à 2 reprises au tirage de la loterie nationale, ce qui représente une probabilité de 1 sur 4 millions! Les numéros 4, 15, 23, 24, 35 et 42 ont été tirés en direct à la télé le 6 septembre 2009, puis 4 jours plus tard, mais pas dans le même ordre.

ℝ LE DERRINGER DE DILLINGER

Un petit pistolet ayant appartenu à John Dillinger, un célèbre braqueur de banques américain des années 1930, a été vendu aux enchères pour 95 600 $ en 2009.

SPACE "SOLDIER"

ℝ D'UN NEIL, L'AUTRE

Neil Armstrong, un financier de 38 ans de Symmes Township, dans l'Ohio, reçoit chaque année des dizaines de lettres et de coups de téléphone destinés à son homonyme, le célèbre astronaute, qui vit à seulement 18 km de chez lui. Quand il a quitté la Virginie-Occidentale il y a plus de 15 ans, M. Armstrong ignorait que le premier homme à avoir marché sur la Lune habitait la région. Désormais, il doit répondre à des demandes de chasseurs d'autographes, de journalistes, et même de la Nasa!

ℝ COLLISION IMPROBABLE

David Olson, de Riverton, dans le Wyoming, a trouvé deux balles de 9 mm qui se sont percutées en plein air.

ℝ SOLEIL GARANTI

Certains voyagistes français proposent une assurance qui rembourse les touristes en cas de vacances gâchées par le mauvais temps. Ils peuvent toucher jusqu'à 400 € s'ils ont au moins 4 jours de pluie dans la semaine.

ℝ SUPER HÉROS AU GRAND CŒUR

Afin de récolter des fonds pour une œuvre caritative, plus de 100 étudiants et membres du personnel de l'université de Bournemouth, en Angleterre, se sont rassemblés dans une pièce déguisés en super héros. On dénombrait un certain nombre de Batman et de Superman.

FBSQ. Kesako ? Les initiales de la France, de la Belgique, de la Suisse et du Québec, où il se passe aussi de drôles de choses. Comme à Paris, quand cet automobiliste confond l'entrée d'un parking souterrain avec celle du métro.

SPÉCIAL FBSQ

DOUCE FRANCE

Les Français sont souvent considérés comme des « grandes bouches » ou des excentriques par les habitants des autres pays francophones. Ces quelques exemples ne devraient pas les faire changer d'avis…

À Perpignan, le 15 janvier 2009, Lluis Colet, 62 ans, a battu le record du monde du plus long discours. Pendant 124 heures, il a disserté sur le thème des Catalans, avec en arrière-plan un portrait de son idole, le peintre Salvador Dalí.

À Nantes, le 12 novembre 2008, Solène a été embrassée 108 fois sur la joue en 1 minute.

Toujours à Nantes, le même jour, Valentin (le bien nommé) a, lui, donné 94 bisous sur la bouche en 1 minute. Quel tombeur !

En juin 2007, malgré l'interdiction de la Préfecture de police, plusieurs centaines de cyclistes ont défilé nus dans les rues de Paris pour protester contre la pollution et le nombre trop important de voitures.

En l'air, c'est mieux !

À Namur, en 2005, la funambule québécoise Catherine Léger tente de battre le record de la plus longue distance parcourue sur un fil.

À Sint-Truiden, en Belgique toujours, si l'on prend de l'altitude, c'est pour mieux se marier. Puis c'est le grand saut vers la vie de couple…

Un hôtel de glace

Où préféreriez-vous passer la nuit ?

- Au Québec, dans un hôtel de glace où la température ne dépasse pas les – 3 °C ?

- En Suisse, dans un ancien bunker antinucléaire (mais le petit déjeuner n'est pas servi) ?

- Ou chez ce Français de Saint-Quentin-de-Chalais, qui, par peur d'être enterré vivant, dort depuis 1978 dans un cercueil ?

Drôles d'endroits pour dormir

Un bunker antinucléaire

Un cercueil !

PARIS
ville de
l'amour

À Paris, les grilles du pont des Arts, qui relie le musée du Louvre à l'Académie française, sont recouvertes depuis plusieurs années par des milliers de cadenas que les amoureux du monde entier viennent accrocher. Une manière de symboliser que leur amour est éternel...

À TABLE

Québécois et Français se livrent une guerre sans merci. Qui détiendra le record de la plus grosse tarte aux pommes ? Voilà en effet un sujet essentiel ! Celle des habitants de Lanouaille, en France, mesure 15,20 mètres de diamètre. Et combien de pommes a-t-il fallu éplucher pour cela ? 13 500 !

Les Français se prétendent si bons cuisiniers qu'ils veulent même en faire profiter leurs chiens. À Nice, ce restaurant leur est dédié.

En France, la baguette de pain, c'est sacré !

Ce qui fait fondre les Suisses ? La fondue. En août 2009, à Genève, le chef du jour a utilisé 500 kg de fromage et 170 litres de vin blanc pour régaler quelque 3 000 convives.

www.le-a uverien.ch   www.r

Lego géants

Les habitants de Nivelle, en Belgique, sont de grands enfants. Il leur a pris l'idée de reproduire grandeur nature le plus vieux café de leur ville… avec des caisses en plastique contenant à l'origine de la bière.

À PART ÇA...

Les Françaises, quand elles assistent aux courses de chevaux, à Deauville, savent trouver la coiffure adaptée.

Le Spiderman français Alain Robert, ici à Dubaï en mars 2011, en train d'escalader à mains nues une tour de 828 mètres, la plus haute du monde.

Les Québécois adorent prendre un bain de neige par -5°C. Heureusement, le soleil brille !

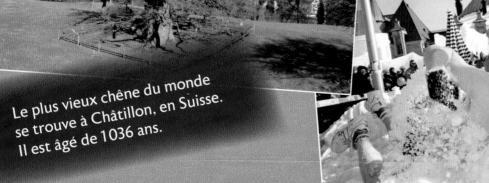

Le plus vieux chêne du monde se trouve à Châtillon, en Suisse. Il est âgé de 1036 ans.

Où est Charlie ?

À Montréal, pendant le festival « Juste pour rire », on assiste chaque année, en juillet, à un vaste rassemblement de jumeaux, de triplés, voire de quadruplés. Cherchez l'intrus...

À Saint-Georges-de-Didonne, Raymonde et Lucienne, les plus vieilles jumelles françaises, nées le 23 septembre 1912, fêtent leur anniversaire.

Ripley's MUSÉES

Il existe 31 musées Ripley disséminés dans le monde. Chacun abrite derrière sa façade incroyable des collections tout aussi incroyables !

ATLANTIC CITY

Atlantic City **NEW JERSEY**	Grand Prairie **TEXAS**	Veracruz **MEXIQUE**	Pattaya **THAÏLANDE**
Bangalore **INDE**	Guadalajara **MEXIQUE**	Myrtle Beach **CAROLINE DU SUD**	San Antonio **TEXAS**
Blackpool **ANGLETERRE**	Hollywood **CALIFORNIE**	New York **NEW YORK**	San Francisco **CALIFORNIE**
Branson **MISSOURI**	Jackson Hole **WYOMING**	Newport **OREGON**	St. Augustine **FLORIDE**
Cavendish **CANADA**	Key West **FLORIDE**	Niagara Falls **CANADA**	Surfers Paradise **AUSTRALIE**
Copenhagen **DANEMARK**	Kuwait City **KOWEÏT**	Ocean City **MARYLAND**	Williamsburg **VIRGINIE**
Gatlinburg **TENNESSEE**	London **ANGLETERRE**	Orlando **FLORIDE**	Wisconsin Dells **WISCONSIN**
Genting Highlands **MALAISIE**	Mexico City **MEXIQUE**	Panama City Beach **FLORIDE**	